VAN VOETNOOT TOT GESPREKSPARTNER
NADENKEN OVER OPVOEDING EN VORMING
IN GESPREK MET HET VERLEDEN

Hans Van Crombrugge

Van voetnoot tot gesprekspartner

Nadenken over opvoeding en vorming in gesprek met het verleden

Garant

Antwerpen-Apeldoorn

Hogeschool van Amsterdam

Hans Van Crombrugge
Van voetnoot tot gesprekspartner
Nadenken over opvoeding en vorming
in gesprek met het verleden
Antwerpen – Apeldoorn
Garant
2006

163 blz. – 24 cm
D/2006/5779/76
ISBN 90-441-1942-7
ISBN 978-90-441-1942-8
NUR 847

Omslagontwerp: Koloriet/Danni Elskens

Garant
Somersstraat 13-15, B-2018 Antwerpen
Koninginnelaan 96, NL-7315 EB Apeldoorn
www.garant-uitgevers.be   uitgeverij@garant.be
www.garant-uitgevers.nl   info@garant-uitgevers.nl

Inhoud

Inleiding

Klassiekers: koningen van de voetnoten[1]

De pedagogische wetenschappen kennen zoals andere disciplines hun klassiekers. Klassieke auteurs zijn terug te vinden in de voetnoten van teksten die voor een deel hun identiteit als pedagogische tekst aan de verwijzingen naar die klassiekers ontlenen. Pedagogische teksten handelen immers niet alleen over opvoeding met als inzet opvoeding op een of andere wijze te verbeteren. Een tekst wordt als pedagogisch herkend door de pedagogische gemeenschap aan de hand van de taal die men spreekt, door de taalschat waaruit men put, door naar wie en wat men verwijst om over opvoeding te spreken.

'Hij is een fakkeldrager. (…) We waren vergeten dat zulke mensen bestaan. Ogen als edelstenen. Zorgvuldig: hij hoort wat hij zegt.'
ANNA ACHMATOVA OVER SOLZJENITZIN, OPGETEKEND DOOR TSJOEKOVSKAJA[2]

Zoals de gemeenschap – zeg maar de netwerken – van wetenschappers bepaalt wat goed wetenschappelijk werk is en wat men moet doen om bij de club te horen; en zoals dit niet (alleen) op grond van duidelijke en afgelijnde criteria gebeurt, maar (ook) op grond van allerlei rituelen die opgevolgd moeten worden wanneer men tot de gemeenschap wil behoren en wanneer men er lid van is; zo bestaat er ook zo iets als een *'onzichtbare kerk'* – de gemeenschap van de klassiekers – die door de bestaande gemeenschap in ere gehouden wordt. En dat laatste gebeurt door vermelding in voetnoten, door er terloops in de tekst naar te verwijzen, zonder dat de verwijzer veel uitleg moet geven over wie de auteur is of wat deze juist gezegd heeft en zonder dat de lezer vragen zal stellen over wie men het nu heeft of wat deze juist gezegd heeft. Eenmaal lid van de gemeenschap, kent men zijn klassiekers en weet men wat ze gezegd hebben. Tijdens de opleiding tot pedagoog wordt men in de pedagogische klassieken ingeleid. Hoewel, dit 'inleiden' moet goed begrepen worden. Klassiekers kent men niet door ze gelezen te hebben. Meestal kent men ze door hen tegengekomen te zijn in voetnoten of in een terloopse opmerking in een tekst. In het beste geval heeft ooit iemand in een cursus wat uitleg gegeven over de klassiekers, een uitleg die het niveau heeft van een goede encyclopediebijdrage. (Dergelijke cursussen hebben niet voor niets als titel: 'encyclopedie van … bijv. de pedagogiek').

Dat men de klassieker alleen maar kent van naam en alleen maar een vaag idee heeft over wat hij gezegd heeft – meestal in de vorm van een slogan – is voor de wetenschap op zich niet zo erg. Een klassieker is iemand die iedereen van naam kent en waarop men een etiket kan plakken in de vorm van een slogan. Locke staat voor de '*tabula rasa*' leeropvatting, Rousseau voor '*terug naar de natuur*' en de ontdekking van het kind, Pestalozzi voor een omvattende opvoeding van '*hoofd, hart en handen*', Herbart voor '*opvoedend onderwijs*' en '*middel-doel denken*' in de pedagogiek, Dewey voor leren handelen door handelen op grond van '*daadwerkelijke ervaring*', Socrates voor een dialogale opvoeding en het beeld van de opvoeder als vroedvrouw, Fröbel voor de '*kindertuin*' waar kleuterjuffrouwen '*fröbelen*', Goethe voor de '*pädagogische Provinz*', Ellen Key voor '*de eeuw van het kind*', en ga zo maar door. Waarvoor dat allemaal staat, is niet duidelijk en ook niet belangrijk. Wij – pedagogen – weten wat we bedoelen. Door de pedagogische klassiekers af en toe te vermelden in een voetnoot, door een argument vergezeld te laten gaan van een aan de pedagogische klassieker ontleende *oneliner*, geven we aan dat we pedagogen zijn.

De klassiekers hebben bovendien niet alleen een interne gemeenschapsstichtende functie in zoverre dat op grond van het verwijzen naar hen, men weet wie tot die welbepaalde wetenschappelijke gemeenschap behoort. Klassiekers hebben ook een externe legitimerende functie. Door onder zijn klassiekers ook voor andere gemeenschappen gezaghebbende figuren te hebben, probeert men ook die anderen aan te geven hoe belangrijk de eigen gemeenschap wel is. Zo staat het goed als men de moderne pedagogische theorie kan laten teruggaan op Kant: hield deze grote filosoof immers geen voordracht over pedagogiek? Dat zijn pedagogische beschouwingen niet erg spectaculair zijn en hun verhouding tot zijn eigen kritische denken hoogst problematisch is, en dat zijn daadwerkelijke invloed misschien wel erg beperkt is geweest, is geen punt. Integendeel: beperken tot de naam en een slogan – '*aude sapere*' – volstaat om aan te geven dat men als autonome moderne wetenschappelijke pedagogiek goede papieren kan voorleggen.[3]

Klassiekers: marginalen van het wetenschapsbedrijf

Klassiekers leest men niet

Klassiekers hoeven niet gelezen te worden. Integendeel. De even paradoxale als onvermijdelijke vaststelling is dat het lezen van de klassiekers zelf niet gerekend wordt tot het wetenschapsbedrijf. Het gebeurt wel in de marge, maar moet niet al te serieus genomen worden. Immers die klassiekers behoren tot andere tijden en in de mate de wetenschap hier en nu haar inzichten genereert op een andere wijze, hebben ze niet echt iets relevant te zeggen. Verder dan een voetnoot en een slogan reikt het gezag van de klassieker niet. Het lezen van klassiekers is op dat punt vergelijkbaar met het grondslagenonderzoek van een wetenschap. Als wetenschapper beweeg je je binnen bepaalde vanzelfsprekendheden, die je als wetenschapper zelf niet bevragen kan. Dit verklaart (voor een deel) de marginale positie binnen de pedagogische wetenschappen van de historische en wijsgerige pedagogiek. Marginaal is misschien niet het goede woord; ambigu is wellicht beter. Hun positie is immers dubbelzinnig: binnen de pedagogische wetenschappen stellen ze vragen aan die wetenschap die het nemen van een buitenpositie vergen. Deze janushouding is maar realiseerbaar binnen en aanvaardbaar voor de pedagogische wetenschappelijke gemeenschap als men kan aangeven dat die historische en wijsgerige vragen op hun wijze bijdragen tot een optimaliseren van de opvoeding. Met andere woorden: wanneer ook de fundamentele en historische vragen gemotiveerd worden door een pedagogische intentie.

Hierdoor is evenwel het probleem niet opgelost, toch niet wanneer men als historisch pedagoog ook ernstig genomen wil worden door de gemeenschap van historici, of als wijsgerig pedagoog door de wijsgerige gemeenschap. Deze gemeenschappen hebben ook hun eigen regels en rituelen en ambities. En deze zijn niet dezelfde als deze van de pedagogische gemeenschap. Dat wordt steeds duidelijker naarmate de historische en wijsgerige pedagogen zich op de eerste plaats als goede geschiedeniswetenschappers c.q. filosofen willen ontpoppen. Dit uit zich onder meer in het zich laatdunkend uitlaten over hun voorgangers die letterlijk als 'liefhebbers' bestempeld worden: met de beste pedagogische bedoelingen waren het slechte of toch amateuristische filosofen of historici. Een andere uiting is dat deze wijsgerig en historisch pedagogen zich meer en meer gaan bewegen in wijsgerige en historische clubs en de pedagogische wetenschappers niet echt als zinvolle gesprekspartners erkennen. Concreet uit zich dat in de bezetting van leerstoelen wijsgerige en/of historische pedagogiek door filosofen of historici die een eigen onderzoeksagenda hebben, die niet deze van de pedagogische wereld is. Een ander gevolg is dat deze wijsgerig en historisch pedagogen steeds minder aanwezig zijn in de pedagogische wereld van opvoeding en onderwijs. Ze voelen zich niet geroepen om te participeren aan pedagogische discussies. Dat historische en wijsgerige pedagogen zich nog binnen de academische structuren van de pedagogische wetenschappen bevinden is een erfenis uit het verleden die op termijn zal verdwijnen (ook al zullen betrokkenen wellicht zich hiertegen verzetten vanuit welbegrepen eigenbelang). Of hoe ambiguïteit overgaat in marginaliteit.

Of deze stand van zaken ook een goede zaak is voor de pedagogische wereld valt nog te bezien. In elk geval is in deze context de toekomst van de studie van de pedagogische klassiekers weinig rooskleurig.

Historische en wijsgerige pedagogiek en klassiekers[4]

Vroeger rekenden de historisch en wijsgerig pedagogen het tot hun taak de klassiekers regelmatig af te stoffen en op te poetsen. Ideeën werden gesystematiseerd en in de mate dat een klassieke pedagogische theorie op zich niet zo erg overtuigend leek (zeker niet gemeten aan de standaards van de wetenschap en de filosofie), werd veel aandacht besteed aan het praktisch pedagogisch optreden. Wat de klassiekers gezegd en gedaan hadden, werd betrokken op wat men hier en nu ervoer als belangwekkend of problematisch. Het verleden was bron en voorbeeld voor de dag van vandaag. Dat dergelijke studie van de klassiekers vaak de vorm aannam van een soort pedagogische ideologievorming – het toeleveren van historische en wijsgerige gezagsargumenten (vaak letterlijk te nemen als argumenten *ad hominem* – voor hedendaagse pedagogische problemen is duidelijk. Het is geen toeval dat de meeste onderwijshervormingen en nieuwerwetse pedagogische theorieën zich willen en kunnen beroepen op klassiekers.

De laatste decennia heeft de historische pedagogiek grondig afgerekend met deze traditie. Ze was het blijkbaar beu om historische argumenten voor systematische discussies te leveren en een soort van historische wijsbegeerte van opvoeding te zijn, zoals ook de wijsgerig pedagogen niet langer ideologen van beleid en praktijk wilden zijn. De pedagogische historiografie emancipeerde zich door zich als een echte sociale geschiedenis te profileren die zich concentreerde op feiten en historische praktijken. De klassiekers werden in het beste geval opgeborgen in de boekenkast waar ze altijd al thuis hoorden. Om de opvoedingspraktijken uit het verleden te bestuderen bleek men de klassiekers trouwens niet te moeten bestuderen. Slechts bij uitzondering kwam men hen tegen en dan nog niet zozeer in hun hoedanigheid van klassiek auteur, maar wel als acteur die beter begrepen kon worden in de sociaal-politieke context waarin ze functioneerden, dan vanuit hun theoretische teksten die ze schreven. Zo hoef je Herbarts algemene pedagogiek niet te bestuderen om zijn rol en betekenis in onderwijsontwikkelingen te begrijpen, en zo is het optreden van Schleiermacher als beleidsmedewerker van het Pruisisch ministerie voor onderwijs duidelijker te vatten zonder zijn eigen theoretische ballast.

Negeerde en vergat de historische pedagogiek op deze wijze de klassiekers – die op deze wijze rustig koningen van de voetnoten van pedagogische teksten konden blijven – de laatste jaren heeft de pedagogische historiografie hen opnieuw ontdekt. Maar niet zozeer als pedagogische helden en weldoeners, maar wel als figuren in de eigen pedagogische wetenschapsgeschiedenis. In haar emancipatie als historische wetenschap vond de pedagogische historiografie een eigen niche tegenover de algemene geschiedeniswetenschap. Men wil dan wel geen geschiedenis bedrijven als pedagoog en zeker niet vanuit een pedagogische interesse, maar van de andere kant wil men niet opgaan in de geschiedeniswetenschap (cf. het welbegrepen eigenbelang). Het zich toeleggen op de geschiedenis van de pedagogische wetenschappen biedt dan een dankbare uitweg. Om evenwel serieus genomen te worden door de anderen, rekent men af met de eigen pedagogische geschiedenis. Het sleutelwoord is '*demythologisering*' – of als men modieuzer wil overkomen '*deconstructie*' – van de klassiekers. Men kan aantonen dat de klassiekers niet echt gelezen werden, maar gebruikt werden in andere discussies. Klassiekers dienden om allerlei praktijken te legitimeren. De historische pedagogiek maakt zo het proces van het eigen verleden van afstoffen en oppoetsen van klassiekers dat als ahistorisch afgedaan wordt. Het typevoorbeeld van deze wending is zeker de demythologisering van Pestalozzi door Oelkers en Osterwalder in het jaar dat Pestalozzi normaal gevierd zou worden. In plaats van de 250ste verjaardag te gebruiken om Pestalozzi te vieren, analyseerden ze de vroegere verjaardagen en toonden (heel overtuigend overigens) aan hoe dergelijke vieringen functioneerden in de wereld van de feestvierders. Elk 'rond getal jaar' biedt nu de gelegenheid om de jarige in een onverwacht – liefst kwalijk – daglicht te stellen: 'hij/zij betekende niets', 'hij/zij was niet origineel', 'hij/zij schreef zelf niets', 'alles mislukte' ...[5]

Hoe interessant dergelijke receptiegeschiedenissen ook zijn, merkwaardig genoeg lijken ze ziek te zijn in hetzelfde bedje als diegene die men viseert. Men maakt het proces van de receptie van klassiekers, zonder evenwel de klassiekers zelf recht te doen. Integendeel. Men leest niet de klassieker, men leest degenen die de klassieker gebruiken. De klassieker wordt zo gereduceerd tot het beeld dat in de receptie ervan gemaakt is. Dat de klassiekers op allerlei wijze gebruikt zijn kunnen worden, lijkt wel een bewijs dat ze zelf geen op zich staande theoretische of praktische digniteit hebben. Ze zijn poly-interpretabel omdat ze zelf niet erg coherent, logisch of wetenschappelijk waren. Klassiekers zijn zoals de Larousse: *'ils sèment à tout vent'*. De latere generaties hebben er allerlei in kunnen projecteren omdat ze zelf leeg zijn, geen weerstand hebben kunnen bieden. De kritiek van de receptie wordt zo tot een destructie van de klassieker. Blijkbaar mogen klassiekers niet serieus genomen worden. Ze zijn voetnoten, goed voor alle gebruik, en niet meer dan dat. Heilige huisjes dienen om afgebroken te worden: het komt er vooral op aan aan te geven dat ze niet origineel waren en dat hun gezag het gevolg is van een proces van verheerlijking door navolgers die hen zo ideologisch goed konden gebruiken. Ze mogen geen gezag hebben. Op deze wijze probeert de hedendaagse pedagogische historiografie haar kritisch gehalte te bewijzen. In het beste geval zijn klassiekers het product van hun context, van allerlei machten die achter hun rug zich doorheen hun denken doorzetten.[6]

Niet de klassiekers hebben gezag. In de '*new cultural history of education*' zijn allerlei andere eigentijdse theoretische kaders gezagvol. Zowel Foucault als de systeemtheorie als de kritische pedagogiek leveren de '*tools*' voor de afbraak. Hoe gesofisticeerd en modieus de werktuigen ook mogen zijn, in feite komt het er steeds op neer dat de contexten belangrijker zijn dan de teksten, dat de teksten louter functie zijn van de contexten, dat de betekenis en zin van de klassieker niet meer is dan functie van machtsstructuren. Men hoeft ze niet echt te lezen, men heeft reeds grote schemata klaar liggen waarin ze passen: medicalisering, pedagogisering, moralisering, civilisering, functionele differentiatie e.d. Men zou zich de vraag kunnen stellen wat de functie van dergelijk ambacht is. Van welke machtsmechanismen is het zelf functie? Projecteert men niet de eigen machteloosheid of conformisme in het verleden?

De pedagogische historiografie probeert haar positie te versterken als geschiedeniswetenschap door de eigen pedagogische klassiekers niet alleen in te leveren voor sociaal wetenschappelijke theoretische kaders, maar ook door vanuit deze kaders die klassiekers 'kritisch' en 'vakkundig' te vernietigen. De wijsgerige pedagogiek is bij deze een objectieve bondgenoot. Gemeten met de criteria van de filosofie zijn de pedagogische klassiekers slechte filosofen – en dat is ook zo natuurlijk omdat ze nadenken over praktijken met het doel die praktijken bij te sturen, niet omdat ze '*die Zeit in Gedanken erfassen*' (Hegel) willen – die als denkers niet al te serieus genomen moeten worden. Hedendaagse gezaghebbende filosofen worden de nieuwe gesprekspartners: zowel de grote figuren uit het verleden (bijv. Plato, Aristoteles, Kant) als de hedendaagse spraakmakende denkers (bijv. Witgenstein, Arendt, Levinas). De gedachten van een vakfilosoof 'op een blauwe maandag' over opvoeding worden belangrijker geacht dan deze van fulltime pedagogische denkers. Als men nog oog heeft voor de eigen klassiekers dan worden ook deze op het procrustesbed van de filosofie gelegd.

De andere wijsgerige aanzetten zijn zeker zinvol, maar het is toch merkwaardig hoe bepaalde filosofen al het krediet krijgen dat aan pedagogische denkers ontzegd wordt. Zo zijn Witgenstein en Nietzsche diepzinnig en de moeite waard te bestuderen, terwijl Bollnow en Flitner incoherente 'wollige' woordenkramers heten te zijn. Terwijl de verschillen tussen de vele vertegenwoordigers van de kritische theorie als eigen zinvolle theoretische aanzetten uiteengerafeld worden, worden alle geesteswetenschappelijke of alle christelijke pedagogen over een kam geschoren en zijn de verschillen niet relevant.

Klassiekers: onvermijdelijke gesprekspartners

Waarom klassiekers lezen?

De in deze publicatie verzamelde studies delen met elkaar de overtuiging dat het zinvol blijft om met de pedagogische klassiekers in gesprek te gaan. Waarom is en blijft het zinvol klassiekers te lezen? Deze vraag hangt samen met een andere vraag. Hoe de klassiekers lezen? Deze twee vragen komen eigenlijk neer op één vraag . Op welke wijze kunnen we recht doen aan de klassiekers? Met deze funderende vraag in het achterhoofd kunnen we verschillende mogelijke antwoorden beoordelen. Op deze vragen zijn immers verschillende antwoorden te geven.

Een eerste mogelijk antwoord is dat we de klassiekers lezen uit zuivere interesse, uit louter nieuwsgierigheid. We willen weten wat de klassiekers gezegd hebben. Op deze wijze reduceren we de klassiekers tot louter mogelijkheden om onze weetgierigheid te bevredigen. Hiermee doen we geen recht aan de intentie waarmee klassieke teksten geschreven werden. Pedagogische klassiekers worden gekenmerkt door een engagement ten aanzien van opvoeding: ze oordelen, bekritiseren, formuleren alternatieven, geven verantwoordingen. Recht doen aan een pedagogische klassieker vereist dan ook positie kiezen tegenover dat engagement. Je kan geen pedagogische tekst lezen en onverschillig blijven. Toch niet als je de tekst en de auteur ervan recht wil doen.

Een andere reden om pedagogische klassiekers te lezen kan zijn dat men hoopt de eigen situatie beter te begrijpen wanneer men haar voorgeschiedenis kent. Op deze wijze lees je een klassieker als een voorloper van iets dat later komt.

Zo is het gevaar evenwel groot dat men de tekst reduceert tot datgene wat relevant is om wat daarna komt te begrijpen. Met welk recht worden andere aspecten die er zeker zijn uitgesloten? Recht doen aan een klassieker kan niet zonder de gehele klassieker in beschouwing te nemen. Als je Rousseau alleen maar leest om de anti-autoritaire opvoedingsbeweging die zich op hem beroept, te begrijpen, is de kans groot dat je voorbijgaat aan waar het Rousseau zelf om te doen is.

Verwant aan de vorige beweegreden is het lezen van klassiekers omdat je verwacht dat je er oplossingen kan vinden voor de problemen waarmee je zelf hier en nu te maken hebt. Deze oplossingsstrategie van de zogenaamde '*Problemge-schichte*[7] is problematisch omdat hier verondersteld wordt dat de problemen van ons deze van de klassieker zijn. Willen we recht doen aan een klassieker dan moeten we minstens nagaan welke de problemen zijn waarop de pedagogische klassieker betrekking heeft. En zelfs als de problemen herkenbaar zijn, lijkt het weinig waarschijnlijk dat de oplossingen van de klassieker de dag van vandaag zonder meer gelden. Recht doen aan een klassieker vereist een werkelijk lezen van de tekst en deze niet reduceren tot reservoir van oplossingen voor onze problemen.

Wanneer wij hier pedagogische klassiekers willen lezen is de beweegreden hiervoor niet onze nieuwsgierigheid die we willen bevredigen, noch onze verwachting dat de klassiekers op een of andere manier antwoorden op onze vragen of oplossingen voor onze problemen hebben. De reden is heel eenvoudig dat we door het feit dat ze er zijn uitgedaagd worden. Klassiekers zijn er nu eenmaal. Ooit hebben mensen zich ingezet voor een betere opvoeding, hebben hierover nagedacht en hebben hierover bericht en hebben mensen begeesterd. Ook wij zijn betrokken op de verantwoording en realisering van pedagogisch handelen. Dit gemeenschappelijk engagement brengt ons bij elkaar en nodigt uit voor gesprek.

Met iemand in gesprek gaan, iemand als gesprekspartner recht doen, wil zeggen dat we ervan uitgaan dat die iemand iets te zeggen heeft. Wat hij te zeggen heeft, weten we niet op voorhand. Indien we op voorhand wisten wat iemand gaat zeggen, dan moesten we niet luisteren naar hem en zou een gesprek verloren tijd zijn. Of iemand daadwerkelijk ons iets te zeggen heeft, weten we maar door naar hem te luisteren. Alleen reeds daarom is elk gesprek de moeite waard. Zo weten we nooit met zekerheid of het zinvol is een klassieker te lezen. Iedereen heeft het recht dat naar hem geluisterd wordt, niet op grond van het feit dat wij vragen hebben, maar wel omdat hij iets gezegd heeft. Dat krediet verdient elke tekst. Klassiekers zijn teksten die geschreven zijn en die gelezen zijn en die alleen reeds daarom uitnodigen om herlezen te worden. In die zin kan Calvino zeggen dat 'elke eerste lezing van een klassiek werk in werkelijkheid een herlezing' is.[8]

In plaats van het wantrouwen van de traditionele historische hermeneutiek dat ook kenmerkend is voor de kritische pedagogische historiografie, bevinden we ons hier in een cirkel van vertrouwen en geloof in de tekst. Of de klassieker ons vertrouwen waard is, weten we maar als we hem vertrouwen schenken, waarbij de reden voor dat vertrouwen schenken niet kan zijn dat wij weten dat hij betrouwbaar is (omdat te weten moeten we hem lezen). We vertrouwen hem omdat hij door de traditie als betrouwbaar overgeleverd wordt en omdat we vertrouwen hebben in die traditie. Deze traditie willen we niet zonder meer kritiekloos overnemen, maar wel levend doorgeven. En om te weten wat de moeite waard is om bewaard te worden, moeten we uitgaan van de overgeleverde waarderingen. Met andere woorden: we bevinden ons hierbij in een andere nieuwe hermeneutische cirkel.

Hoe klassiekers lezen?

Een klassieker wordt geen recht gedaan door hem te reduceren tot een uiting van een of andere historische dynamiek, door hem in een of ander vakje te plaatsen. Een klassieker recht doen wil zeggen hem lezen vanuit de houding dat zonder hem de geschiedenis anders zou zijn geweest (daar waar de historische houding er een is dat de geschiedenis zonder die zogenaamde grote figuur wellicht niet anders gelopen zou zijn)[9].

Calvino stelt met recht dat klassiekers hun betekenis putten uit het feit dat ze niet onmiddellijk in de huidige wereld passen. In tegenstelling met de idee dat teksten hun relevantie ontlenen aan rechtstreekse betrokkenheid op de actualiteit van de hedendaagse context, is net het omgekeerde precies het geval. Het is juist hun onoverbrugbare afstand die de klassiekers zeggingskracht verleent. 'Klassiek is datgene wat in staat is de actualiteit te reduceren tot achtergrondrumoer, maar dat tegelijk niet zonder dat achtergrondrumoer kan'.[10] Bij het lezen van een klassieke tekst hebben we allerlei dingen in ons achterhoofd, vanuit ervaring, uit wat we in de krant hebben gelezen of op tv gezien en wat we uit de pedagogische vakpers weten over actuele vraagstukken in de wereld van opvoeding en onderwijs. Een lezer die louter en alleen klassieken leest, is immers ondenkbaar (dat geldt zelfs voor theoretisch pedagogen). Het is bovendien juist in combinatie met die andere bronnen dat de klassieken hun eventuele actuele zin kunnen tonen. 'De actualiteit kan banaal zijn en beschamend, maar ze is nog altijd een punt waarop je plaats moet nemen om vooruit of achteruit te kijken. Om de klassiekers te lezen moet je ook vaststellen 'vanwaar' je ze leest, want anders raakt zowel boek als lezer verloren in een tijdloze wolk. Het lezen van de klassiekers levert dan ook het meeste profijt op als je het kunt afwisselen met een verstandige dosering van actuele lectuur'.[11]

Dergelijk in gesprek gaan met klassiekers heeft iets van een associatief lezen waarbij verschillende teksten en passages met elkaar in gesprek gebracht worden, waarbij het eigene en het vreemde in dialoog treden, elkaar doorkruisen (en wat Welsch '*transversale Vernunft*' noemt).[12] Hierbij mag onze verantwoordelijkheid niet herleid worden tot een verwoorden en beargumenteren van de aantrekkingskracht van de klassieke tekst. Als wetenschappers moeten wij bereid zijn zowel de vreemdheid te doorgronden, als de vermoede actualiteit. Daartoe moet de actuele wereld kritisch geanalyseerd worden en ook historisch onderzoek blijkt onmisbaar. De contexten en discours waarin een historische benadering de tekst kan plaatsen, zal de vreemdheid misschien vergroten en zal maken dat we de aantrekkingskracht van de tekst kritisch zullen relativeren. Maar daarmee zullen we misschien ook een beter zicht krijgen op de eigenheid van de tekst, alsook op de eigenheid van de huidige tijd die we in oorden en gedachten pogen te vatten. Misschien zien we continuïteiten, misschien ook niet. Om het met Quentin Skinner te zeggen: juist het (her)ontdekken van '*the unfamiliar*' van teksten uit het verleden, kan een belangrijke strategie zijn om niet alleen de debatten uit het verleden, maar ook de hedendaagse te begrijpen, respectievelijk te verrijken met nieuwe concepten.[13]

Het is juist de mate waarin een tekst de spanning tussen vreemdheid en actualiteit kan doorstaan en overleven en betekenis geven, die een indicatie geeft van de mate waarin een tekst aanspraak kan maken op de status van klassieker. Dit alles impliceert dat op een bepaald moment in de geschiedenis klassiekers hun gezag kunnen verliezen, of dat nieuwe teksten uit vergeten en/of verdrongen hoeken uit de geschiedenis opduiken en onverwacht de waardigheid van klassieker verwerven.[14]

We kunnen steeds leren van klassiekers. Dit wil evenwel niet zeggen dat ze antwoorden geven op onze vragen. Wel dat ze ons bevrijden van onze eigen vragen, ons wegleiden uit ons vaak uitzichtloos worstelen met eigen vragen en met de met deze vastgeroeste vragen verbonden beperkte en beperkende antwoord-mogelijkheden. Een goed gesprek is maar mogelijk wanneer we onze eigen vragen zo veel mogelijk tussen haakjes plaatsen zodanig dat we kunnen openstaan voor dat wat klassiekers ons kunnen zeggen.[15]

Klassiekers: aansprekende uitspraken[16]

Niet alleen weten we niet op voorhand wat de klassieker ons zal zeggen; de klassieker weet ook niet wat hij ons te zeggen heeft. Wat een klassieke tekst ons zegt, valt niet samen met datgene wat de klassieke auteur heeft willen zeggen. De intentie van de auteur en de ontstaansgeschiedenis zijn weliswaar belangrijke contexten om de klassieker te begrijpen, maar wat in en door het lezen van een klassieke tekst gebeurt, is een gebeuren dat daartoe niet reduceerbaar is.

Niet alleen heeft elke klassieker zijn waarheid die door geen ander verwoord kan worden – zoals de hermeneutiek van Schleiermacher over Dilthey tot Gadamer beklemtoond heeft –; belangrijker is dat elke herlezing een gebeuren is van waarheid dat alleen in en door deze lezing kan plaats hebben – zoals niet alleen Derrida, maar ook en duidelijker Buber en Levinas aanvoelen.

Een pedagogische klassieker is niet alleen en zozeer een tekst die iets te zeggen heeft over opvoeding dat voor de auteur ervan en voor zijn onmiddellijke omgeving duidelijk was en voor ons door de tijdsafstand vreemd is geworden. Dat is een klassieker ook en daarom is het lezen van een klassieker steeds ook een poging om deze waarheid van de klassieker te reconstrueren in en door een voortdurend gevecht met het eigen voorverstaan. Daarom is elke uitleg van de tekst ook gebonden aan de eigen situatie van de lezen en daarom steeds weer bekritiseerbaar. Maar daarmee is niet alles gezegd over het lezen.

Op grond van deze historische gebondenheid van elk lezen, kan men terecht de naïeve gedachte dat men door het lezen een auteur uitputtend kan begrijpen, verwerpen. Ook wordt zo duidelijk dat een 'beter begrijpen van de auteur dan deze zichzelf kan begrijpen' wat de pretentie was van een *ideeengeschichtliche* hermeneutiek onmogelijk en onwenselijk is. Het is niet omdat de lezer een beter zicht op allerlei historische ontwikkelingen en een ruimere probleemhorizon heeft dan de auteur zelf, dat hij de tekst beter kan plaatsen en beter het zelfbegrip van de klassieker in woorden kan vatten. Door deze contexten te kennen, kunnen we veel begrijpen, maar niet het zogenaamd 'oorspronkelijke' van de klassieker. Wat als oorspronkelijk begrepen wordt, is in het beste geval datgene waarin een tekst verschilt van andere. Het verschil is echter niet hetzelfde als het eigene. Wat zich zo toont is hoogstens een waarheidsmoment in een beweging van een veronderstelde '*pädagogische Vernunft*' die zich in en door de geschiedenis zou openbaren.[17]

Wat bij het (her)lezen van een klassieker gebeurt, wanneer dat (her)lezen opgevat wordt als een gesprek waarin de tekst iets zegt en de lezer luistert naar de stem van de tekst, is een waarheidsgebeuren op zich. Op dat moment van het 'aangesproken worden door de uitspraken' zoals Levinas zal zeggen, ontstaat de waarheid van de tekstuitleg.

Het lezen van een klassieker is niet (alleen en op de eerste plaats) als een detective op zoek gaan naar wat tussen de regels staat en niet gezegd wordt, maar is juist 'gepakt' worden door de 'zinnelijkheid van de zin' (Buber). Het lezen van de tekst is een gebeuren waarin de lezer vanuit zijn wereld de tekst ernstig neemt, waardoor de zin van (het lezen van) de tekst 'gebeurt', zich 'uitzaait' (Derrida). In deze opvatting over het lezen van een klassieker, is het onderscheid tussen 'letterlijk of figuurlijk' niet echt aan de orde: de lezer neemt de tekst zoals deze is, of beter wellicht: de lezer wordt door de tekst zoals deze zich aandient, aangesproken zoals deze is, en in de mate dat de lezer goed luistert, wordt hij aangesproken door de tekst, d.w.z. door het gebeuren van het lezen.

En zoals bij elk gesprek weet je niet wat de uitkomst zal zijn. Je hebt wel verwachtingen, vooroordelen, maar of deze 'bewaarheid' zullen worden, weet je nooit. En wat meer is: als het lezen zou opgevat worden als het toetsen van hypothesen, het nagaan of de vooroordelen bevestigd of verworpen kunnen worden, dan zal het lezen van de klassieker een maat voor niets geweest zijn, in de zin dat je alleen zal weten of je eigen opvattingen bevestigd worden of niet, maar daarmee weet je ook niets 'meer'. En om dit surplus gaat het toch bij het lezen.[18]

Dit boek

De verschillende bijdragen in dit boek gaan terug op lezingen die bij verschillende gelegenheden voor verschillend publiek gehouden werden en ook meestal een neerslag vonden in bijdragen in proceedings, jaarboeken en/of tijdschriften. De verschillende pedagogische 'klassiekers' die herlezen worden – Comenius, Fénelon, Rousseau, Pestalozzi, Fröbel, Herbart, Key, De Hovre, Decoene – zijn

denkers over opvoeding die me op een of andere manier boeiden. Er zullen wellicht een aantal rode draden lopen van de ene bijdrage naar de andere omdat een
aantal thematieken me bezig houden. Maar er is geen andere systematiek voor
deze studies dan dat ze als klassiekers bij het bestuderen van die thematieken me
steeds weer tegemoet komen, in de vorm van voetnoten, slogans, steeds weer
herhaalde gemeenplaatsen. En zoals reeds aangegeven: alleen al daarom zijn ze
onze interesse waard.

De concrete aanleiding voor het herschrijven en bundelen van deze studies,
was de vraag van een collega om een 'kritische' bijdrage te schrijven over het ontdekken van de pedagogische klassiekers in het Duitse taalgebied door 'radeloze
pedagogen' die 'ahistorisch' die 'gedateerde' teksten opnieuw lezen en uitgeven.
Nadenkend over dat fenomeen, kwam ik tot de conclusie dat ik zelf tot dat soort
pedagogen behoor dat ik geacht werd te gaan bekritiseren. Alleen begreep ik mijn
interesse voor de pedagogische klassiekers niet als 'radeloosheid', noch als 'ahistorisch'; ook kwamen de klassiekers me niet over als 'gedateerd'. In plaats van de
verwachte kritische bijdrage te leveren, ben ik beginnen na te denken over het feit
dat de pedagogische klassiekers me boeien en poog ik te begrijpen waarmee ik
bezig ben als ik ze lees en bestudeer.[19]

Niet alleen in de vormingstheorie, maar ook in de didactiek, alsook in de
Europese 'onderwijsruimte' komt de naam van Comenius voor. Volgens de Unesco is hij een van de grondleggers van de moderne onderwijskunde, voor Europa
is hij een letterwoord voor internationale uitwisselingsprojecten, voor pedagogen
een eerder premoderne figuur uit de geschiedenis. Maar wat heeft die man werkelijk geschreven? Niemand lijkt (nog) Comenius te lezen. Hij is bekend uit historische boeken, die herhalen (overnemen) wat andere boeken over hem schrijven.
Alleen deze onbekendheid met deze bekende figuur nodigt uit om te lezen.[20]

Rousseau is een mens die me reeds jaren en steeds meer intrigeert. In mijn
promotieonderzoek neemt hij een centrale plaats in, een plaats die van bij het
begin als een olievlek steeds groter werd dan de vraagstelling van het onderzoek
vroeg of toeliet.[21] Rousseau lezen en herlezen is werkelijk een ervaring die met
Derrida's 'uitzaaiing' aangeduid met worden. Als geen ander is voor mij het lezen
van Rousseau als het 'ontcijferen van het leven zelf in de spiegel van de tekst'
(Ricoeur). Wellicht is Rousseau één van de meest bestudeerde denkers, en toch is
het opvallend vast te stellen dat juist pedagogen hem en zijn werk niet kennen.
Wellicht omdat hij zo ongrijpbaar is, wordt hij niet gelezen en overleeft hij onder
pedagogen alleen in gemeenplaatsen en slogans. Twee gangbare opvattingen over
Rousseau vormen in deze bijdragen de aanleiding voor een herlezen van Rousseau: in zijn opvoedingsconcept zou geen plaats voor het lezen van boeken zijn en
hij zou vrouw en kinderen schaamteloos verwaarloosd hebben. De bijdrage over
lectuur in de meisjesopvoeding plaatst Rousseau in relatie tot de door hem fel bewonderde Fénelon en maakt duidelijk dat een klassieker zelf in een traditie staat
die hij al lezend doorgeeft.[22] De tweede bijdrage over een twist tussen Madame
de Staël en Belle van Zuylen neemt in zekere zin een tegenovergestelde positie in:
hier vertrek ik van opvattingen over Rousseau uit zijn onmiddellijke omgeving

om terug te keren naar zijn eigen perspectief dat in de receptiegeschiedenis steeds weer genegeerd wordt.[23]

Elke student pedagogische wetenschappen leert ergens wel dat een van de grondleggers van de moderne pedagogiek Herbart is. Deze opvolger van Kant is voor de theoretisch pedagogen het begin van het moderne pedagogische denken; en voor de onderwijskundigen is hij één van de grondleggers van een moderne pedagogische psychologie en didactiek. In de historische handboeken komt hij dan ook steeds weer voor als het moderne laatverlichte vertrekpunt van heel wat pedagogische praktijken en theorieën (al dan niet in oppositie met de romantische antipode Schleiermacher). Deze aanvang van de moderne pedagogiek wordt ook steeds weer verbonden met zowel een opvatting betreffende een typisch middel-doel denken en een zich emanciperen uit levensbeschouwing en religie. In mijn onderzoek kwam ik Herbart niet tegen als een vertrekpunt, maar eerder als iemand die na andere pedagogische denkers komt en die eerder een herformulering brengt van wat voorafging. In een eerste bijdrage worden deze verbanden tussen Herbart en enkele voorgangers (Fénelon, Rousseau, Pestalozzi, Fröbel) belicht.[24] In een tweede wordt Herbart dan weer wel herlezen vanuit een later perspectief: de toenemende pedagogisering van de gezinsopvoeding.[25]

Begin 20ste eeuw kondigde Ellen Key de eeuw van het kind af. Het einde van die eeuw vormde de gelegenheid om terug te kijken op de ideeën van Key over wat die eeuw zou hebben moeten brengen. Ellen Key wordt dan steevast in verband gebracht met de (reform)pedagogische ontwikkelingen in de eerste helft van die eeuw. Zij zou het pedagogisch aanvoelen van die generatie verwoord hebben. Wat mij opviel is dat Key voor deze verwoordingen put uit een heel traditionele pedagogische boekenkast gevuld met pedagogische klassiekers, waarmee ze een eigen romantisch universum creëert, waarin niet zozeer het kind, maar wel de moeder centraal staat en de vader een randfiguur is bij de opvoeding.[26]

Tot slot gaan we in op de katholieke pedagogische opvattingen van twee Vlaamse monumenten: Frans De Hovre en Alberic Decoene. In de pedagogische historiografie worden ze steeds weer vernoemd, maar niet serieus genomen, om niet te zeggen onrecht aangedaan. Als katholieke pedagogen uit het interbellum zouden ze niet veel meer zijn dan neothomistisch geschoolde priesters die Willmann overschreven voor een te 'corporeren' onderwijzerscorps; die bovendien als kinderen van hun tijd fascistoïde trekken vertoonden.[27] Dergelijke behandeling die meer zegt over de historici dan over de betrokken pedagogen is een voorbeeld van niet ernstig lezen van teksten en het reduceren van auteurs tot de eigen vooraf vastliggende interpretatiekaders. Een lezen van De Hovre en Decoene met vooral oog voor de eigenheid van elk pedagoog laat zien dat de katholieke pedagogische theorie niet zonder meer toegepaste theologie, noch een monoliet is en brengt ons op het spoor van vergeten spanningsverhoudingen in de *humana christistiana*.[28]

Buber vergeleek het schrijven met het ontvellen van een slang: op het moment dat een tekst verschijnt, is de auteur reeds aan een andere tekst bezig. Ook voor deze publicatie geldt dat de bijdragen zelf andere bijdragen oproepen, waaraan ik aan het werken ben. In verschillende bijdragen stoten we immers op de religieuze en voormoderne wortels van de pedagogische theorie en praktijk. We hopen in de nabije toekomst hierover meer te kunnen meedelen aan de hand van een studie over de betekenis van de pedagogische theorie van Fénelon en de nawerkingen ervan in de katholieke vormingstheorie.

Om af te sluiten iets over de korte biografische schetsen die opgenomen zijn in dit boek. Over Comenius, Rousseau, Herbart, Key, De Hovre en Decoene worden wat uitvoeriger gegevens vermeld wat betreft leven, werk en invloed. Bedoeling is de lezer wat vertrouwder te maken met onze centrale gesprekspartners. Het is niet mogelijk van alle ter sprake gebrachte pedagogen biografische informatie te geven. Voor Fénelon, Pestalozzi, Fröbel die niet centraal staan, maar toch een aantal keer weerkeren, geven we enkel een summiere opsomming van enkele biografische gegevens. Voor Pestalozzi en Fröbel kunnen we ook verwijzen naar onze eerdere publicatie '*Verwantschap en verschil*'. Er bestaan trouwens ook nog encyclopedische werken waarin men meer informatie kan vinden.

Noten

1. We ontlenen de uitdrukking 'koningen van de voetnoten' aan Winkler, M. (2001). Klassiker der Pädagogik – Überlegungen eines möglicherweise naiven Beobachters. *Zeitschrift für Pädagogische Historiografie, 7,* 76-85.

2. *Ontmoetingen met Anna Achmatova. 1938-1962.* Amsterdam: Arbeiderspers; p. 290 e.v.

3. Voorbeelden hiervan zijn de bijdrage van Depaepe, M., M. Hellemans & W. Leirman (1989). Pedagogiek. In P. de Meester (Ed.). *Wetenschap nu en morgen.* (pp. 233-246). Leuven: Universitaire Pers; en ook Smeyers, P. & B. Levering (2001). Over het verband tussen wetenschap en opvoeding. In Idem (Ed.). *Grondslagen van de wetenschappelijke pedagogiek. Modern en postmodern.* (pp.13-32). Amsterdam: Boom.

4. Voor de wijze waarop de betrokken historische pedagogen zelf de geschetste ontwikkelingen duiden (zodoende hun eigen 'postmoderne' opzet legitimerend): Depaepe, M. (2005). Geen ambacht zonder werktuigen. Reflecties over de conceptuele omgang met het pedagogisch verleden. In M. Depaepe, F. Simon & A. Van Gorp (Eds.). *Paradoxen van pedagogisering. Handboek pedagogische historiografie.* (pp. 23-72). Leuven: Acco.

5. Vgl. Oelkers, J. & F. Osterwalder (Eds.). *Pestalozzi –Umfeld und Rezeption. Studien zur Historisierung einer Legende.* Weinheim-Basel: Beltz.

6. De historische pedagogen hebben dan ook geen goed woord over (zie de discussies in het *Zeitschrift für Pädagogische Historiographie*) voor de verschillende reeksen met pedagogische klassieke teksten die de laatste jaren verschijnen.

7. Een typisch voorbeeld hier is Benner, D. (2001). *Allgemeine Pädagogik.* Weinheim-München: Juventa; of ook Soëtard, M. (2001). *Qu'est-ce que la pédagogie? Le pédagogue au risque de la philosophie.* Paris: ESF.

8. Calvino, I. (2000). Waarom lezen we klassieken? *Nexus, 28,* 99-106 (oorspr. Perche legere i classici? 1991); p. 101.

9. Over deze houding, zie: H. Van Crombrugge (1998). Wie lässt sich Wirkungdgeschichte so gut wie mögliche erzählen? Abendstunde eines Aussenseiters. *Neue Pestalozzi-Blätter, 4*(1),

16-23; voor een kritiek op onze 'ahistorische' houding: Osterwalder, F. (1998). Wie lässt sich pädagogische Wirkungsgeschichte erforschen. Anmerkungen eines Historikers. *Neue Pestalozzi-Blätter, 4*(2), 18-21.

10. Calvino (2000); p. 104.

11. Calvino (2000); p. 103 e.v.

12. Welsch, F. (2001). *Vernunft.* Frankfurt: Suhrkamp.

13. Vgl. Van Hove, R. (2004). Historicus en politiek filosoof Quentin Skinner. Pleidooi voor een grotere woordenschat. *Campuskrant, 15*(7), 6.

14. Voor deze positie, zie ook: W. Meijer & H. Van Crombrugge (2004). Inleiding. In H. van Crombrugge & W. Meijer (Eds.). *Pedagogiek en traditie; opvoeding en religie.* (pp. 7-12). Leuven: Lannoo.

15. Vgl. de verantwoording van Spaemann om Fénelon te bestuderen: Spaemann, R. (1990/1963). *Reflexion und Spontaneität. Studien über Fénelon.* Stutgart: Klett-Cotta; p. 32 e.v.

16. Voor deze paragraaf zijn we sterk geïnspireerd door de beschouwingen over de hermeneutiek van Buber, Rosenzweig en Levinas bij Waaijman, K. (2006²/2004). *Tegendraads lezen. De schrift vanuit Joods perspectief.* Kampen: Kok.

17. Voor een dergelijke opvatting, zie: F.P. Hager (1984). Vernunft und Geschichtlichkeit. Zwei verschiedene philosophische Begründungen der Theorie der Erziehung und Bildung. *Pädagogische Rundschau, 38,* 473-501.

18. We zijn ons bewust dat deze 'joodse' positie niet zonder meer verzoenbaar is met onze eerste verkenningen in een hermeneutische fenomenologie die geïnspireerd waren door Heidegger (ook al waren deze eerder door Derrida dan door Gadamer gevormd). Vgl. Van Crombrugge, H. (1986). Naar een deconstructieve fenomenologie van opvoeding. De fenomenologische pedagogiek gedeconstrueerd vanuit Heideggers fenomenologie. *Pedagogische Verhandelingen, 9*(1), 30-45.

19. De concrete vraag kwam van het *Zeitschrift für historische Pädagogik* n.a.v. het verschijnen van de reeksen '*Basiswissen Pädgogik' (6 Bd), 'Klassiker der Pädagogik' (2 Bd.), 'Pädagogische Portraits'* en '*Werkinterpretationen Pädagogischer Klassiker'.*

20. Gaat terug op: Van Crombrugge, H. (2005). Transitzone Europa. Met Comenius nadenken over Europa en vorming. In: R. Bauer e.a., *Europa als macht? Over de vorming van jonge Europeanen.* (DIROO-Academia, 7). (pp. 129-146). Gent: Academia Press.

21. In dat onderzoek werden klassiekers bestudeerd vanuit een heel duidelijke systematische vraagstelling (waardoor ze zich allicht niet volledig konden tonen); waarbij Rousseau het vertrekpunt is. Vgl. Van Crombrugge, H. 2005/1999). *Verwantschap en verschil. Over de plaats van het gezin en de betekenis van het ouderschap in de moderne pedagogiek.* Antwerpen-Apeldoorn: Garant; zie ook: Van Crombrugge, H. (2005). Rousseau et les ambiguïtés d'une pédagogie familiale. In P. Dupont & M. Termolle (Eds.). *Emile ou la praticabilité de l'éducation.* (pp. 17-21). Mons: UMH.

22. Gaat terug op: Van Crombrugge, H. (2001). Emile en Sophie wisselen boeken uit. Lectuur en meisjesopvoeding bij Rousseau. *Pedagogiek, 21*(1), 68-78 en H. Van Crombrugge (2002). The Ladies' Library. Rousseau revisited. In: *Philosophy of Education Society of Great Britain. Annual Conference 2002,* Oxford: New College.

23. Gaat terug op Van Crombrugge, H. (2004). Vrouwen over de vrouw van Rousseau. Schets van een schermutseling. In M. D'Hoker & M. Depaepe (Eds.). *Op eigen vleugels. Liber Amicorum prof.dr. An Hermans.* (pp. 273-286). Antwerpen-Apeldoorn: Garant.

24. Gaat terug op collegenota's en vond een eerste neerslag in Van Crombrugge, H. & Vansieleghem, N. (2003). Pedagogiek als religieuze levensbeschouwing? In Idem (Eds.). *Kleur(en) (Be)kennen. Onderwijs, levensbeschouwing en religie.* (pp. 9-32). Gent: Academia Press.

25. Gaat terug op Van Crombrugge, H. (2002) Gezins- en opvoedingsondersteuning tussen staat en gezin. In M. Reuling, D.W. Postma & J. Noordman (Eds.) Opvoeding, Onderwijs & Overheid. Thema's uit de wijsgerige en historische pedagogiek. Bijdragen aan de 10de landelijke pedagogendag. (pp.47-58). Amsterdam: SWP en Van Crombrugge, H. (1992). Gezins- en opvoedingsondersteuning. (N)iets nieuws onder de zon? *Rondom Gezin, 13*(1), 13-22.

26. Gaat terug op Van Crombrugge, H. (2001). Ellen Key: traditie en utopie van de vrouw als opvoeder van kind en man. In M. van Essen (Ed.). *Genderconcepties en pedagogische praktijken. (Jaarboek voor geschiedenis van opvoeding en onderwijs 2000).* (pp. 123-137). Assen: van Gorcum.

27. Vgl. Depaepe, M. (1998). *De pedagogisering achterna.* Leuven: Acco; p. 203 e.v.

28. Gaat terug op een voordracht te Gent bij gelegenheid van de 80ste verjaardag van het eerste Katholiek Hoger Instituut voor Opvoeding. (22 oktober 2005).

Johannes Amos Comenius 1592-1670

Comenius – Jan Amos Komensky – werd geboren te Nivnice in Moravië 28 maart 1592. Hij studeerde aan de universiteiten van Herborn en Heidelberg en keerde terug naar zijn geboortestreek om les te geven. Hij was bisschop en woordvoerder van een protestantse Boheemse kerk: de Unitas Fratrum. Deze broederschap ging terug op Jan Hus. Omdat de leden van deze kerk door de Habsburgers gedwongen werden zich te bekeren tot het Katholicisme, doken velen zoals ook Comenius onder. Zij vluchtten naar Polen waar ze vrijer hun geloof konden belijden. Comenius werd uitgenodigd naar Engeland om een pansofisch college op te richten, maar van deze plannen kwam niets terecht door de Ierse revolutie van 1641. De volgende jaren verbleef hij in Zweden waar hij een hervorming van het onderwijssysteem leidde en tal van pedagogische handboeken schreef. Zwaar ontgoocheld over de Vrede van Westfalen en in conflict met de Zweedse Lutheraanse kerk, verliet Comenius Zweden en keerde terug naar Polen. Hij coördineerde nog een onderwijshervorming in Hongarijë. Kort na zijn terugkeer in Polen werd de Boheemse Broederschap ook daar gewelddadig vervolgd. Comenius vluchtte via Silezië naar Amsterdam. Hier werkte hij zijn *Consulatio Catholica* af. Hij stierf op 15 november 1670 en werd begraven in Naarden.

Onder pedagogen is Comenius vooral bekend als de schrijver van tal van didactische werken die model stonden voor moderne leerboeken. De bekendste zijn: *Didactica Magna, Mutterschule, Janua Linguarum Reserata, Orbis Sensualium Pictus*. Daarnaast is er het veel gelezen werk: het allegorische verhaal 'Het labyrint van de wereld en paradijs van het hart'. Zijn opus magnum dat ons in deze bijdrage zal inspireren, is *De Rerum Humanorum Emendatione Consultatio Catholica*, dat hij afwerkte op het einde van zijn leven. Het kan beschouwd worden als de ultieme synthese van zijn denken. Duitse Bildungsphilosophen als Krause werden sterk beïnvloed door dit werk. Vele delen bleven echter onbekend omdat het werk verloren leek. Eerst in 1935 werd het manuscript eindelijk teruggevonden in Halle (niet toevallig in de archieven van August Francke, de piëtistische onderwijshervormer). Het werk telt zeven boeken: de *Panegersia* (het appèl), de *Panaugia* (het universele licht), de *Pansophia* (de universele wijsheid), de *Panpeidia* (de universele opvoeding), de *Panglottia* (de universele taal), de *Panorthosia* (de universele wereldorde) en de *Pannuthesia* (de algemene vermaning).

Vorming en Europees burgerschap

> '*Wo Gott keinen Unterschied ge-macht hat, da soll auch der Mensch keine Schranken aufrichten.*'
> COMENIUS

Inleiding

In de klassieke vormingstheorie bestaat een traditie om de idee van vorming te verbinden met de Europese gedachte, waarbij Comenius figureert als een *Urheber*, een *Founding Father*. Vooral in de Duitse *Bildungsphilosophie* werd het denken van Comenius gecultiveerd en verder gezet.

In deze bijdrage wil ik stil staan bij een aantal aspecten van deze link die tussen vorming en Europa gelegd wordt, daarbij vertrekkend van de ideeën van Comenius zelf. Dit is op zich reeds interessant omdat Comenius zoals zoveel 'klassieken' niet gelezen wordt en alleen 'bestaat' in de vorm van moto's, citaten en voetnoten. Het is ook belangrijk om na te gaan of Comenius niet voor de kar gespannen wordt van allerlei ideologieën, wat zich reeds laat vermoeden als we zien dat zowel voor- als tegenstanders van de Europese onderwijspolitiek zich menen zich te kunnen beroepen op Comenius. Mijn hoofdbedoeling is evenwel niet zozeer historisch of ideologiekritisch, maar veeleer 'bezinnend': in gesprek met Comenius en door hem geïnspireerd, wil ik nadenken over de waarde en betekenis van de Europese gedachte als vormingsproject. Bij het lezen van Comenius' werk[1] duiken immers allerlei thema's op die relevant zijn voor het onderwerp 'vorming en Europa': de verhouding van politiek en pedagogiek, de spanning tussen vorming en onderwijs, de betekenis van onderwijs voor economie, de relatie tussen Europese eenheid en wereldburgerschap, de plaats van (christelijke) religie en zingeving bij dit alles. Allemaal onderwerpen waarmee Comenius aan het denken zet. In wat volgt, ga ik met Comenius in op een viertal topics: Europa en de wereld, culturele verscheidenheid en eenheid, zingeving en politiek, vormend onderwijs en economie.

Europa of de wereld

'*We zijn alle burgers van een en dezelfde wereld*', zo luidt een motto ontleend aan Comenius van een onderwijsproject '*Wereldwijs*' dat wil bijdragen tot een 'Europees en wereldburgerschap'.[2] Zoals vaak in dergelijke projecten wordt geen of weinig onderscheid gemaakt tussen Europa en de wereld. Valt het werelddeel Europa dan samen met de wereld? Of zijn de belangen van de Europese eenwording dezelfde als deze van de wereld? Is datgene wat de Europeanen verbindt, het feit dat ze allen wereldburgers zijn? Maar, wat is dan de zin van een Europees project? Kunnen we dan niet beter de wereld als vormingsproject nemen?

De impliciete gelijkstelling van Europees en wereldburgerschap in onderwijsprojecten, is wellicht niet toevallig. De Europese hymne heeft het ook over alle mensen die broeders worden. Alle mensen zijn evenwel geen Europeanen. Daar waar in deze projecten in naam van Europa het wereldburgerschap gepromoot wordt, houdt de Europese politieke wereld discussies over wie nu wel of niet tot Europa behoort. Wereldburgerschap is niet voldoende om Europaan te zijn. Een andere culturele traditie, geen gemeenschappelijke geschiedenis, een verschillende economische situatie, een andere politieke cultuur zijn argumenten om mensen en landen uit te sluiten.

Door te verwijzen naar Comenius doet men deze mens en zijn ideeën onrecht. Voor Comenius was het duidelijk dat alle mensen broeders (en zusters) zijn – dat wil zeggen allemaal kinderen van God. In al zijn werken wordt steevast gesteld dat alle onderscheidingen tussen mensen niet van God komen, maar juist een gevolg zijn van de zondeval. De inzet van de mensheid moet juist het herstel van de eenheid van de mensheid zijn, dit wil zeggen de erkenning van elke mens als gelijkwaardige mens, met eenzelfde natuur en eenzelfde bestemming. Opvoeding heeft als doel elke mens op zijn juiste plaats in de schepping te zetten (institutio) en deze plaats bestaat erin zich te richten naar de ene oorsprong (Er (d.i. oer)-ziehung): de plaats vinden van waaruit men de gehele schepping in haar oorsprong kan spiegelen (universum, q. in uno versum). Opvoeden is elke mens naar zijn schepper wenden, hem keren, hem bekeren. Alle wereldse verschillen – in taal, cultuur, stand, geslacht, leeftijd – zijn secundair. Dat wil zeggen dat deze niet in vorming gecultiveerd mogen worden. Integendeel: mensen moeten juist weggevoerd worden uit deze verschillen die het wezen van de mens versluieren.

Deze (neo-platonische) visie op de plaats van de mens in de wereld is voor Comenius niet louter een theoretische aangelegenheid. 'Scire igitur non sufficiet, in usum transferras opportet' – Weten alleen is niet genoeg, je moet het ook in praktijk brengen. De mens moet zich niet alleen bewust zijn van zijn bestemming: hij moet bovenal handelen overeenkomstig dat inzicht. Niet in het weten, noch in het geweten toont zich de menselijkheid, maar wel in het handelen van de mens. Alleen hij die zich daadwerkelijk inzet voor de verbetering van de wereld, wat elke mens opgedragen is te doen in zijn leven, verdient de naam mens (aldus het opus magnum van Comenius: De rerum humanorum emendatione consultatio catholica (de universele beraadslaging betreffende de verbetering (het herstel) van de menselijke aangelegenheden). Dat de mens medewerker van de schepping moet zijn, houdt hier in dat de mens wereldburger moet worden. 'Als we alle burgers van een en dezelfde wereld zijn, wat houdt ons dan tegen om in een gemenebest allemaal onder dezelfde wetten te leven'.

Voor Comenius betekende dat heel concreet niet alleen dat het onderwijs op wereldschaal hervormd moest worden (wat hij uitwerkte in het deel Pampaedia), maar ook – en hij begreep dit zelf als het sluitstuk van zijn Consulatio Catholica – dat een nieuwe wereldorde ontworpen moest worden (voorwerp van de Panorthosia). Hij voorzag een aantal mondiale instituties op het gebied van cultuur (een wereldacademie), politiek (wereldregering en wereldtribunaal) en religie (oecumenische wereldraad). Als al iemand zich op Comenius kan beroepen dan is dat eerder de Verenigde Naties en de verschillende organisaties zoals Unesco, Unicef, e.d.

En wat met Europa? Comenius zelf had wel zeker de Europese situatie voor ogen toen hij over de wereld schreef, zoals hij naar de vele godsdiensttwisten en de dertig jarige oorlog verwijst wanneer hij schreef over de wereldconflicten waaraan de wereld ten onder ging. Comenius is duidelijk iemand die in Europa leeft en van daaruit kijkt naar de wereld. En er is nog meer aan de hand met Europa. In de plannen voor een herstel van de wereld komt aan Europa een heel centrale en cruciale rol toe. In de nieuwe wereldorde voorzag Comenius niet alleen tussenechelons – vertrekkende van de gemeente, over regio en land, naar continentale instellingen – waarbij een Europese unie zeker een element is. Europa heeft een voortrekkersrol te spelen. Op verschillende plaatsten in zijn geschriften vergelijkt Comenius Europa graag met het nieuwe Sion, verwijzend naar psalm 48 waarvan de eerste verzen vaak geparafraseerd worden: '… de stad van onze God … is een vreugde voor heel de aarde. De Sionsberg ligt in het verste Noorden (Comenius zelf vertaalt dit als de 'zijde tegen middernacht'), stad van de grootste koning …'. De Europese volkeren hebben een grote verantwoordelijkheid. Als erfgenaam van het uitverkoren volk dat evenwel de Messias afwees, moet het herstel van de wereld vertrekken vanuit de christelijke landen. Voorwaarde is dat deze landen stoppen met elkaar te bevechten en dat ze beginnen op politiek, religieus en cultureel/wetenschappelijk vlak samen te werken.

Comenius heeft over de te volgen strategie heel concrete voorstellingen. Heel duidelijk blijkt dit uit de Panuthesia – de vermaning van allen – en wel meer bepaald het twaalfde hoofdstuk '*Besonderer Aufruf an die Europäer, insbesondere aber an die nördlichen Königreiche*'. Zoals het nieuwe Sion in het Noorden gesitueerd wordt, richt Comenius zich tot de 'allermachtigste drie van de noordelijke koninkrijken in Europa: Polen, Zweden en Groot-Brittannië. De redding van de wereld, zo houdt hij de drie koningen voor, kan alleen bewerkstelligd worden (volledig in overeenstemming met zijn opvatting dat de mens in woord én daad medewerker is aan de schepping, stelt hij uitdrukkelijk dat de eenheid van de mensheid niet zozeer een theologisch inzicht is, maar wel een concreet te realiseren aangelegenheid), als de voortdurende twisten tussen lutheranen, roomskatholieken en gereformeerden ophouden en de drie landen die elk een van deze christelijke strekkingen tot staatsgodsdienst hebben, zich verenigen in naam van Christus. Dat zijn de koningen aan God en aan hun ambt verplicht: de voorzienigheid heeft de Europese koninkrijken met zoveel weldaden overladen – niet in het minst door de openbaring van de ene waarheid – en de koningen kunnen hun koninklijke waardigheid maar waarmaken door zich daadwerkelijk in te zetten voor het herstel van de schepping.

In een ander deel van Consultatio Catholica, m.n. de Panorthosia – over de goede wereldorde – stelt hij dat uitgaande van dat verenigde christelijke Europa de volgende volkeren bij de nieuwe wereldorde betrokken moeten worden. Eerst komt het Oosten aan bod: zij zijn onze naaste buren en ze kennen reeds het christendom. En heel praktisch heet het dat gebruik gemaakt kan worden van de bestaande handelsrelaties met Turkije, Perzië, India, China en Japan. Vervolgens moeten we ons wenden tot Afrika en Amerika. Veelzeggend is dat hij deze 'missionering' laat sturen door de reeds bestaande wereldregering, wat suggereert dat Europa niet alleen een voortrekkersrol heeft te spelen, maar dat het ook het centrum van die wereld is. Dat heeft mijn inziens niet te maken met een rangordening die Comenius zou maken tussen volkeren en rassen, wel met een tussen culturen: de ene echte ware cultuur is de christelijke.

Europa staat voor hem voor het christendom; een niet eengemaakt christelijk Europa is geen Europa (op dit laatste – problematische – punt komen we later nog terug). Bovendien stelt Comenius elders (m.n. in de Panegersia) dat eenmaal het wereldrijk georganiseerd is, er minstens eenmaal in de tien jaar wereldcongressen voor alle vertegenwoordigers van organisaties en volkeren georganiseerd moeten worden, alternerend op plaatsen in de verschillende continenten.

Laten we nu eerst terugkeren naar de onderwijsprojecten die de Europese gedachte en de idee van vorming in naam van Comenius met elkaar verbinden. Door onder de noemer van Europa heel idealistisch te spreken over alle mensen, is het gevaar reëel dat het discours van dergelijke – goedbedoelde en waardevolle – onderwijsprojecten zal functioneren als een ideologie die eerder Europese realiteiten versluiert dan zichtbaar maakt. Terwijl het laatste toch de bedoeling moet zijn van vormend onderwijs: in leerlingen de mens vormen. Leerlingen hebben verschillende achtergronden – sociaal, cultureel, e.d. – die door vormend onderwijs niet gecultiveerd mogen worden. Humaniteit is wat vorming wil realiseren in elke mens. Dat wil niet zeggen dat culturele verschillen niet belangrijk zijn en geen plaats mogen krijgen op school. Ze mogen en moeten wellicht zelfs gecultiveerd worden, maar steeds in het perspectief dat ze secundair zijn aan het menszijn.

De pedagogische wereld lijkt steeds weer in dezelfde val van de politici te trappen. Bij de veralgemening van onderwijs in de 18de en 19de eeuw hebben de vormingstheoretici als het ware allianties gesloten met de machthebbers en zich ingeschreven in het project van de vorming van nationale staten. Terwijl de theorie sprak over 'de realisering van de idee van menselijkheid' in elk mens, werd in de onderwijspraktijk alles gezet op de vorming van burgers van een welbepaalde staat. In de vormingstheorie werd probleemloos de eigen 'natie' geïdentificeerd met de mensheid waarvan ze zich zonder problemen als enige erfgenaam uitriep.

Dat sommigen zich van het probleem bewust waren, kan geïllustreerd worden aan de hand van een veelbetekenend moment in de pedagogische geschiedenis. Fröbel schreef prachtige pleidooien voor zijn 'Kinderanstalten' (in de jaren twintig van de 19de eeuw) die steevast 'Duits' als beslissend kenmerk meekregen. Elke Duitser had recht op vorming van kindsbeen af en de gevormde mens was de Duitser, en de Duitse natie beschikte over alles om dit recht te realiseren en zo zichzelf van dienst te zijn. De Duitse filosoof Karl Christian Friedrich Krause (1781-1832) – waarvan overigens 'Das Urbild der Menschheit' (1811) waarop Fröbel zich beriep, m.i. gelezen kan worden als een idealistische en deïstische vertaling van Comenius' Consultatio Catholica (maar dat kan voorwerp zijn van een andere publicatie) – en die het project gunstig gezind was, schreef een kritische bijdrage waarin hij er Fröbel attent op maakte dat wat hij Duits noemde eigenlijk de mensheid betrof: alle mensen hebben recht op vorming, elke mens moet de idee van mensheid realiseren en het resultaat zal een betere mensheid zijn. De reactie van Fröbel was veelzeggend: natuurlijk had Krause gelijk, maar het ideaal van de mensheid was te hoog gegrepen, eerst de Duitse natie vormen en dan de mensheid was zijn strategie. Krauses pointe dat hij door eerst aan de natievorming mee te werken, juist obstakels oprichtte om het uiteindelijke doel – het wereldburgerschap – te bereiken, ontging hem blijkbaar. In deze optiek is volgende uitspraak van Krause in Das Urbild der Menschheit illustratief: 'Ja bei unvolkommnen Zuständen der Menschheit wird die Liebe zu dem Einen leicht Ungerechtigkeit gegen den Andern'.

Dit voorbeeld en de geschetste opvattingen van Comenius wijzen op een cruciaal probleem in vormingsprojecten die zich inschakelen in een politiek project. Vorming betreft de menselijkheid van de mens. Deze menselijkheid moet zich realiseren in daadwerkelijk engagement – een punt waarop vorming vaak te kort schiet – dat ook politieke implicaties heeft. Maar elk politiek engagement dat niet heel de mensheid betreft, maar zich richt tot een bepaalde groep – zij het een volk, zij het een staat, zij het een Europese Unie – is in wezen onverzoenbaar met deze idee van vorming en wel omdat het mensen verbindt door anderen uit te sluiten. Het enige burgerschap dat door de idee van vorming gesteund kan worden is dat van het wereldburgerschap. Anders geformuleerd: in vorming moet juist ruimte gemaakt worden om alle politieke projecten die verbinden door uitsluiting onder kritiek te stellen. Het is niet de opdracht van onderwijs – althans niet als het vormend wil zijn – zonder meer mee te werken aan een politiek project. Het is de verantwoordelijkheid van onderwijs om jongeren burgers te maken van de gehele wereld en met hen op zoek te gaan naar verbondenheden die niemand uitsluiten. Vanuit dergelijk perspectief kan dan elk politiek engagement – nationaal, Europees of internationaal – bevraagd worden op haar humanitaire waarde.

Om het scherp – en onrespectvol tegenover heel wat authentiek Europees engagement – te formuleren: vormend onderwijs moet niet bijdragen tot het vormen van een 'Europees Belang': voor de mensheid kan maar een belang het algemene belang zijn, en dat is dat van de gehele mensheid. Dit brengt me tot de merkwaardige vaststelling dat op het moment dat jongeren die leven in een geglobaliseerde wereld van Coca-cola, MacDonalds en Disney e.d. een nood hebben aan een kritische 'perspectief en dit ook beginnen te vinden in de 'anders-globalistische' beweging, door onderwijs gemobiliseerd worden voor de Europese eenmaking waarbij veel aandacht besteed wordt aan de 'culturele identiteit' van dat Europa. Hiermee is niet gezegd dat Europees engagement in onderwijs niet aan bod mag komen, maar het heeft enkel een vormende betekenis als het gebeurt in het perspectief van een universele wereldsolidariteit. Vermeylen parafraserend: we mogen willen dat jongeren 'Europeërs' zijn, maar dan wel alleen opdat ze wereldburgers zouden worden. Europeanen zijn en worden we sowieso, maar wereldburgers – als we deze laatste tenminste niet gelijkstellen met de reeds bestaande 'neckermann'-variant die solidair is bij tsoenami-achtige rampen in toeristische gebieden – nog lang niet.

Als Comenius Europa met de vesting 'Sion' vergeleek, was het niet de 'vesting Europa' waarin Europeanen zich verschansen tegen de rest van de wereld; tegen een buitenwereld die bekeken wordt als de concurrent die men wil overtreffen, als afzetmarkt die men wil veroveren, als vreemden waartegen men de eigen cultuur wil beschermen. Het onderwijs begreep hij niet als een middel om de concurrentiekracht te vergroten, de ondernemerzin aan te scherpen of om een Europese culturele identiteit vorm te geven. Europa moest als het 'nieuwe Jeruzalem' een stad met uitstraling zijn, die mensen uit alle hoeken van de wereld aantrok als een voorbeeld van de nieuwe wereldorde waarin alle mensen hun plaats konden vinden, in vrede en vreugde en harmonie samenleven en samenwerken om het ideaal van de menselijkheid uit te dragen naar alle hoeken van de wereld en over heel de aarde te verwerkelijken. Onderwijs zou de nieuwe wereldburgers vormen, door de mensen juist weg te leiden uit datgene wat hen verdeelt en de mensen te richten op datgene dat hen verbindt en de mensen op te roepen en uit te rusten om de wereld te humaniseren.

Verscheidenheid en/of eenheid

Comenius' droom is radicaal en uitdagend, maar ook niet zonder interne spanningen en misschien wel op sommige punten problematisch. Een centraal probleemgebied betreft de plaats van verscheidenheid en de verhouding ervan tot eenheid in Comenius 'herstel van de schepping'. Dit thema – dat op de dag van vandaag actueel is – kunnen we aansnijden van de hand van Comenius' ideeën over de noodzaak van één taal. Deze thematiek is in heel zijn werk aanwezig en zelfs voorwerp van een afzonderlijk deel – de *Panglottia* – van de *Consultatio Catholica*.

Comenius was door zijn tijdgenoten vooral bekend en gewaardeerd als pedagoog die nieuwe aangename en efficiënte onderwijsmethoden ontwikkelde. Zijn eerste en grootste succes was de Janua Linguarium Reserata – de 'geopende poort der talen'. Dit was een leerboek voor Latijn, dat heel snel model werd van allerlei handboeken voor het leren van alle vreemde talen. Het principe was eenvoudig. Taal is een geheel van woorden die verwijzen naar dingen in de werkelijkheid. Om een taal te leren, vertrek je van de meest gebruikte woorden die staan voor de meest gefrequenteerde realiteiten. Met deze woorden maakt Comenius zinnen met toenemende moeilijkheidsgraad wat betreft grammatica. Deze zinnen worden gegroepeerd per werkelijkheidsdomein, zodat het leerboek ook een (encyclopedische) weergave is van de werkelijkheid, geordend van concreet naar abstract. Dit boek was de voorloper van wellicht één van de meest bekende leerboeken van Comenius: de Orbis Sensualium Pictus – de geïllustreerde zintuiglijk ervaarbare wereld. Vertrekkend van afbeeldingen wordt de 'gehele wereld' in deze encyclopedie benoemd. Elk ding wordt afgebeeld en gekoppeld aan een woord, en dit binnen een ordening van werkelijkheidsdomeinen. Er bestaan ontelbare versies die gemeenschappelijk hebben dat de verwoording van de beelden gebeurt in minstens twee talen: een volkstaal, moedertaal en/of vreemde en het Latijn.

Deze handboeken zeggen veel over het belang dat Comenius hechtte aan het woord en over zijn opvatting over de verhouding van taal en werkelijkheid. We gaven reeds aan dat voor Comenius onderwijs en opvoeding als doel hebben de mens op de juiste plaats in de schepping te plaatsen zodanig dat hij kan meewerken aan het 'in orde brengen' van de schepping. Deze orde wordt weerspiegeld in de taal: correct taalgebruik doet recht aan de werkelijkheid. Goed onderwijs zorgt voor juiste ervaringen en juiste verwoordingen en draagt zo bij tot de juiste wereldorde. Oorlogen, godsdiensttwisten, meningsverschillen en het onbegrip tussen de mensen heeft als oorzaak een gebrek aan 'verstandhouding', het inadequaat gebruik van de taal. Dit probleem van de onenigheid tussen de mensen kan verholpen worden door een correct spreken.

Vanuit deze visie wordt het begrijpelijk dat Comenius veel aandacht hechtte aan het aanleren van de moedertaal in het volksonderwijs en van vreemde talen in het voortgezet onderwijs. Zo hekelde hij ook het opleggen van een taal aan een volk ten gevolge van inlijving van een land na oorlog. Ook is hij van opvatting dat de bijbel in elke taal vertaald moet worden zodat iedereen in zijn eigen moedertaal de openbaring kan ontvangen. En bij het verwerkelijken van de nieuwe wereldorde is het aangewezen dat de wereldregering haar grondteksten in alle talen vertaalt en verspreidt. Zo hoopt hij dat zijn Consultatio Catholica in 'het Turks voor de Turken, in het Perzisch voor Perzië, in het Arabisch voor Marokko, in het 'Mogols' voor Indië, in het 'Mexicaans' voor Zuid-Amerika, in het Engels voor Noord-Amerika en in het Hebreeuws voor de Joden verspreid over de wereld', vertaald en gedrukt zal worden.

De ultieme consequentie van zijn taalopvatting is evenwel veel radicaler. Alle talen verwijzen naar eenzelfde werkelijkheid die normerend is voor de correctheid van de verwoording. Als er maar een waarheid is, dan is het ideaal één taal. De verscheidenheid van talen is een kwaad, een bron van verdeeldheid die de mensheid weghoudt van de voltooiing van zijn eenwording. Onder het moto 'Babylon soll gehen, Sion wird kommen' onderzoekt Comenius de mogelijkheid van een universele taal die op termijn de verschillende talen zal vervangen. Deze nieuwe taal zal rationeel en zakelijk zijn. Dit wil zeggen dat elk woord de ware betekenis van een zijnde zal verwoorden en waarin de grammaticale verbindingen de ware werkelijkheid zullen weerspiegelen. Deze taal zal opgesteld worden door de wereldacademie en verspreid worden over de gehele aarde zodanig dat een universele verstandhouding werkelijkheid wordt.

We moeten Comenius' pleidooi voor een eenheidstaal goed begrijpen. De betekenis van een woord is niet zomaar een verwijzing naar een zijnde, maar staat ook voor het zijn van het zijnde: (1) voor de oorsprong die het weerspiegelt, (2) voor de wijze waarop ermee moet omgegaan worden, opdat (3) zijn wezensbestemming gerealiseerd zou worden. Taal is in dergelijke opvatting niet louter een neutraal instrument om met elkaar van gedachten te wisselen. Taal staat hier voor de onlosmakelijke verbondenheid van wat wij nu taal, cultuur, waardekader en levensbeschouwing zouden noemen (en die wij van elkaar onderscheiden). In deze zin is de verscheidenheid van 'talen' voor Comenius een steen des aanstoots: als er maar een universele waarheid is en de mens geroepen is die waarheid mee te verwerkelijken, dan is de verscheidenheid een teken dat de mens nog ver af staat van de 'heelheid van de schepping'.

Hiermee wordt wel een spanning duidelijk in Comenius' denken aangaande de eendracht in de wereld. Verstandhouding is immers geen kwestie van het zoeken naar een gedeeld begrip, een zo groot mogelijke gemeenschappelijkheid achter de verschillen. Wat de mensen moet verbinden, is de ene universele waarheid die normerend is voor alle bestaande culturen. Voor Comenius is deze waarheid bovendien geopenbaard aan het Joodse volk en in de persoon van Jezus Christus en heeft de kerk de opdracht en de middelen gekregen om als het ware de leiding te nemen bij het verwerkelijken van het Rijk Gods waartoe iedereen geroepen is. In deze zin is missionering en bekeringswerk onvermijdelijk en noodzakelijk. Hoe valt dit evenwel te verzoenen met de nadruk die Comenius in zijn pedagogisch werk legt op onderwijs in de moedertaal, met zijn afkeuren van het opleggen van officieel taalgebruik door regeringen, e.d.?

Comenius lost deze spanning niet zozeer op een theoretische wijze op, maar eerder door een aantal grondhoudingen in het verkeer tussen volkeren en mensen naar voor te schuiven. Vooreerst heeft het geen zin om mensen en culturen tegen de borst te stoten, hoe moeilijk men hen ook begrijpen kan. Voorzichtigheid is geboden. Een tweede houding is deze van bescheidenheid: geen enkele cultuur of mens kan aanspraak maken op het daadwerkelijk bezit van de waarheid. Zo zijn alle kerken slechts onvolmaakte gestalten van de universele onzichtbare kerk en zolang er een veelheid aan kerken bestaat, geeft dit aan dat de kerk van Christus niet gerealiseerd is. Alle culturen en talen bevatten 'sporen van God', maar niemand kan de volheid van Gods waarheid claimen. Voorzichtigheid en bescheidenheid sluiten evenwel niet de houding van standvastigheid uit: Comenius keert zich uitdrukkelijk tegen het sluiten van compromissen en het afbieden op de waarheid waarvan men overtuigd is en die men kan funderen in de openbaring. In dat laatste geval kan men niet anders dan vastbesloten zijn en de ander trachten te overtuigen. Dat laatste mag evenwel alleen geschieden door middel van het woord, door de getuigenis die hoopt op bekering van de ander; zeker niet door geweld of dwang. De eenheid van de mensheid kan alleen op grond van de waarheid – ook al is er de wetenschap dat deze nog door niemand bereikt is, maar zeker niet door middel van compromis of een relativerende tolerantie.

Deze problematiek is actueel, ook met betrekking tot Europese vormings-projecten. Het merendeel van dergelijke projecten heeft terecht als inzet het bij-brengen van een daadwerkelijk respect voor andere culturen. In een Europese Unie zullen mensen met heel verschillende culturele tradities moeten samenleven en samenwerken. Dit respect voor verscheidenheid kadert evenwel in een project van eenmaking, waarin een gemeenschappelijke eenheid, een gedeelde waarheid inzake mens en samenleving funderend is. Deze bindende waarheid kan deze zijn die verwoord wordt als 'democratisch gedachtegoed': een manier om het samen-leven te organiseren. Deze *modus vivendi* is niet louter een formele strategie: een formeel democratisch overleg veronderstelt tal van inhoudelijke ethische eisen betreffende mens en samenleving zonder dewelke overleg niet mogelijk is. Er bestaat met andere woorden zo iets als een democratische cultuur die bovendien normerend is voor de bestaande historisch gegroeide culturen. Geen enkele cul-tuur – ook niet de Europese – kan claimen dat zij deze democratische cultuur, deze onzichtbare universele ethiek van de mensenrechten als geen ander beli-chaamt. Zoals andere culturen bevraagd moeten kunnen worden op deze univer-sele moraal, moet ook de eigen cultuur kritisch bevraagd worden. Vorming heeft hierbij zeker een belangrijke functie. In vormend onderwijs mogen en moeten de eigen culturele wortels verkend worden, mag gezocht worden naar 'sporen' van de universele moraal in de eigen geschiedenis, maar moeten ook de eigen geschiedenis en culturele tradities actief bevraagd worden. Vorming moet ook de dag vandaag het hebben over Schillers '*Alle menschen werden Brüder*', maar dit kan niet zonder na te gaan hoe in de schaduw van de '*eik van Schiller (en Goethe)*' in Buchenwald in naam van diezelfde cultuur mensen werden '*vernichtet*', zonder dat dit ervaren werd als een broedermoord. Natuurlijk moet ingeleid worden in wetenschap en techniek en vanzelfsprekend kan dan niet voorbijgegaan worden aan de Europese erfenis terzake; maar het moet even vanzelfsprekend zijn dat men dan niet voorbij mag gaan aan de desastreuze gevolgen ervan voor andere volkeren en voor de aarde.

Vorming is ook een inleiding in de eigen cultuur die hoe dan ook de voe-dingsbodem is voor de eigen culturele bijdragen van de mensen. In een naar een-making strevend Europa is het gevaar reëel dat omwille van redenen van efficiënt beleid één 'taal' opgedrongen wordt. Niet alleen de taal van de economie – en haar inherent reductionisme inzake onderwijs – maar ook een welbepaalde be-stuurstaal (of een beperkt aantal voertalen). Steeds meer wordt gesteld dat niet alle talen van alle volkeren en regio's gebruikt kunnen worden, dat al dat ver-taalwerk te veel geld kost, en nu reeds worden tal van beleidsdocumenten in een beperkt aantal 'grote' talen verspreid. Recent werd in de pers nog geringschattend gedaan over de erkenning van het Iers als Europese taal. Blijkbaar ontging menig waarnemer het symboolgehalte van deze maatregel die inderdaad ingaat tegen de toenemende trend om het aantal beleidstalen feitelijk te beperken. Zolang er echter mensen zijn die de taal spreken en zolang we deze mensen ook willen erkennen als volwaardige Europese burgers, moet de taal van die mensen erkend worden. Mensen hebben ook recht op onderwijs in de eigen taal. Dit geldt ook voor het hoger onderwijs en voor heel gespecialiseerde cursussen. Men vergeet al te gemakkelijk hoe de zich opdringende eenheidstalen moedertalen zijn (of minstens erop teruggaan) van welbepaalde groepen van mensen die zo meer macht verwerven, omdat zij werkelijk thuis zijn in die taal.

Het gaat hier bovendien niet alleen om macht. Een moedertaal (en cultuur) is verweven met het dagelijks leven. De rijkdom om zich uit te drukken in de eigen taal is onvergelijkbaar met de mogelijkheden van een 'vreemde' taal. Naarmate het beleid zich gaat beperken tot enkele talen die iedereen moet en zal spreken, zullen er steeds minder woorden zijn om aan het persoonlijke, dagelijkse, existentiële uitdrukking te geven. En wat nog erger is: deze existentiële aangelegenheden zullen zodoende verbannen worden uit het openbare en beleidsmatige discours. Zo zullen we in de toekomst met veel mensen vlot kunnen communiceren, maar zullen mensen elkaar nog iets werkelijk te zeggen hebben? De wellicht noodzakelijke eenheidsworst, zal even noodzakelijk smakeloos zijn. Wordt de droom van eenheid zo niet een nachtmerrie? In elk geval is de huidige trend van mensen om zich van een oppervlakkig en gereduceerd 'managers- en MTV-Engels' te bedienen zeker niet datgene wat Comenius voor ogen stond als hij een pleidooi hield voor een 'nova universalis lingua constituenda est'.

Religie: onvermijdelijk fundament?

Comenius' droom over Europa en de wereld is een door en door christelijke droom. Het is zijn versie van het Rijk Gods. *'Alle Reiche der Welt werden Eigentum unseres Herrn'*, heet het in de inleiding van zijn *Consutatio Catholica*. Over zichzelf zei hij trouwens dat *'professione theologus ad Evangelii ministerium'* was. Alles wat hij schreef, schreef hij niet zomaar als pedagoog, maar als dienst aan het Evangelie: *'Ego quae pro juventute scripsi, non ut paedagogus scripsi, sed ut theologus'*. Terugblikkend op zijn levenswerk, stelt hij zichzelf de vraag wat die theologie inhield en het antwoord is duidelijk: *'die Bibel ergreifen und mit Herz und Mund sprechen: ich glaube was in diesem Buche steht'*.

Het was Comenius' overtuiging dat de Messias weldra zou komen en dat het de hoogste tijd was om alles in orde te maken om deze te ontvangen (chiliasme). Hij begrijpt zijn werk van zaken op orde zetten als het meewerken aan het instellen van een *'christocratie'*, een *'res publica christiana'*. Daartoe is het noodzakelijk dat Europa opnieuw christelijk wordt en dat alle andere volkeren over de gehele wereld in kennis gesteld worden van de christelijke boodschap opdat ze zich kunnen bekeren. Op zich is dergelijk verlangen niet erg nieuw. Opmerkelijk is wel dat Comenius dit voorbereiden van de komst van het Rijk Gods opvat als een pedagogisch en politiek project. De *Emendatio* – het herstel – is het voorbereiden van de weg (illustratief in deze is dat hij bij verwijzing naar psalm 50 vers 23 – '*wie niet van mijn wegen wijkt, laat ik het heil dat van God komt zien*' (Willibrord-vertaling) – niet de vertaling van Luther volgt – '*und da ist der Weg , dass ich ihm zeige das Heil Gottes*' – maar wel zelf volgende versie geeft: '*Dem, der den Weg Gottes ausrichtet, werde ich das Heil Gottes zeigen*'). Het Rijk Gods is niet een profetie, maar wordt streefdoel van opvoeding en maatschappelijke actie.

Zo wordt begrijpelijk dat Comenius opvoeding niet begrijpt als iets wat de zelfontplooiing van de individuele mens ten goede moet komen, noch als iets wat betrekking heeft op het professionele leven van de mens (in Comenius' onderwijssysteem is beroepsvorming iets wat maar eerst op volwassen leeftijd aangevat wordt). Ook is vorming hier niet gericht op culturele eruditie zoals voordien bij de humanisten van de renaissance en later in de idealistische Bildungsphilosophie (en neo-humanisten). Maar ook het verwijzen naar Comenius als vader van levenslang leren en permanente vorming is niet correct. Dat hij onderwijs en opvoeding als een levenslange opdracht beschrijft en wil organiseren, heeft alles van doen met de religieuze bepaling van opvoeding. Het doel van opvoeding is niet de vrijheid, wel de 'vreugde' die bij God te vinden is, wat maar kan door in het zijn leven de bron van alle leven – God – te weerspiegelen. In deze zin gebruikt Comenius het vormingsbegrip niet in de 18de eeuwse Bildungsphilosophische zin, maar wel in de betekenis die het bij mystieke denkers als Meister Eckhardt heeft: formatio als 'beeld-ing', als imitatio Dei.

Bij dit alles komt nog een ander element: de wetenschap. Comenius keert zich uitdrukkelijk tegen de moderne tendens – voor hem belichaamd in Descartes – om wetenschappelijke kennis te reduceren tot kennis die teruggaat op een bepaalde zintuiglijke ervaring en te beperken tot eenduidige concepten. Van de andere kant, kunnen en mogen de wetenschappelijke bevindingen niet verworpen worden op grond van theologische argumenten. Comenius wil wetenschap en geloof, ervaring en openbaring samenhouden (of beter: opnieuw samenbrengen) in een universele wijsheid, een pansofie, waarbij openbaring, theologisch inzicht en wetenschappelijke kennis met elkaar in een omvattend systeem dat idealiter in een taal verwoord moet kunnen worden, op elkaar betrokken worden. (Wat trouwens volgens cultuurhistorici een fundamenteel kenmerk van de barok is.) Zo kunnen we Comenius' ogenschijnlijk contradictoire didactische opvattingen beter begrijpen, wanneer in het leerproces vertrokken wordt van zintuiglijke ervaringen (empirisme), die evenwel in een duidelijke encyclopedische en harmonische orde gesystematiseerd zijn (pansofisme), waarbij kennis ook verworven wordt, niet op grond van ervaring, maar door analogieredeneringen (rationalisme) – wat Descartes trouwens met alle respect voor de mens en denker Comenius uitdrukkelijk verwierp.

Tegen deze achtergrond moeten we Comenius' voorstellen over de opvoeding en politiek organisatie van Europees en wereldburgerschap plaatsen. Comenius voorziet een omvattend onderwijssysteem dat centraal georganiseerd wordt. Dat gebeurt vanuit verschillende centrale organen van politieke, religieuze en weten-schappelijke aard. Deze worden op hun beurt gecoördineerd door een overkoepe-lende raad.

Comenius beklemtoont dat elke instelling – religieus, politiek of weten-schappelijk – autonoom moet kunnen functioneren en dat in elke instelling ie-dereen op grond van deskundigheid en verdienste (en door middel van interne verkiezing) moet kunnen meewerken. Tegelijkertijd voorziet hij evenwel een over-koepelende raad waarin vertegenwoordigers van de verschillende raden samen in consensus alle inzichten samenbrengen en ordenen om zo de ene waarheid over mens, natuur en samenleving te (re)construeren, als normerend voor onderwijs, wetenschap, religie en politiek.

Deze ideale samenleving lijkt weinig gemeen te hebben met onze heden-daags opvattingen over een democratische ordening van een functioneel gedif-ferentieerde samenleving, waarbij gezocht wordt naar een modus vivendi in een complexe wereld waarin geen algemeen geldende overkoepelende waarheid er-kend wordt. Comenius' christocratie lijkt eerder van een totalitaire platonische snit, waarbij een college van intellectuelen samen priester-filosoof-koning is. Van de andere kant is het echter wel zo dat ook in de hedendaagse voorstellen om politieke actie op wereldschaal te organiseren (of die nu komen van de G8 of de andersglobalisten) men het erover eens is dat dergelijke actie niet kan via de traditionele democratische structuren. Meer en meer wordt effect verwacht van overlegstructuren en commissies van deskundigen die omwille van de complexi-teit en techniciteit van de dossiers niet vormgegeven kunnen worden als volks-vergaderingen of parlementen van volksvertegenwoordigers. Hierbij gaat men blijkbaar meer en meer uit van de veronderstelling dat alle betrokkenen de beste bedoelingen hebben om samen naar oplossingen te zoeken voor problemen die iedereen aanbelangen (maar die ze anders definiëren omwille van de verschillende posities van waaruit men ermee te maken heeft).

Deze veronderstelling is er een van vertrouwen in elkaar en niet het wan-trouwen dat de traditioneel democratische deugd bij uitstek is. Dergelijk vertrou-wen moet ook bestaan tussen burger en politicus: als de burger ervan uitgaat dat de politicus alleen maar denkt aan zijn eigenbelang dat hij verschuilt achter een technische onbegrijpelijk jargon, dan kan deze laatste niet constructief functio-neren. Dergelijk vertrouwen sluit niet uit dat 'democratische controle' georgani-seerd wordt (iets waaraan Comenius' niet dacht omdat hem het principe van de scheiding van machten niet bekend was). Daartoe is het ook belangrijk dat het onvermijdelijke 'tekort' aan democratisch toezicht 'gecompenseerd' wordt door het organiseren van informatie-doorstroming. Ook moet dit alles wellicht geor-ganiseerd worden in het kader van een 'constitutie' (wat een beter begrip is dan een grondwet).

Het gaat mijn deskundigheid en de opzet van deze bijdrage te buiten om een en ander uit te werken. Hier is wel belangrijk in te gaan op wat dit impliceert naar onderwijs toe. Vorming tot Europees en wereldburgerschap is omvattend. Het is meer dan alle leerlingen in kennis stellen van de werking van Europese en internationale instellingen. Het leren daadwerkelijk respect opbrengen voor andere culturen en leren leven in een multiculturele samenleving is ook belangrijk. Maar er is meer. Comenius vat zijn onderwijs op, niet alleen als gericht op iedereen (omnes – panscholia) en betrekking hebbend op alles (omnia – pambiblia), maar ook als gericht op de fundamenten van mens, samenleving en wereld (omnino – pandidascalia). Onderwijs moet ook de basishoudingen bijbrengen zonder dewelke een mens geen mens kan zijn. Deze basishoudingen hebben betrekking op het omgaan met zichzelf, de ander en het andere. Zo kan men niet samenleven met de vreemdeling, als men niet kan leven met het 'vreemde in jezelf' (Kristeva). Zo kan een samenleving niet functioneren als een mens zichzelf of de ander niet kan vertrouwen. Dit fundamenteel basisvertrouwen dat het leven en samenleven mogelijk, zinvol en de moeite waard maakt, moeten mensen van jongsaf aan ervaren. De 'harmonische orde' van het geleerde, die we reeds tegenkwamen in Comenius' pansofie, getuigt reeds van deze 'zin' (iets wat later bij Herbart zal terugkeren als de door Kant geïnspireerde 'esthetische voorstelling van de wereld'). Comenius kent bovendien hierbij een cruciale rol toe aan de opvoeders c.q. leerkrachten. Zij incarneren door de wijze waarop ze met zichzelf, met de kinderen en met de leerstof omgaan, het hoe en waarom van het leven. En door deze geïncarneerde zin van het leven roepen ze de kinderen op tot engagement voor de medemens en de schepping. 'Docere ducere est (…) Dux est, qui alteri praeit et monstrat viam. Id si fit verbo, dicitur doctor; si exemplo, praemonstrator; si hortatione, praeceptor; si omnibus modis, magister.' 'Leren is leiden. Een leider is iemand die de ander voorgaat en hem het leven toont. Gebeurt dit door het woord, dan is hij een geleerde; geschiedt het door het voorbeeld, dan is hij een leidsman (gids, begeleider, 'toonder', hij die het voordoet); en doet hij het door vermaning (aansporing), dan is hij een leermeester (iemand die voorschrijft); geschiedt het evenwel op al deze drie manieren, dan is hij werkelijk een leraar'.

In hedendaagse begrippen, zouden we kunnen spreken van de leerkracht als iemand die inzicht bijbrengt, vaardigheden aanleert en attituden vormt; en dat wereldburgerschap een geheel van competenties (complexen van inzichten, vaardigheden en attituden), is. Maar wat belangrijker is, is dat de leerkracht is door de persoon die hij is. Hij voedt op door datgene waarvan hij in zijn leven zelf daadwerkelijk getuigenis aflegt: door de zin die hijzelf gevonden heeft, zoekt en nog zal vinden.

Wellicht kan op veel manieren zin gegeven worden aan het opvoederschap, zoals ook aan het wereldburgerschap. Een heel belangrijke bron van zingeving is en blijft het christelijk geloof. Waar haal je als opvoeder de kracht om te blijven geloven in de mogelijkheden van de mens gegeven de feitelijke obstakels, problemen en tekorten? Waar haal je het geloof om tegen empirische evidentie en zogenaamd gezond verstand te blijven geloven in de goedheid van de mens, de realiseerbaarheid van een multiculturele samenleving, de mogelijkheid van een rechtvaardige wereldorde? Voor Comenius was dat geloof in de mens en de samenleving onlosmakelijk verbonden met het geloof in de God van het Oude Testament en de Jezus Christus van het Nieuwe.

Trouwens ook in de Europese hymne wordt gezongen dat de droom van eenheid onder alle mensen, dat we alle broeders zijn, een vader veronderstelt: 'Brüder – übern Sternenzelt / Muss ein lieber Vater wohnen / ... / Ahnest du den Schöpfer, Welt? / Such ihn übern Sternenzelt! / Über Sternen muss er wohnen.'

Kortom: in een pedagogisch project moeten inzichten, vaardigheden en attitudes verbonden worden in een zinstichtend 'verhaal' betreffende mens en wereld. Voor Comenius is het vanzelfsprekend dat deze zin in en door het christelijk geloof te vinden is en dat deze gestalte moet krijgen in een daadwerkelijk meewerken aan de schepping, wat geformuleerd moet worden in een pansofische constructie waarin wetenschap en geloof met elkaar verbonden worden tot levenswijsheid. Belangwekkender is echter zijn overtuiging dat dergelijk 'waarheidssysteem' niet alleen en zozeer een theoretische aangelegenheid is, maar vooral een 'praktische': in elke persoon moet deze tot een geëngageerd leven komen. In het christelijk geloof staat niet voor niets een persoon – 'ik ben de weg, de waarheid en het leven' – centraal.

De wereldburger is de concrete praktische vertaling van deze overtuiging. Wat mensen verbindt, is niet alleen een gemeenschappelijke 'waarheid', maar ook een door allen gedeeld persoonlijk engagement. Wat mensen vormt, is niet alleen de theoretische waarheid, maar ook het persoonlijk engagement van de leerkracht. In het wereldburgerschap kan het christelijk verhaal een nieuwe hedendaagse aanzet tot herformulering vinden.

Dat deze twee elementen – waarheid en persoonlijk engagement – elkaar impliceren – en wel daadwerkelijk – blijkt ook uit Comenius' wijsheid (in de Panegersia te vinden) dat iemand een slechte arts is, wanneer hij de hoop opgeeft om niet te moeten genezen ('Es ist ein schlechter Arzt, der die Hoffnung aufgibt, um nicht heilen zu müssen'.) Zonder hoop op genezing kan een geneesheer niet werken, maar deze hoop moet er ook zijn, omdat iemand die ziek is, genezen moet worden. Met andere woorden en veralgemenend: de ervaring van onrecht, ziekte, tekort e.d. op zich roept de mens reeds op om te geloven in de realiseerbaarheid van recht, genezing, rijkdom. Het is al te gemakkelijk niet te geloven om zo niets te moeten doen. Nog anders: het geloof is ook een wil tot geloven op grond van het inzicht dat er iets moet gedaan worden. De negatieve ervaring van twisten, conflicten en oorlogen roept Comenius op tot een utopisch geloof dat voeding vindt in de belofte. Teruggrijpend naar de tekst van Schiller: omdat alle mensen broeders moeten zijn, moet er een vader zijn; maar dit vaderschap is niet zomaar een noodzakelijke veronderstelling (zoals bij Kant), maar is een doorleefde Godservaring. De ervaring dat de mens in opstand komt tegen leugen, onrecht en lijden, is een aanduiding – een 'spoor' zal Comenius zeggen – dat leugen, onrecht en lijden niet het laatste woord hebben; dat er meer is in de schepping: waarheid, gerechtigheid en vreugde. Zonder dergelijke 'religieuze' ervaringen, zou de openbaring niet gehoord kunnen worden en zouden we voor de weg blind zijn. Van de andere kant worden onze ervaringen veelzeggend door het geopenbaarde woord en wordt de weg belicht door het woord. Althans op deze wijze wordt Comenius' werk en inzet voor een nieuwe wereldorde begrijpelijk.

En alleen zo wordt begrijpelijk hoe Comenius zich kon blijven inzetten voor een verenigd Europa. Omdat Egypte niet de waarheid kan zijn, moet er een beloofde land zijn, en moeten we weggaan uit Egypte en de weg zoeken en vinden naar het beloofde land.

Bij wijze van besluit

Comenius droomde van een verenigd Europa. Ook achtte hij vorming wezenlijk om deze droom te verwezenlijken. Deze droom betrof evenwel niet zozeer Europa, noch vorming. De mens heeft recht op waarheid, gerechtigheid en vreugde in het leven. Elke mens heeft hierop recht. Dat zijn de mensen aan elkaar verschuldigd. De mens wordt maar mens in de mate hij daadwerkelijk meewerken kan aan de verwerkelijking van deze droom. Vorming is niet alleen het voorbreiden van de mens op deze medewerking, maar is zelf reeds een actief bezig zijn met het realiseren van deze nieuwe wereld. Leerlingen de kans geven elkaar te ontmoeten, hen laten omgaan met mensen met andere culturen, hen inzicht geven en zelf laten opdoen in andere volkeren, hen ruimte geven respect op te brengen voor de eigen cultuur en deze van anderen, is reeds de mens meer mens laten zijn. Dit meer mens-worden is niet Europeaan worden; wel wereldburgers worden. De inzet betreft niet de Europese identiteit, wel wereldsolidariteit. Streefdoel en middel zijn het verbinden van mensen, niet het uitsluiten. Voor de wereld van de politiek kan het strategische argument gelden dat men niet iedereen tegelijk kan verbinden en dat uitsluiting strategisch noodzakelijk is. In de wereld van vorming kan dat evenwel nooit de strategie zijn. Hier geldt juist het omgekeerde: opdat elke mens werkelijk mens zou kunnen zijn, moet juist iedereen alomvattend en grondig gevormd worden. Onderwijs kan zijn wagentje aan de trein Europa hangen, maar als vorming kan Europa niet de bestemming zijn. Europa is een rustpunt op de weg naar een veel hoger gelegen top die we willen bereiken. In de wereld van vorming is Europa hoogstens een transitzone.

Noten

1. Er bestaat niet zo iets als de verzamelde werken van Comenius. De meeste werken in afzonderlijke uitgaven zijn bovendien ook alleen in gespecialiseerde universitaire bibliotheken te vinden en dan nog in het Latijn, Duits en Tsjechisch. Een toegankelijke, weliswaar beperkte selectie van teksten in Franse vertaling is te vinden bij J. Prévot (*L'utopie éducative.* Paris, Bélin, 1981) met trouwens een interessant postscriptum van Piaget (dat evenwel zich beperkt tot de onderwijskundige aspecten). Er bestaat ook een (voormalig Oost)Duitse selectie van de *Consulatio Catholica* door de F. Hoffmann (J.A. Komensky, *Allgmeine Beratung über die Verbesserung.* Berlin, Volk und Wissen, 1970). Inspirerende analysen van Comenius' werk voor een kritische vormingstheorie (die aansluiting zoekt bij het Exodusmotief) blijven de teksten van H.J Heydorn uit de jaren '70 (*Werke*, Vaduz, Topos, 1995 e.v.). Een goed eerste overzicht van deelstudies betreffende Comenius, blijft de bundel onder redactie van K. Schaller (*Comenius. Erkennen – Glauben – Handeln*, Sankt Augustin, Richarz, 1985). Om in de denkwereld van Comenius thuis te geraken, zonder al te veel filosofische en theologische reflectie, is de allereerste publicatie van Comenius – het typisch barokke allegorisch verhaal van een pelgrim die op zoek is naar de zin van het leven, dat hij schreef na de uitmoording van zijn gezin door rondtrekkende legers – de beste opstap en nu zeer toegankelijk in een recente Engelse vertaling (John Comenius, *The labyrinth of the world and the paradise of heart. (The classics of western spirituality).* New York, Paulist Press, 1998).

2. M. Provoost (2005). Wereldwijs op de Sint-Lutgardisschool Antwerpen 1991-2005. In R. Bauer e.a. *Europa als macht? Reflecties over de vorming van jonge Europeanen.* (pp. 61-68). Gent: Academia Press.

Fénelon[1] 1651-1715

'François de Salignac de la Mothe werd geboren op het kasteel van Fénelon in Périgord, en is dus van hoge adel. Hij treedt in het seminarie van St-Sulpice en wil missionaris worden in het Oosten. Hij blijft echter en wordt directeur van 'Les nouvelles catholiques', een groep nieuw bekeerde vrouwen, en wordt met zending bij de protestanten belast. In 1689 wordt hij om zijn tact aangesteld als precepteur van de Duc de Bourgogne, zoon van de pupil van Bossuet. Zijn kritische geest, waarvan hij in zijn pedagogische roman *Télémaque* ondubbelzinnig getuigt, veroorzaakt zijn verwijdering aan het hof. Hij wordt aartsbisschop van Cambrai, waarna hij nog in moeilijkheden gewikkeld raakt in de zaak van het quiétisme van Mme Guyon, die hij met zijn open geest wel te goedkeurend bejegende. Hij wordt kerkelijk veroordeeld en onderwerpt zich nederig.

Zijn pedagogisch werk bestaat uit het: *Traité de l'éducation des filles* geschreven vóór hij precepteur werd, voor de opvoeding van de acht dochters van de familie de Beauvilliers, en zijn *Télémaque* voor de Duc de Bourgogne.'

---

1. Overgenomen uit: C.C. De Keyser (1969/1958). *Inleiding in de geschiedenis van het westerse vormingswezen.* Antwerpen: Plantin; p. 222.

Rousseau[2] 1712-1778

Jean-Jacques Rousseau werd geboren in Genève en groeide moederloos op. Hij genoot geen systematische opvoeding; zijn vader gaf hem allerlei boeken om te lezen. Hij werd toevertrouwd aan een etser om daar dat ambacht te leren, maar hij vluchtte weg naar Frankrijk. Hier zette hij zijn zelf-opvoeding voort, daarbij gesteund door verschillende adellijke dames. Hij lijkt wel voorbestemd te zijn om een man van twaalf stielen en dertien ongelukken te zijn. Zijn eerste publieke erkenning kende hij als musicoloog en componist (bijdragen in de *Encyclopédie* van Diderot en d'Alembert, een opera). In zijn *Discours sur les Sciences et les Arts* (1751) bekritiseerde hij de opvatting van de Verlichting dat kennis en wetenschap vooruitgang voor de mensheid zouden brengen. In 1755 publiceerde hij zijn *Discours sur l'origine et les fondéments de l'inégalité parmi les hommes*. Deels omwille van zijn afwijkende ideeën, alsook omwille van zijn moeilijk karakter en een zekere vorm van achtervolgingswaanzin, geraakte Rousseau steeds meer in conflict met andere intellectuelen, onder wie zijn vroegere vriend Diderot, zijn levenslange vijand Voltaire, en zijn latere beschermer Hume. In 1761 maakte de roman *Julie ou la nouvelle Héloïse* hem over geheel Europa wereldberoemd. Hetzelfde jaar verscheen zijn *Du contrat social*, en een jaar later kwam zijn beroemdste werk uit: *Émile ou de l'éducation*. Beide werken werden verboden en in het openbaar verbrand, zowel in het Katholieke Frankrijk als het Calvinistische Genève. Bovendien beschuldigde Voltaire hem van ernstige verwaarlozing van vrouw en kinderen (*Le sentiment des citoyens*, 1764). Rousseau schreef verschillende apologieën om zich te verdedigen (bijv. *Ecrites de la montagne*, 1764). Hij vluchtte naar Engeland, waar Hume hem onderdak bood. Hij keerde al snel terug naar Frankrijk onder de naam van Jean-Joseph Renou. De laatste jaren van zijn leven, las hij in de Parijse salons voor uit *Les confessions*, en werkte hij aan twee andere autobiografische werken: *Rousseau juge de Jean-Jacques* (1775) en *Les rêveries du promeneur solitaire* (1776). Hij stierf in Ermenonville, op 2 juli 1778.

Vandaag wordt Rousseau als een van de bepalende figuren in de geschiedenis van opvoeding en van het kind beschouwd. Meer bepaald schrijft men aan hem toe: (1) de ontdekking van de eigen aard van de kinderlijke leefwereld; (2) de moderne fundering en codering van een opvoeding volgens de natuur; (3) de erkenning van het kind als een op zich waardevolle persoon; (4) de cultivering van het gevoel en van de intrinsieke motivatie van de leerling.

2.   Bron: H. Van Crombrugge (2003). Rousseau, Jean-Jacques (1712-1778). In S. Fass (Ed.). *Encyclopaedia of children and childhood in history and education.* (pp. 717-719). New York: Macmillan.

Deze beeldvorming van wat genoemd kan worden de 'romantische' Rousseau gaf aanleiding tot de opvatting dat hij een van de grondleggers en voorlopers was van de anti-autoritaire opvoeding. Dergelijk beeld weerspiegelt slechts een gedeeltelijke en eerder oppervlakkig begrip van Rousseaus pedagogische opvattingen. De overheersende interpretatie van Rousseau berust enkele en alleen op de eerste drie boeken van de *Émile*. Hier groeit het kind inderdaad op als een geïsoleerd individu in een nog niet bedorven natuurlijke wereld, zonder enige interventie van de opvoeder. Deze laatste beperkt zich tot het vrijwaren van kind van maatschappelijke invloeden (negatieve opvoeding). De natuur is immers goed, terwijl de maatschappij alleen kwaad kan aanrichten. Rousseau beschrijft de ontwikkeling van de inwendige natuur van het kind en de wijze waarop het leert van de uitwendige natuur (natuurlijke opvoeding door de dingen).

Het centrale probleem voor Rousseau is evenwel dat de mens niet louter een individu is, maar dat hij veroordeeld is om te leven in de maatschappij. De 'oorspronkelijke' natuurlijke staat is een denkexperiment, een theoretische constructie, niet de werkelijkheid. Geheel het oeuvre van Rousseau draait om de vraag op welke wijze de mens kan omgaan met de kloof tussen natuur en maatschappij, tussen individualiteit en socialiteit, tussen mens-zijn en burgerschap, zodanig dat hij gelukkig kan zijn. *Émile* moet leren functioneren in de maatschappij. Dit is het thema van de twee laatste boeken van de *Émile*, waarin hoofdzakelijk de relatie met Sophie uitgewerkt wordt. Door de negatieve opvoeding heeft de opvoeder het vertrouwen gewonnen van het kind; dat vertrouwen wordt gebruikt om het kind te richten naar en te brengen tot een doel dat door de opvoeder reeds uitgestippeld is. Rousseaus voorstellen voor het onderwijs in Polen en Corsica zijn geheel in overeenstemming met deze sociale opvoeding. De kloof tussen de huiselijke en publieke opvoeding wordt overbrugd door de morele opvoeding: de opvoeding van de deugd. Sleutelelement in deze opvoeding is de zelfbeperking: indien de mens het (ingebeelde) geluk van de natuurlijke toestand wil benaderen, dan moet hij zijn verlangens (zijn willen) beperken tot zijn mogelijkheden (zijn kunnen). Deze deugdzaamheid wordt steeds weer bedreigd door de sociale conditie van de mens.

In dit perspectief is het niet verrassend dat Rousseau het plan had een vervolg te schrijven op de *Émile*, waarbij het lot van Émile en Sophie beschreven zou worden als een voortdurende maar ijdele strijd voor deugdzaamheid. (vgl. *Sophie et Émile ou les solitaires*, fragment). De strijd voor een deugdzaam leven is is ook het hoofdthema van de andere roman *Julie ou la nouvelle Héloïse*. In contrast met de Émile, is de protagonist hier een meisje en is de plaats van opvoeding het gezin. Het thema wordt hier uitgewerkt als een probleem van loyaliteitsconflicten (geliefde, dochter, moeder).

De invloed van Rousseau op de pedagogische theorievorming kan niet onderschat worden. Met Rousseau begon inderdaad de codering en cultivering van de romantische idee van het kind. De pedagogische kernvraag is zeker sinds Rousseau niet langer en alleen 'hoe het kind zo snel mogelijk tot volwassenheid brengen?', maar wel 'hoe recht doen aan de specificiteit van het kind-zijn?'. De kenmerken van het kind-zijn zijn de kenmerken van de 'natuurlijke mens'. Zoals de mens in de oorspronkelijke toestand, is het kind door de maatschappij noch niet bedorven. Als zodanig is kind-zijn verbonden met de belofte van een perfecte wereld en wordt het kind gezien als de werkelijke mogelijkheid om de mensheid te verbeteren (perfectibilité als wezen van de mens). Daarom moet het kind zo lang

mogelijk weggehouden worden van de maatschappij, zodanig dat het overeenkomstig zijn eigen behoeften en in overeenstemming met de natuur kan ontwikkelen. Dit beeld van het kind als de oorspronkelijke goede mens heeft de zogenaamde romantische pedagogiek in hoge mate geïnspireerd. Fröbels pedagogie van de kindertuin is een praktische vertaling van Rousseaus opvattingen. De kindertuin is de geïsoleerde en veilige plaats waar kinderen in alle geborgenheid zonder storende inmenging van volwassenen kunnen ontwikkelen. In deze 'natuurlijke geborgenheid' stimuleert de opvoeder alleen maar door allerlei 'dingen' (Spielgaben) de aangeboren mogelijkheden. Rousseau inspireerde ook de Engelse romantici zoals William Wordsworth (1770-1850). Hier kunnen we ook de Amerikaan Ralph Waldo Emerson (1803-1882) vermelden. Op het einde van de 19de eeuw en het begin van de 20ste eeuw, werd deze idee opnieuw ontdekt en vertaald in allerlei pedagogische experimenten die gekend zijn onder de naam van de 'éducaton nouvelle' in Frankrijk en de *Reformpädagogik* in Duitsland. Iemand die heel uitdrukkelijk verwijst naar Rousseau is Tolstoy (1828-1910) met zijn *Yasnaya Polyana School*. Het was Ellen Key die met haar *Eeuw van het kind* de naam van Rousseau voor goed verbond met deze nieuwe pedagogie 'vom Kinde aus'. In de jaren '60 van de vorige eeuw verwees de anti-autoritaire beweging graag naar Rousseau als haar voorloper. (bijv. Neill, Summerhill).

Zoals reeds aangegeven, is deze receptie van Rousseau eerder eenzijdig en historisch problematisch. Op de eerste plaats moeten we vaststellen dat Rousseau in tegenstelling tot de romantici heel sterk gekant was tegen de verbeelding in de opvoeding. Volgens Rousseau is fantasie een bron van ongeluk, een sociaal fenomeen dat niet thuis hoort in de oorspronkelijke staat van de mens en dus van het kind. Vervolgens stellen we vast dat er verschillende pedagogische theorieën bestaan die niet romantisch zijn, maar zich toch kunnen beroepen op Rousseau. Voorbeelden zijn hier Kant (1724-1804), Herbart (1776-1841) en Pestalozzi (1746-1827). In plaats van de idee van de oorspronkelijke goedheid van het kind te cultiveren, worden zij geïnspireerd door Rousseaus inzicht dat het kind volwassen moet worden en in een maatschappij moet functioneren, en dat de opvoeder gebruik moet maken van de 'naïviteit' en 'vertrouwen' van het kind om morele beginselen in te prenten en sociale vaardigheden aan te leren.

De hedendaagse pedagogische historiografie zal beklemtonen dat Rousseau verschillende conflicterende opvoedingsvisies verkent en verwerpt. En er is het groeiend inzicht dat in Rousseau verschillende elkaar tegensprekende tradities samenkomen. Rousseau gebruikt ideeën van Plato, Quintillianus, Fénelon, Locke en vele andere, wat de contradicties in zijn werk en receptie begrijpelijk maakt.

Fénelon en Rousseau

Over lectuur in de meisjesopvoeding

'Sophie, lui dis-je un jour, faites avec Émile un échange de livres. Donnez-lui votre Télémaque, afin qu'il apprenne à lui ressembler; et qu'il vous donne le Spectateur, dont vous aimez la lecture. Etudiez-y les devoirs des honnêtes femmes, et songez que dans deux ans ces devoirs seront les vôtres.'

ROUSSEAU[1]

Inleiding

'Je hais les livres; ils n'apprennent qu'à parler de ce qu'on ne sait pas.'[2] In de pedagogische historiografie is Rousseaus afkeer van boeken gemeengoed. In tegenstelling tot de gangbare opvattingen binnen de Verlichting dat boeken een belangrijk middel voor de zedelijke verheffing van mens en samenleving waren, wees Rousseau vooral op de negatieve aspecten van lectuur.[3] Hierbij keerde hij zich niet enkel tegen de zogenaamde 'slechte boeken', maar stelde hij boeken als een principieel kwaad voor. In de ideale 'natuurlijke' opvoeding – zoals beschreven in de *Émile* – horen boeken eigenlijk niet thuis. Slechts één boek kent genade: *Robinson Crusoë* en wel omdat dit boek alle andere lectuur overbodig zou maken. *Robinson Crusoë* leert Émile juist wat men niet via boeken kan leren: het verhaal laat toe Émile de ware verhoudingen tussen de dingen te laten ervaren, zonder hem op te zadelen met de vooroordelen van de mensen. Zoals de opvoeding een negatieve opvoeding moet zijn in de zin dat de steeds beschikbare opvoeder juist daar is om al het menselijke ver weg te houden bij de opvoeding, zo heeft *Robinson Crusoë* de functie een opvoeding zonder lectuur mogelijk te maken.[4]

Er is echter nog een ander boek dat een belangrijke rol speelt: *Les Aventures de Télémaque*. Dit boek van Fénelon wordt gelezen door Sophie, het meisje dat voorbestemd is om later met Émile door het leven te gaan en van wie de opvoeding uitvoerig beschreven wordt in het laatste deel van de *Émile*. In menig opzicht is *Les Aventures de Télémaque* de antipode van *Robinson Crusoë*. Het boek van Fénelon uit 1699 brengt het verhaal van de zoon van Odysseus die samen met

45

zijn begeleider Mentor op zoek gaat naar zijn vader die maar niet terugkeert van de oorlog tegen Troje. Dit verhaal is een aanvulling op de *Odyssea* van Homeros, waarin de avonturen van Telemachus niet beschreven worden. Het boek dat Fénelon schreef om te gebruiken bij de opvoeding van de kleinzoon van Louis XIV, kan gelezen worden als een *Bildungsroman*. In tegenstelling met *Robinson Crusoë* speelt het verhaal zich echter niet af op een onbewoond eiland: Telemachus maakt op zijn reis juist kennis met alle mogelijke culturen en samenlevingen.

In de genderstudies wordt de lectuur van *Les Aventures de Télémaque* door Sophie vooral begrepen tegen de achtergrond van het fundamentele verschil tussen de opvoeding van jongens en meisje.[5] Émile krijgt met *Robinson Crusoë* een identificatiemogelijkheid om in de onvermijdelijke *état civile* zo natuurlijk mogelijk te functioneren. Sophie die als vrouw een geprivilegieerde relatie tot de natuur heeft, moet een andere identificatiemogelijkheid krijgen om te kunnen gaan functioneren in de maatschappelijke toestand. Dit wil zeggen dat ze enerzijds het voorbeeld moet krijgen van haar positie van afhankelijkheid van de man en anderzijds van de ideale man waaraan ze zich geheel kan wijden. *Les Aventures de Télémaque* levert beide elementen: Telemachus is de ideale man die in de persoon van Émile werkelijkheid zal worden en doorheen de avonturen leert Sophie de ideale hiërarchische maatschappelijke verhoudingen kennen. Ter staving van deze interpretatie wordt aangevoerd dat Émile zelf ook *Les Aventures de Télémaque* moet lezen, en wel juist omwille van de politieke inzichten ervan.

Deze gangbare interpretatie van Rousseaus opvatting over het gebruik van boeken in de opvoeding is echter om verschillende redenen onbevredigend. Zijn houding ten aanzien van boeken is veel complexer dan een dergelijke interpretatie laat vermoeden, op de eerste plaats omdat zijn opvattingen over de verhouding van natuur en maatschappij erg complex zijn. Deze complexiteit heeft niet alleen gevolgen voor zijn pedagogisch denken, maar bepalen ook zijn opvattingen over verschillen en gelijkenissen tussen man en vrouw.[6]

Gewoonlijk wordt Rousseau gelijkgesteld met een 'terug naar de natuur'. De inzet van Rousseaus oeuvre is evenwel niet de terugkeer naar een natuurlijke oorspronkelijke staat, maar juist de onmogelijkheid van een dergelijk ondernemen. In zijn werk thematiseert hij de mogelijkheden en grenzen van de politieke, morele en pedagogische strategieën voor een terugkeer naar de natuur, waarbij hij vooral wijst op de onoplosbare tragiek van het menselijk bestaan dat naar een oorspronkelijke natuur verlangt. Opgave is dan tegenover deze tragiek een juiste – deugdzame – houding te vinden.[7] Zo brengt de *Émile* niet zozeer het verhaal van een natuurlijke opvoeding, als wel het relaas van een opvoeding die aanvankelijk 'natuurlijk' wil zijn, maar die omwille van de onvermijdelijke maatschappelijke gesitueerdheid van de mens omslaat in waardeoverdracht. In deze houdt de opvoeder waarden en deugden voor aan de hand waarvan de mens die geen toegang meer heeft tot een oorspronkelijke natuurlijke goedheid, zich tegenover de maatschappelijke 'onwaarden' kan verzetten. Bovendien onderlijnt Rousseau dat deze deugdzaamheid geen sluitende garanties biedt tegen verder verval. Zo beschrijft hij in een ongepubliceerd fragment hoe Émiles opvoeding op een mislukking uitloopt.[8]

Rousseaus houding tegenover boeken is doordrongen van een vergelijkbare tragiek. Terwijl de boekdrukkunst oorzaak van veel persoonlijk en maatschappelijk leed is, is lectuur ook de enige mogelijkheid om dat leed te verdragen. Zijn eigen autobiografische geschriften staan daarom ook bol van zowel verwijten als *éloges* aan lectuur. In zijn politieke geschriften wijst hij ook niet alleen op het nefaste gevolg van het bestaan van boeken waardoor allerlei filosofische droombeelden niet uit de wereld geraken, maar gebruikt hij voortdurend en heel expliciet boeken en verwijzingen naar boeken om zijn inziens foutieve denkbeelden en foutieve lectuur te bekritiseren.[9] Trouwens, in de *Émile* zegt hij niet alleen dat hij boeken haat omdat ze mensen leren spreken over aangelegenheden waarover ze niets weten, maar heeft hij het ook over '*l'art si utile et si agréable*' waardoor mensen gevoelens en verlangens kunnen communiceren zonder vast te zitten aan de geografische afstand.[10]

Émile geeft bovendien voortdurend blijk van veel meer dan alleen maar *Robinson Crusoë* gelezen te hebben. Om maar een voorbeeld te noemen: Émile begrijpt Sophie aanvankelijk niet, omdat hij alleen Telemachus van Homeros kent, wat op zijn minst de idee dat Émile alleen *Robinson Crusoë* zou mogen lezen relativeert.[11] Ook wisselt Rousseau zijn principiële stellingnamen voortdurend af met pragmatische overwegingen. Zo stelt hij dat Émile – als hij dan toch leest – vooral de klassieken moet lezen. Deze worden als waardevol ervaren en geplaatst tegenover de compilatiewerken die Rousseau helemaal niet kan appreciëren.[12] Moet men de realiteitswaarde van boeken wantrouwen, verzamelwerken waarin teksten *à la carte* bijeengebracht worden, moeten zeker gemeden worden.[13]

In de gangbare interpretaties wordt *Les Aventures de Télémaque* een pedagogische functie, analoog aan die van *Robinson Crusoë* toegedicht. Hierbij wordt verondersteld dat jongens en meisjes fundamenteel verschillen en daarom ook op een andere wijze opgevoed moeten worden. Als meisje moet Sophie vooral voorbereid worden op een aan de man ondergeschikte rol. Een dergelijke redenering gaat echter voorbij aan de complexiteit van de vrouwbeelden bij Rousseau. Zoals de menselijke natuur voor Rousseau geen eenduidig gegeven is, zo zijn de vrouwelijke en mannelijke natuur niet zonder meer complementaire gegevens. Uitspraken over de natuur van het seksuele verschil en over de taakverdeling tussen geslachten zijn bij Rousseau niet eenduidig.[14] Hoogstens kan gesproken worden over geslachtelijke deugden die op verschillende wijze gerealiseerd moeten worden in de verschillende rollen die vrouwen – als minnares, echtgenote, huishoudster, moeder van de kinderen – te vervullen hebben.[15] En ook hier wijst Rousseau vooral op de onmogelijkheid tegelijk alle rollen op een harmonische wijze te vervullen. Zowel *Julie ou la nouvelle Héloïse,* als het fragment *Émile et Sophie ou les solitaires* brengen verhalen van de tragiek van de vrouw die zowel mens, moeder als echtgenote te zijn.[16]

Dat *Les Aventures de Télémaque* toevallig en individueel gelezen wordt door Sophie, wordt in de gangbare interpretaties als onbelangrijk beschouwd. Het heet

47

dat bij Rousseau niets toevallig gebeurt. Dat laatste is waar, maar in het geval van Sophies lectuur wijst niets op een arrangement vanwege de opvoeders, daar waar bij andere 'toevalligheden' in de opvoeding van Émile Rousseau duidelijk de hand van de gouverneur terzake aangeeft. Het lijkt wel alsof het feit dat *Les Aventures de Télémaque* geschreven is door Fénelon – de door Rousseau aanbeden auteur van *De l'Education des Filles* – volstaat om aan het boek een positieve pedagogische betekenis toe te kennen.

Op verwijzingen naar andere lectuur wordt in de gangbare interpretaties niet ingegaan, laat staan dat men deze kritisch zou analyseren. Émile en Sophie lezen nochtans andere boeken. Eén daarvan is *Le Spectateur*. Deze *Spectateur* die door Sophie blijkbaar graag gelezen wordt, wordt op uitdrukkelijk verzoek van de gouverneur door Émile aan Sophie gegeven, in ruil voor het boek van Fénelon. De gouverneur heeft met deze uitwisseling een uitdrukkelijke bedoeling: het leren van haar deugden en plichten als vrouw.[17] Terwijl in de gangbare interpretaties aandacht is voor Émiles lectuur van *Les Aventures de Télémaque*, wordt nergens over deze ruil gesproken, noch wordt ingegaan op de uitgesproken pedagogische bedoeling van de gouverneur. Om één of andere reden vindt men dit niet belangrijk. Zoals men evenmin in de analysen het feit betrekt dat Rousseau, die zegt dat meisjes beter niet kunnen leren lezen, in *Julie ou la nouvelle Héloïse* – in de twaalfde brief van het eerste deel – de gouverneur een bibliotheek laat samenstellen voor de opvoeding van Julie.[18]

In wat volgt zullen we nu juist op deze 'vergeten' elementen ingaan, omdat ze een ander licht werpen op de houding van Rousseau inzake het gebruik van boeken in de meisjesopvoeding. Meer in het bijzonder zullen we nagaan welke rol *Les Aventures de Télémaque* in verhouding tot *Spectateur* in de opvoeding van Sophie speelt. Hierbij vertrekken we van de denkbeelden van Fénelon over het gebruik van boeken bij de opvoeding van meisjes. Fénelon is immers niet alleen de auteur van *Les Aventures de Télémaque*; ten tijde van Rousseau waren zijn ideeën over de opvoeding van meisjes ook de norm.[19]

Sophie leest *Les Aventures de Télémaque*, of hoe het niet hoort volgens Fénelon

In zijn *De l'éducation des Filles (1678)* gaat Fénelon nader in op de lectuur van meisjes en het gebruik van boeken in de opvoeding.[20] Hij koppelt twee voorwaarden voor een pedagogisch verantwoord gebruik van boeken. Vooreerst moeten de boeken nuttig zijn. Ze mogen geen onbereikbare idealen voorhouden. Dergelijke 'hersenschimmen' ('*chimères*') maken de meisjes alleen maar ongelukkig. Door de lectuur van onrealistische literatuur, gaan de meisjes zich isoleren van de werkelijkheid die immers niet beantwoordt aan hun hooggestemde idealen.[21] Een tweede voorwaarde voor een pedagogische lectuur – welke in de opvoedingsvisie van Fénelon geïmpliceerd is – is dat de moeder/opvoeder steeds op de hoogte moet zijn van wat het meisje leest. De lectuur moet een aangrijpingspunt ('*ouver-*

ture) voor een pedagogisch gesprek zijn. Veel erger dan onaangepaste lectuur, is het meisje aan zichzelf overlaten.[22] Omwille van deze twee vereisten, moet de bibliotheek van meisjes niet alleen zorgvuldig samengesteld worden, maar moeten de meisjes ook van zeer nabij gevolgd worden door de opvoeder.

Wanneer we nu teruggaan naar Sophie en haar lectuur van *Les Aventures de Télémaque* van Fénelon, dan zien we dat Rousseau hier juist een voorbeeld geeft van hoe het niet mag volgens diezelfde Fénelon. Rousseau speelt Fénelons boek heel subtiel uit tegen de aanwijzingen van Fénelon over het lezen. Eerst schildert Rousseau het beeld van Sophie die heel harmonisch samenleeft met haar ouders en die – en dit wordt heel uitdrukkelijk gesteld – '*n'est pas formée par la lecture, mais seulement par les conversations de son père et de sa mère, par ses propres réflexions, et par les observations qu'elle a faites dans le peu de monde qu'elle a vu*'.[23] In het geheim leest Sophie echter een boek dat ze toevallig gevonden heeft: *Les Aventures de Télémaque* van Fénelon. Ze houdt deze lectuur voor zichzelf en Rousseau vermeldt dat Sophie zwijgzaam wordt: haar humeur wijzigt, de spontane omgang met de ouders stokt. De oorzaak van de verandering van de gezinssfeer is de inhoud van het boek. Sophie is verliefd geworden op een geheel onrealistische Telemachus. Sophie verwijt als het ware haar ouders dat ze haar zulk een onwerkelijk boek hebben laten lezen en haar zulke hoge idealen hebben leren koesteren: wat baten dergelijk idealen immers als ze niet bestaan. '*O ma mère! Pourquoi m'avez vous rendu la vertu trop aimable? Si je ne puis aimer qu'elle, le tort en est moins à moi qu'à vous*'.[24] Hiermee verwoordt Sophie de kritiek van Fénelon ten aanzien van de lectuur van "*des récits d' aventures chimériques*".[25]

De keuze van het boek is bij dit alles niet toevallig.[26] Het boek was een bestseller in die tijd. Fénelon is bovendien ook bekend als de auteur van *De l'éducation des filles*, een traktaat dat ook nog in Rousseaus tijd duidelijk de standaard is bij het nadenken over meisjesopvoeding. Fénelon heeft daarin, zoals reeds aangegeven, gesteld dat meisjes wel degelijk mogen lezen, maar onder bepaalde voorwaarden. Deze voorwaarden zijn in de geschetste situatie niet vervuld. De lectuur van het boek van dezelfde Fénelon wordt gehanteerd als voorbeeld van hoe het niet mag. De geheime verliefdheid en jaloezie verstoren Sophies rust en brengen haar opvoeding, die tot dan toe rimpelloos verlopen was, in gevaar. Opmerkelijk is de structurele parallellie tussen deze situatie en twee andere situaties: één in de *Émile* zelf en één uit *Les Aventures de Télémaque*.

Een eerste parallel of spiegelfiguur betreft de jaloezie van Sophie ten aanzien van Eucharis. In de secundaire literatuur legt men de nadruk op het feit dat Sophie verliefd is op Telemachus. In feite onderlijnt Rousseau vooral het feit dat Sophie jaloers is: ze is de rivale van Eucharis. Eucharis is een en al passie voor Telemachus. Haar passie wordt Sophies onrust. De wijze waarop Rousseau het verhaal vertelt legt het accent derhalve niet zozeer op een mogelijke identificatie door Sophie van Telemachus en Émile, maar wel op Sophie die als het ware in de plaats van Eucharis verliefd is op Telemachus. Sophie wordt in de situatie geplaatst, niet van de kuise vrouw – die in Fénelons verhaal wel degelijk aanwezig is in de figuur van Antiope, maar door Rousseau niet wordt vermeld, maar van de vrouw die verteerd wordt door verlangen. Rousseau zegt dat Sophie '*est la rivale d'Eucharis*'.[27] Hiermee plaatst hij Sophie niet zozeer op de plaats van Eucharis, als wel van Calypso die in het verhaal van Fénelon beschreven wordt als iemand die gek van verlangen en jaloezie is.[28]

Een tweede parallel of spiegelfiguur is te vinden in de *Émile* zelf. In het tweede boek van de *Émile* is Rousseau ingegaan op de nadelen van het geschreven woord. Hij beschrijft daarbij hoe de rust van een man geheel verstoord wordt door een brief die hij ontvangt.[29] Door de brief gaat hij zich zorgen maken en allerlei onheil fantaseren. Zoals de reflectie de mens uit zijn oorspronkelijke natuurlijke rust haalt, zo breekt het geschreven woord het oorspronkelijk geluk door het opwekken van allerlei fantasieën. Hetzelfde gebeurt met Sophie: het lezen doorbreekt de harmonie van haar bestaan.[30]

Het lezen van *Les Aventures de Télémaque* heeft met andere woorden negatieve gemoedstoestanden bij Sophie tot gevolg. Voordien was er rust, harmonie en gesprek; na de lectuur is er passie, ergernis en eenzaam piekeren. Al deze gesteldheden zijn bij Rousseau ook deze die hij gebruikt om de overgang van de natuurlijke toestand naar de *état civile* te karakteriseren. Het geschreven woord, de brief, het boek, *Les Aventures de Télémaque* zijn illustraties van de onvermijdelijke overgang van natuur naar beschaving en van het daarbij horende onvermijdelijke onheil. De opdracht van de mens is juist tegenover deze onvermijdelijkheid een juiste houding te vinden. Het komt er voor de mens op aan rust en harmonie te vinden, vergelijkbaar met die van de natuurlijke oorsprong. Zoals bekend, komt hierbij een belangrijke rol toe aan de deugd, de *vertu*. Deze deugdzaamheid is het antwoord van de burgerlijke mens die eenmaal uit zijn natuurlijke zelfgenoegzaamheid verjaagd, niet kan terugvallen op spontane intuïties, die immers allemaal 'verdorven zijn. Het oeuvre van Rousseau is dan te lezen als een verkenning van de mogelijke conceptualiseringen van deze deugd van de 'vermaatschappelijkte' mens, alsook van de mogelijke – politieke en pedagogische – strategieën om deze deugdzaamheid te realiseren in mens en samenleving.[31] En lectuur is zo één van de mogelijkheden om deugd te bevorderen.

Les Aventures de Télémaque biedt hiertoe geen mogelijkheden. Interpretaties die wijzen op de ideale maatschappelijke verhoudingen die in dat boek te vinden zouden zijn en waarmee Sophie zich zou moeten identificeren, worden op geen enkele wijze ondersteund door de tekst van de *Émile*. Het is trouwens zeer de vraag of in *Les Aventures de Télémaque* wel positieve vrouwbeelden te vinden zijn. Volgens Hillenaar is het boek juist doordrongen van Fénelons achterdocht en zelfs angst voor de vrouw, wat resulteert in allerlei negatieve beelden zowel van de vrouw als meisje, als echtgenote en als moeder.[32]

Kortom: Rousseau hanteert de lectuur van *Les Aventures de Télémaque* alleen om te laten zien wat de negatieve gevolgen zijn van de overgang van natuur naar maatschappij en op welke wijze boeken hierbij kunnen functioneren. Rousseau introduceert uitdrukkelijk andere lectuur voor Sophie die haar uit de passie op weg van de deugdzaamheid moet zetten: *Le Spectateur*.

Sophie krijgt *Le Spectateur* te lezen, of hoe het wel moet

Bij het vertrek van Émile krijgt hij van Sophie het boek van Fénelon. Émile en de gouverneur zullen vooral de politieke passages van dat boek samen doornemen. Sophie krijgt in ruil niet *Robinson Crusoë*, maar *Le Spectateur* en wel met als uitdrukkelijke boodschap door de lectuur ervan zich de deugden van de *honnêtes femmes* eigen te maken voor het moment dat Émile terug zal keren.

In het oeuvre van Rousseau komt *Le Spectateur* slechts op één andere plaats voor. Niet onbelangrijk evenwel is dat *Le Spectateur* ter sprake komt in de context van lectuur. Zo verhaalt Rousseau in zijn *Confessions* dat hij bij Madamme de Waerens anders is beginnen te lezen en dat *Le Spectateur* hem toen zoveel leesplezier heeft gegeven. '*Quoique je n'eusse plus mon ancienne fureur de lecture, par désoeuvrement je lisais un peu de tout cela. Le Spectateur surtout me plut beaucoup, et me fit du bien.*'[33] Ook interessant is een gesprek dat de publicist James Boswell (1740-1775) met Rousseau had, tijdens zijn *Grand Tour*. Boswell verhaalt hoe hij in 1764 met Rousseau sprak over de opvatting van deze laatste dat boeken in feite de ervaring en kennis van de werkelijkheid in de weg staan. *Le Spectateur* is blijkbaar een van de weinigen die goed werden bevonden.[34]

Om één of andere reden wordt in de secundaire literatuur nergens aandacht besteed aan deze *Spectateur*. In een gezaghebbende uitgave van de *Émile* (Richard) wordt vermeld dat het hier een '*feuille périodique publiée à Londres du 1er mars 1711 au 20 septembre 1714 par l'écrivain anglais Addison*' betreft. En de editor voegt voegt er aan toe: '*C'est une peinture satirique de l'âme anglaise, alors ignorante et brutale, et qu' Addison voulait rendre morale, décente et polie*'.[35] Een editor (Koenig) van *Les Confessions* stelt in zijn notenapparaat: '*Il s'agit du Spectateur d'Addison, traduit en français en 1714 à Amsterdam, périodique très populaire à cette époque*'.[36]

In feite handelt het hier om het prototype en voorbeeld van alle moraliserende periodieken die in de loop van de achttiende eeuw in geheel Europa verschijnen (in de literatuurgeschiedenis spreekt men trouwens niet toevallig over '*spectatoriale geschriften*' als men het heeft over dergelijke verhandelingen).[37] *The Spectator* werd trouwens niet alleen door Joseph Addison (1672-1719) uitgegeven, maar ook door Sir Richard Steele (1672-1729) en kende als voorloper *The Tatler* van Steele. Het betreft hier een blad dat dagelijks verscheen en naar schatting met een gemiddelde oplage van 3000 à 4000 (na een verhoging van de belasting 1500 à 2000) exemplaren, met uitschieters van 15.000 à 20.000. Het blad kende een enorm succes en werd zeer snel vertaald in het Frans. In die taal verscheen het (zoals de Engelse heruitgaven) in zes boekdelen (Amsterdam 1714-1726) onder de titel: *Le Spectateur, ou le Socrate moderne. Où l'on voit un Portrait naïf des Moeurs de ce Siècle. Traduit de l'Anglois.*

Het is de uitdrukkelijke bedoeling van de *Spectator* om aan zedenverheffing te doen.[38] Heel specifiek richtten Addison en Steele zich tot de *fair sex*: '*But there are none to whom this paper will be more useful, than to the female world*' – en wel omdat het dagblad handelt over de '*duties of virginity, marriage and widowhood*'.[39] De vertaler van de Franse *Spectateur* bevestigt ook dat hoewel '*cet ouvrage est des-*

tinéé à toutes sortes de personnes, les dames y ont bonne part.[40] De titel '*Spectator*' wordt verantwoord door te stellen dat men als toeschouwer beter in staat is de fouten van het maatschappelijk spel te zien dan '*those who are in the game*'.[41] De ondertitel van de Franse versie '*ou le Socrate moderne*' verwijst allicht naar het feit dat de auteurs zich vergelijken met Socrates: zoals Socrates de filosofie van de hemel naar de mens op aarde bracht, zo is het de ambitie van de *Spectator* de filosofie te brengen naar het dagelijks sociaal leven van de mens, naar de '*closets and libraries, schools and colleges, to dwell in clubs and assemblies, at tea-tables and in coffee-houses*'.[42]

In de achttiende en negentiende eeuw werden de *Spectator* en zijn Europese vertalingen en navolgers aangezien als het belangrijkste instrument van de Verlichting en de codering en verspreiding van de burgerlijke moraal (na de bijbel wel te verstaan).[43] In Frankrijk verschenen nog na 1750 verschillende edities. In tal van teksten uit deze periode die handelen over welke literatuur tot '*improvement of mankind*' gelezen moet worden, wordt uitdrukkelijk gewezen op het belang van de *Spectator* die trouwens in tal van privé-bibliotheken teruggevonden werd. Dat Rousseau *Le Spectateur* bij Madame de Waerens leest en ter sprake brengt in zijn gesprek met Bosswel is dus niet toevallig, zoals het helemaal niet toevallig is dat deze *Spectateur* een belangrijke rol speelt in de opvoeding van Sophie. We stelden reeds dat *Le Spectateur* gericht was op zedenverheffing, zich vooral richtte tot de vrouwelijke lezers en in Frankrijk zeer verspreid was en sterk aanbevolen werd.[44] Alleen al omwille van deze feiten, is het duidelijk dat Rousseau in Sophies opvoeding tot deugdzaamheid *Le Spectateur* een belangrijke rol kan laten spelen.[45] Er is echter meer aan de hand.

Vooreerst wilden Addison en Steele de burgerij niet zomaar van moraliserende lectuur voorzien. De *Spectator* moest overal voorwerp van gesprek worden. Spectator – een van de pseudoniemen die Addison en Steele gebruikten – beval aan dat het blad in gezinnen '*part of the tea equipage*' zou zijn.[46] Vormende lectuur moest met andere woorden niet alleen wat de inhoud betreft nuttig en aangenaam zijn – wat gerealiseerd werd door de levensechte beschrijvingen –; ze moest ook een openbare lectuur zijn: de gelezen literatuur moest kunnen besproken worden: '*I shall take it for the greatest glory of my work, if among reasonable women this paper may furnish tea-table talk.*'[47] Dit werd bevorderd doordat de *Spectator* zelf in een discursieve vorm uitgegeven wordt. Er werden stellingen verdedigd en kritieken geformuleerd, vragen gesteld en beantwoord, telkens door verschillende personen die in de vorm van brieven met elkaar converseerden. Deze werkwijze was uitnodigend om in gesprek te gaan over de inhoud, daar de lezer als het ware mee opgenomen werd in het gesprek van 'Mr. Spectator' en protagonisten.[48]

Dit laatste is belangrijk. Op deze wijze vervulden Addison en Steele immers op creatieve wijze de voorwaarden die door Fénelon gesteld werden aan vormende lectuur. Zo beschouwd is in de opvoeding van Sophie *Le Spectateur* de antipode van *Les Aventures de Télémaque*. De lectuur van Fénelons boek is het voorbeeld van hoe het niet mag – dromerijen, in het geheim en geïsoleerd, terwijl

Le Spectateur het voorbeeld is van hoe het wel moet – nuttig en aangenaam en vooral uitnodigend tot gesprek.

Dat heel wat thema's in *Le Spectateur* handelen over de deugden van de vrouw – zowel als maagd, echtgenote en weduwe en dit zowel wat betreft haar privé als publiek leven – behoeft dan ook niet te verwonderen.[49] Voor onze vraagstelling is echter één thematiek opvallend. Een rode draad doorheen *Le Spectateur* was de kwestie van de *Ladies Library:* de steeds weerkerende vraag naar de samenstelling van een goede bibliotheek voor meisjes.

Het vertrekpunt was de beschrijving van de bibliotheek van Eleonora '*who has turned all the passions of her sex into a love of books*'.[50] In feite werd hier een karikatuur gegeven van een dergelijke bibliotheek: de bibliotheek was vooral mooi en zeer romantisch opgebouwd, waarbij de boeken deel uitmaakten van het meubilair. Spectator vroeg zich af of hij zich hier niet in een kunstmatige grot bevond in plaats van een bibliotheek. Hij stelde trouwens vast '*that there were some few which the lady had bought for her own use, but that most of them had been got together, either because she had heard them praised, or because she had seen the authors of them*'.[51] Het beeld van de grot roept duidelijk Fénelons verwijt op dat de meeste vrouwen romans lezen die hen isoleren van de werkelijke wereld.

Spectator stelde in het vooruitzicht dat hij een lijst zou geven van boeken die wel nuttig zijn. Een tijd later meldde Eleonora dat de *Spectator* een deel was geworden van haar *tea equipage* en dat ze wachtte met nieuwe boeken te kopen tot de lijst van boeken die wel nuttig zijn, gepubliceerd was.[52] Spectator kwam echter niet met de lijst van goede boeken. Hij bracht wel verslag uit van de vele suggesties die hij gekregen had van allerlei betrokkenen: boekverkopers, echtgenoten, de dames zelf, alsook '*men of learning*'. Blijkbaar was de taak te moeilijk om zijn belofte te houden. Als oplossing stelde hij voor dat de vrouwen zich voorlopig zouden beperken tot de lectuur van *The Spectator*.

De lijst voor de goede *Ladies' Library* werd nooit gepubliceerd (althans in *The Spectator* – Steele zal later wel een catalogus uitgeven*)*. Het lijkt er zelfs op dat de auteurs er niet echt meer in geloofden. In elk geval lieten ze één van de protagonisten – Anabella – de lectuur van het tijdschrift loven omwille van de vormende waarde ervan en tegelijk waarschuwen voor de gevaren van de zelfstandige lectuur door vrouwen. Deze Anabella besloot haar brief met '*I will proceed no further than to recommend the bishop of Cambray's Education of a Daughter*'.[53] Met andere woorden: Fénelon – de bisschop van Cambray – had in *De l'éducation des Filles* reeds duidelijk aangegeven wat de gevaren van de lectuur in de opvoeding van meisjes waren en hoe deze gevaren voorkomen konden worden. *The Spectator* realiseerde door zijn inhoud – nuttig en levensnabij – en door zijn vorm – brieven die door middel van vraag en antwoord aanzetten tot gesprek – de voorwaarden die Fénelon stelde en maakte alle andere boeken als het ware overbodig.

Besluit

Afsluitend kunnen we stellen dat Rousseau, niet omwille van Sophies lectuur van Fénelons *Les Aventures de Télémaque*, maar wel door de keuze van *Le Spectateur* van Addison en Steele als lectuur voor Sophie, op subtiele wijze Fénelons opvattingen over lectuur in de meisjesopvoeding onderschreef. Het verschil in opvoeding tussen Émile en Sophie moet dan niet zozeer gezocht worden in de verschillende inhoud van *Robinson Crusoë* en *Les Aventures de Télémaque*. Is de inhoud niet onbelangrijk, minstens even belangrijk is de wijze waarop lectuur aangeboden en begeleid wordt.

In het kader van de opvoeding van Émile zocht Rousseau naar het boek dat alle andere overbodig zou maken. Pragmatisch stelde hij dat andere boeken dan *Robinson Crusoë* gelezen konden worden, maar dat verzamelwerken geheel te mijden waren. De keuze van *Le Spectateur* voor de opvoeding van Sophie, zou kunnen begrepen kunnen worden als een bewijs voor de gangbare interpretatie volgens dewelke de opvoeding van Émile en Sophie grondig verschillend zijn. Wat niet geschikt is voor de opvoeding van de jongen is misschien wel geschikt voor opvoeding van het meisje. Men kan echter ook stellen dat *Le Spectateur* eerder een afzonderlijk genre is, en wel een dat een oplossing lijkt te bieden voor zowel de gevaren van het lezen in het algemeen, als voor de lectuur van tekstverzamelingen in het bijzonder, en vooral voor de vrouwelijke leescultuur.[54] De moraliserende tijdschriften in de stijl van de *Spectator* brachten immers niet zozeer een verzameling van passages van andere auteurs, maar droegen allerlei alledaagse thema's aan op een literaire wijze, waarbij morele kwesties werden besproken omwille van de zedenverheffing.

Bovendien lijkt deze interpretatie goed aan te sluiten bij het inzicht uit de genderstudies dat bij Rousseau vrouwen verschillende en met elkaar strijdende rollen te vervullen hebben.[55] Indien Sophie zowel een goede minnares, een goede echtgenote, een goede huishoudster als een goede moeder van de kinderen moet zijn, dan volstaat het niet haar *in abstracto* vrouwelijke deugden voor te houden. Het is dan meer aangewezen haar door middel van concrete situaties en gesprekken daarover de plichten van de '*honnêtes femmes*' voor te houden.

In elk geval is het zo dat dit type tijdschriften een grote verspreiding gekend heeft, zowel voor de opvoeding van het mannelijk gedeelte van de bevolking, als de vrouwelijke wereld. In de realiteit lijken tijdschriften – zoals de *Spectator* – de morele en pedagogische ambities beter gediend te hebben dan literatuur. Rousseau zou voor wat de vrouwen betreft dit niet betreurd hebben. Of hij het gebruik van dergelijke 'spectatoriale geschriften' voor de opvoeding van de man zou geapprecieerd hebben, is twijfelachtig.

Hoe het ook zij, een echo van deze kwestie horen we later nog doorklinken bij Jean Paul Richter (1763-1825) – een auteur die als geen ander voor Rousseau en Fénelon bewondering had. Zullen meisjes – zo vraagt hij zich af – in de '*französischer Büchersaal (...) erbittert von den gallischen Zeitungschreibern* (zoals

Addison & Steel?) *und von meinen altfürstlichen Erziehern* (zoals Fénelon?) – iets anders lezen dan wat ze reeds altijd en overal in het dagelijks leven horen?[56]

Noten

1. Rousseau, J.J. (1951/1762). *Émile ou de l'éducation (Ed. F. & P. Richard)*. Paris: Garnier; p. 573.
2. Rousseau, (1951/1762); p. 210.
3. Fourny, D. (1990). L'Émile et la question du livre. *Studies on Voltaire and the Eighteenth Century, 278,* 309-319
4. Jurt, J. (1994). Lesen und Schreiben bei Rousseau. In P. Goetsch (Ed.), *Lesen und Schreiben im 17. und 18. Jahrhundert.* (pp. 241-250). Tübingen: Narr; p. 542.
5. Negroni, B. de (1987). La bibliothéque d'Émile et de Sophie. La fonction des livres dans la pédagogie de Rousseau. *Dix-huitième Siècle, 19,* 379-390.
6. Vgl. Martin, J. Roland (1985). *Reclaiming a conversation. The ideal of educated woman.* London: Yale University Press.
7. Van Crombrugge. H. (1995). Rousseau on family and education. *Paedagogica Historica, 31,* 445-480.
8. Rousseau, J.J. (1969). Émile et Sophie ou les solitaires. In J.J. Rousseau, *Oeuvres complètes. Tome IV.* (pp. 881-924).
9. Ganachaud, C. (1999). La lecture, sa valeur, son intérêt chez Rousseau. In T. L'Aminot (Ed.), *Jean-Jacques Rousseau et la lecture.* (pp. 3-18). Oxford: Voltaire Foundation.
10. Rousseau (1951/1762); p. 116.
11. Rousseau (1951/1762); p. 525.
12. Rousseau, (1951/1762); p. 429.
13. Termolle, M. (1999). Rousseau, lecteur et critique des compilateurs. In T. L'Aminot (Ed.), *Jean-Jacques Rousseau et la lecture.* (pp. 65-76). Oxford: Voltaire Foundation.
14. Martin (1985).
15. Vgl. Graaf, M. de (1996). *Vrouwelijkheid bij de pedagoog Jean-Jacques Rousseau.* Amsterdam: Proefschrift Universiteit van Amsterdam ; en de daar besproken literatuur.
16. Van Crombrugge (1995).
17. Rousseau (1951/1762); p. 573.
18. Rousseau, J.J. (s.d./1761). *Julie ou la nouvelle Héloise.* Paris: Garnier; pp. 24-28; Pau-Gillot, C. (1999). La bibliothéque de Julie. In T. L'Aminot (Ed.), *Jean-Jacques Rousseau et la lecture.* (pp. 77-92). Oxford: Voltaire Foundation.
19. Chérel, A. (1970/1917). *Fénelon au XVIIIe siècle en France (1715-1820), son prestige, son influence.* Genève: Slatkine; Heinrich, J. (1930). *Die Frauenfrage bei Steele und Addison. Eine Untersuchung zur englischen Literatur- und Kulturgeschichte im 17./18. Jahrhundert.* Leipzig: Mayer & Müller; pp. 81-112.
20. Fénelon (s.d./1678). *De l'éducation des filles – Dialogues des morts.* (Ed. E. Faquet). Paris: Nelson.
21. Fénelon (s.d./1678); pp. 22-23.
22. Fénelon (s.d./1678); p. 114; p. 130.

23. Rousseau (1951/1762); p. 501.
24. Rousseau (1951/1762); p. 513.
25. Fénelon (s.d./1678); p. 22.
26. Goré, J.L. (1968). Introduction. In Fénelon (1968/1699). *Les aventures de Télémaque (Ed. J.L. Goré).* (pp. 25-59). Paris: Garnier.
27. Rousseau (1951/1762); p. 513.
28. Fénelon (s.d./1699). *Les aventures de Télémaque (Ed. M. Lefèvre).* Paris: Garnier; p. 147; vergelijk de Graaf (1996); p. 133.
29. Rousseau (1951/1762); pp. 66-68.
30. Vanpée, J. (1999). Leçons de lecture dans l'Émile: de la lettre à la fable. In T. L'Aminot (Ed.), *Jean-Jacques Rousseau et la lecture.* (pp. 217-230). Oxford: Voltaire Foundation.
31. Van Crombrugge (1995).
32. Hillenaar, J. (1994). *Le secret de Télémaque.* Paris: Presses Universitaires de France; p. 48.
33. Hillenaar (1994); p. 48.
34. Boswell, J. (1981/1764). Besuch bei Rousseau und Voltaire. Auszug aus Boswell on the Grand Tour: Germany and Switzerland. Frankfurt: Europäische Verlagsanstalt; p. 51; p. 55.
35. Rousseau (1951/1762); p. 630.
36. Rousseau, J.J. (1973/1769-1770). *Les confessions (Ed. B. Gagnebin, M. Raymmond & C. Koenig).* (2 vols.). Paris: Gallimard; p. 353.
37. Rau, F. (1980). *Zur Verbreitung und Nachahmung des Tatler und Spectator.* Heidelberg: Winter Universitätsverlag; zie ook Buijnsters, P.J. (1991). *Spectatoriale Geschriften.* Utrecht: HES.
38. Nowak, M.A. (Ed.) (1984). *Educating the audience: Addison, Steele and eighteenth-century culture.* Los Angeles: Clark Library – University of California.
39. Addison, J. & Steele, R. (1970/1711-1714). *The Spectator in four volumes. (Ed. G. Smith).* London: Everyman's Library; p. 33.
40. Addison, J. & Steele, R. (1996/1726). *Le Spectateur. (Ed. B. Duicq).* Paris: La Bibliothéque; pp. 15-16.
41. Addison & Steele (1970/1711-1714); p. 5.
42. Addison & Steele (1970/1711-1714); pp. 31-32.
43. Ross, A. (1982). Introduction. In R. Steele & J. Addison, *Selections from The Tatler and The Spectator.* (pp. 21-55). London: Penguin; Sturkenboom, D.M.B. (1998). *Spectators van hartstocht: sekse en emotionele cultuur in de achttiende eeuw.* Nijmegen: Proefschrift Katholieke Universiteit Nijmegen.
44. Rau (1980); p. 151.
45. Vergelijk Brandes, H. (1994). Die Entstehung eines weiblichen Lesepublikums im 18. Jahrhundert. Von den Frauenzimmerbibliotheken zu den literarischen Damengesellschaften. In P. Goetsch (Ed.), *Lesen und Schreiben im 17. und 18. Jahrhundert.* (pp. 125-133). Tübingen: Narr.
46. Addison & Steele (1970/1711-1714); p. 32.
47. Addison & Steele (1970/1711-1714); p. 16.
48. B Blaicher, G. (1994). 'The improvement of the mind': Auffassungen vom Lesen bei John Locke, Richard Steele und Joseph Addison. In P. Goetsch (Ed.), *Lesen und Schreiben im 17. und 18. Jahrhundert.* (pp. 91-107). Tübingen: Narr.

49. Heinrich (1930); Leites, E. (1984). Good humor at home, good humor abroad: the intimacies of marriage and the civilities of social life in the ethics of Richard Steele. In M.A. Nowak (Ed.), *Educating the audience: Addison, Steele and eighteenth-century culture.* (pp. 49-87). Los Angeles: Clark Library – University of California.
50. Addison & Steele (1970/1711-1714); p. 112.
51. Addison & Steele (1970/1711-1714); p. 111.
52. Addison & Steele (1970/1711-1714); p. 285.
53. Addison & Steele (1970/1711-1714); p. 296.
54. Sturkenboom (1998).
55. de Graaf (1996).
56. Jean Paul Richter (1963/1814). *Levana oder Erziehlehre.* Paderborn: Schönigh; pp. 173-174.

Verschil van mening over zijn vrouw

Probleemstelling

'Rousseau en de vrouwen' is een steeds weerkerend onderwerp in zowel de historische pedagogiek, de vrouwenstudies als in de literatuurgeschiedenis. Zowel Rousseaus vrouwenbeelden, zijn opvattingen over de meisjesopvoeding, zijn visie op moederschap, als zijn feitelijke relaties met vrouwen als Madame de Waerens of gravin d'Houdetot blijven stof voor discussies leveren. Bij dit alles is er één opvallend afwezig thema: de relatie van Jean-Jacques met Thérèse Le-Vasseur (1721-1801): zijn levensgezellin, moeder van zijn kinderen en later ook wettelijke echtgenote. Om een of andere reden wordt hierover niets gezegd of houdt men het bij de gemeenplaatsen dat Thérèse ofwel een idiote – '*debile mentale*' (dixit Gagnebin & Raymond) – wasvrouw zou zijn, ofwel gewoon een slecht vulgair mens, die in elk geval niet in staat was voor de vele kinderen die ze – al dan niet van Rousseau – kreeg, te zorgen, met als gevolg dat Rousseau de kinderen wel naar een asiel moest brengen en dat hij de relatie met haar probeerde geheim te houden tegenover zijn adellijke en veel meer inspirerende vrouwelijke fans. De relatie met Thérèse wordt met andere woorden gewoon oninteressant gevonden.[2]

Reeds vanuit historiografisch standpunt is deze stand van zaken onbevredigend. Hebben we hier niet te doen met een mythe? En zo ja: welke functie heeft deze in de pedagogische cultus van Rousseau? Maar ook voor de vrouwenstudies is deze aangelegenheid interessanter dan ze lijkt. We hebben hier niet alleen te maken met een depreciatie van een vrouw, maar bovendien lijkt de oorsprong van deze minachting gelegen te zijn in de vrouwelijke omgeving van Rousseau.

'Het wordt hoog tijd dat eindelijk eens andere oogen over u heenbuigen, oogen minder bevooroordeeld door klassegevoel en hoogmoedig intellektualisme, simpel hart, eenvoudig plebejerskind, veelgesmade, veelgelasterde Thérèse le Vasseur.'

HENRIETTE ROLAND HOLST[1]

De eerste en meest gezaghebbende veroordeling van Thérèse is immers van de hand van niemand minder dan Madame de Staël (1766-1817). Dat deze in de vrouwenstudies juist opgevoerd wordt als een van de eerste codeurs van een vrouwelijke ethiek die begrip vroeg voor de moeilijke maatschappelijke positie van de vrouw compliceert alleen maar de zaak.[3] Bovendien lijkt de geschiedenis te vergeten dat de eerste – en tevens haast laatste – verdediging van Thérèse opgenomen werd door een andere vrouw die in de vrouwenstudies faam geniet: Madame de Charrière oftewel Belle van Zuylen (1740-1805).[4] Maar ook vanuit de studie van Rousseau op zich is de huidige stand van zaken problematisch.[5] Het is immers opvallend hoe weinig – om niet te zeggen nooit – men zich afvraagt op welke wijze en met welke appreciatie Rousseau zelf Thérèse ter sprake gebracht heeft. Bevestigen zijn geschriften de negatieve beeldvorming of juist niet?

In deze bijdrage zullen we eerst ingaan op de negatieve beeldvorming zoals deze terug te vinden is bij Madame de Staël. Vervolgens analyseren we de verdediging van Thérèse zoals deze door Belle van Zuylen in een pamflet verwoord werd. In een derde stap reconstrueren we Rousseaus eigen beschrijving van zijn levensgezellin. Tot slot proberen we deze vrouwelijke schermutseling in een wat breder pedagogisch en historisch kader te plaatsen. Deze bijdrage vormt een eerste verkenning vertrekkend vanuit de geschriften van de betrokkenen.[6]

Madame de Staël over Thérèse LeVasseur

Germaine Necker, door haar huwelijk Baronne de Staël, debuteerde in 1788 met '*Lettres sur les Ouvrages* (sommige edities *Ecrits*) *et le Caractère de J.J. Rousseau*'. Het was een van de eerste pogingen om het werk van Rousseau in zijn geheel te reconstrueren en te begrijpen in samenhang met de persoon van de auteur. In feite is het een grote lofzang op het genie van Rousseau. Zijn stijl is te verklaren door middel van zijn overgevoelige persoonlijkheid die in combinatie met zijn slechte omstandigheden zijn merkwaardig gedrag begrijpelijk maakt. Madame de Staël poogt op deze wijze alle mogelijke verwijten aan het adres van Rousseau te pareren.

Zo gaat ze ook in op de omstandigheid dat dezelfde Rousseau die de ouders op hun plichten wees, zelf zijn kinderen van bij de geboorte in een asiel achterliet. Ze stelt dat hij alleen verzaakt kan hebben aan zijn vaderlijke plicht in de overtuiging dat hij zo op de best mogelijke wijze de belangen van de kinderen diende. Hierbij aansluitend gaat ze in op de persoon Thérèse LeVasseur: de 'onwaardige vrouw' en 'ontaarde moeder' die Rousseau in zijn ongeluk stortte. Zij wordt afgeschilderd als een 'slecht karakter' dat Jean-Jacques niet alleen dwong zijn kinderen te verlaten, maar die hem ook deed geloven dat iedereen tegen hem was. Zij is het die inspeelde op zijn veel te grote verbeelding, die hem nog meer twijfelend en angstig maakte dan hij reeds van nature was, en die hem isoleerde van zijn vrienden die hem hadden kunnen helpen. In zijn veel te grote goedheid heeft Rousseau voor haar gezorgd, naar haar geluisterd en haar vertrouwd. En deze 'dwaasheid' is zijn noodlot geworden. Volgens een getuige heeft Rousseau immers zelfmoord gepleegd toen hij met zekerheid wist dat Thérèse hem bedrogen had met een man van het allerlaagste allooi.

Vanaf de tweede editie van haar werk, nam Madame de Staël een brief op van Madame de Vassy, waarin deze allerlei bewijzen aanhaalt waaruit blijkt dat Rousseau geen zelfmoord gepleegd heeft. Hij was een veel te groot man, die zelfs bij de grootste tegenslagen grootmoedig bleef en die tot in de dood zijn waardigheid behouden heeft en zijn principes trouw gebleven is. Madame de Staël ziet in deze brief geen reden om de passages in haar *Lettres* te wijzigen: het belangrijkste is dat de brief van Madame de Vassy bevestigt dat Rousseau een buitengewoon man was, waarvan de dood 'aangrijpend, mooi en subliem' is. Bovendien bevestigt deze brief ook uitdrukkelijk dat Thérèse onwaardig was Rousseaus naam te dragen: na de dood van Rousseau is immers wel degelijk gebleken dat ze hem bedrogen heeft.

Belle van Zuylens *Plainte et Défense de Thérèse LeVasseur*

Binnen het jaar na de publicatie van Madame de Staëls brieven over Rousseau, verscheen een pamflet waarin Thérèse LeVasseur zich beklaagde over en verdedigde tegen de beschuldigingen. Omdat ze zelf niet kon schrijven en zich niet goed kon uitdrukken, had ze een bevriende en geletterde dame gevraagd om de verdediging uit te schrijven. Althans zo luidde het in de tekst. In feite gaat het om een schrijfsel van Belle van Zuylen oftewel Isabelle de Charrière, waarin deze zich verplaatst in de persoon van Thérèse om zo kritiek uit te oefenen op de Rousseaucultus in het algemeen en de Rousseaubrieven van Madame de Staël in het bijzonder.

Blijkbaar is het mode geworden om Rousseau te vereren en in dat kader past het blijkbaar alle schuld voor de mogelijke negatieve aspecten van Rousseaus leven en werk op Thérèse LeVasseur af te schuiven. Een eerste punt in de verdediging is dat zij er toch niets kan aan doen dat Rousseau haar zoveel gegeven heeft: zijn liefde, zijn bekommernissen, het voorrecht voor hem te zorgen, zijn soep te koken en zijn bed 'af en toe' te delen. Ook heeft ze niet gevraagd zijn naam (aanvankelijk de schuilnaam Renou toen hij uit Engeland terugkeerde) door het huwelijk te mogen dragen. En dat hij beloofd heeft voor haar altijd te zorgen en dat ze daarom nu een deel krijgt van de opbrengst van de verkoop van zijn boeken, daar kan ze zelf niets aan doen. Maar al te graag zou ze gewoon Thérèse LeVasseur gebleven zijn.

Vervolgens gaat ze zelf in de aanval. Madame de Staël die haar van alles verwijt, mist zowel goedheid, als rechtvaardigheidsgevoel en gezond verstand. Het getuigt van weinig goedheid iemand zoals zij die niet kan lezen, noch schrijven en ook het uur niet kan lezen en die alleen achtergebleven is na de dood van haar geliefde zonder enige bescherming met verwijten te bestoken. Vooral als men zelf rijk is en steun kan genieten van een lieve machtige vader. De verwijten zijn bovendien onrechtvaardig omdat ze roddels zijn: de zogenaamde bewonderaarster van Rousseau zegt allerlei zaken die ze zelf niet kan bewijzen en die Thérèse ook niet kan weerleggen. Maar ondertussen zijn ze wel gezegd en achtervolgen ze haar. Op de derde plaats getuigen de aantijgingen van weinig of geen gezond verstand. Vooreerst verwijt men haar niet de heldin te zijn die men meent dat de geliefde van Rousseau zou moeten zijn. Maar zij kan er toch ook niet aan doen dat zij, een eenvoudig meisje, dat in geen enkel opzicht de gelijke is van de adellijke bewonderaarster van Rousseau, door hem uitverkoren is. Vervolgens getuigt het ook van weinig gezond verstand te menen dat Rousseau zelfmoord zou plegen daar hij weet dat hij bedrogen is door zijn eigen vrouw. Dat is toch ook niet de gewoonte in de hogere kringen van Parijs. Bovendien is het al te belachelijk te stellen dat het Rousseau vooral pijn gedaan zou hebben dat zijn vrouw hem ontrouw was met een man van de allerlaagste klasse. Alsof Rousseau liever zou hebben dat zijn vrouw hem zou bedriegen met een prins.

De kritiek aan het adres van Madame de Staël wordt steeds scherper en rechtstreekser geformuleerd. Als men zulke verwijten maakt, dan kan men toch niet zeggen dat men Rousseau gelezen heeft. Zij die Rousseau het meest eren, hebben hem blijkbaar het minst begrepen, ook al zijn ze in extase over elke pagina. In plaats van Rousseau model, voorbeeld en god te noemen, zou men beter zijn lessen volgen. En Thérèse/Belle wordt sarcastisch: er is nog hoop: Madame de Staël is nog jong en zal nog de kans krijgen om zich te ontdoen van haar achterhaalde vooroordelen. Ze kan nog redelijker en beter worden met de hulp van haar lieve vader.

Een tussentijdse evaluatie van de verdediging

In deze klacht en verdediging van Thérèse plaatst Belle van Zuylen zich niet alleen in de positie van Thérèse, ze brengt ook en vooral kritiek uit op Madame de Staël vanuit het gedachtegoed van Rousseau. Rousseaus afkeer voor het ijdele, corrupte en corrumperende leven van de hogere kringen in Parijs wordt hier in stelling gebracht. De verwijten zijn niet meer dan roddels van de zelfingenomen aristocratische dames die zich plaatsten boven de lagere klassen, terwijl ze in wezen zelf totaal immoreel zijn. Het zal de lezers niet ontgaan zijn dat Thérèse beklemtoont dat Rousseau haar verkozen heeft en dat zij voor hem gezorgd heeft, wat uitgemond is in een huwelijk, zonder enige bijbedoelingen bij hem of haar. Dit staat immers in schril contrast met het huwelijk van Germaine Necker dat door en door gearrangeerd was met als enige bedoeling de dochter van deze rijke en machtige bankier een adellijke titel te bezorgen. Niet Thérèse maakt gebruik van de naam van haar man, wel Germaine Necker. Niet Thérèse bedriegt haar man, wel de vrouwen in Parijs op het moment zelf dat ze trouwen.

Tegenover de geëxalteerde bourgeois staat de eenvoudige Thérèse. Thérèse laat zich op niets voorstaan. Zij wijst nergens op haar eigen verdiensten. Haar enige verdienste is dat zij voldoende '*bon sens*' had, zonder dewelke Rousseau haar zeker niet gewaardeerd had. Tegenover het verwijt dat ze een intrigante zou zijn, stelt ze dat ze gewoon steeds zichzelf geweest is, dat ze zich niet anders voordoet, dan wie ze in werkelijkheid is. Dat staat radicaal tegenover Madame de Staël die in de ogen van Belle van Zuylen alleen maar pose is. In de briefwisseling van Belle van Zuylen met Benjamin Constant wordt Madame de Staël trouwens uitdrukkelijk als een '*arrivée*' bestempeld die nog meer dan de geboren adel zich op haar privileges laat voorstaan. Wat overigens geheel in tegenstelling is met Rousseaus afkeer van standenverschillen en zijn voorkeur voor natuurlijkheid en eenvoud. Ze is een vrouw die met veel woorden alleen maar bewijst dat ze niet of onvoldoende nadenkt; die Rousseau wel looft, maar hem niet begrepen heeft of in elk geval uit de lectuur geen lessen getrokken heeft.

Dat Belle van Zuylen met zoveel nadruk verwijt dat men Rousseau wel looft, maar niet leest en niet doet wat hij vraagt, heeft niet alleen te maken met het feit dat Madame de Staël met haar Rousseaubrieven ambieerde een synthese te brengen van Rousseaus oeuvre. Hier speelt ook een andere omstandigheid. Belle laat Thérèse immers ook terloops positie kiezen in de discussie die op dat moment aan de gang was en die de publicatie van Rousseaus autobiografische geschriften betrof. Thérèse verwijt DuPeyrou, de uitgever van de *Confessions* dat hij haar niet verdedigd heeft, terwijl hij wel zichzelf verdedigde tegen de verwijten dat hij tegen de wil in van Rousseau de autobiografische geschriften uitgaf.[7] Rousseau was niet zozeer tegen de publicatie dan wel tegen het feit dat door de publicatie mensen gekwetst zouden worden. Als hij de bedoelingen van Rousseau wou respecteren, dan moest hij niet over de rechten van de publicatie twisten en zich verontschuldigen voor het feit dat zij royalties ontving (in een ander pamflet had een zekere graaf de Baruel het betreurd dat Thérèse verdiende aan de publicatie van de geschriften van Rousseau), maar wel haar persoon verdedigen, bijvoorbeeld door erop te wijzen dat Rousseau beloofd had voor haar altijd te zorgen ook na zijn dood.

Deze opmerkingen richten de aandacht op het bestaan van de autobiografische geschriften van Rousseau: les Confessions. Madame de Staël verwijst naar deze geschriften bij haar beschrijving van het karakter van Rousseau. Zij beschikte evenwel met zekerheid niet over het tweede deel van deze autobiografie. Via Thérèse maakt Belle van Zuylen de lezers attent op dat gedeelte dat door DuPeyrou uitgegeven werd. Deze laatste betrok Belle van Zuylen bij de uitgave van de Confessions. De ijver waarmee ze deze 'kritische uitgave' mogelijk maakte, blijkt trouwens uit het manuscript 'Eclaircissements relatifs à la publication des Confessions de Rousseau' uit 1790 (het jaar waarin ze ook haar 'Eloge de Jean-Jacques Rousseau' schreef die qua stijl het tegengestelde is van de Rousseaubrieven van Madame de Staël). Het is juist in dit deel van de Confessions dat de relatie met Thérèse beschreven wordt. Met andere woorden: door Thérèse te laten verwijzen naar deze autobiografische geschriften en naar de intenties van Rousseau ten aanzien van haar, formuleert Belle van Zuylen een heel subtiele kritiek: in plaats van allerlei ongefundeerde roddels te verspreiden, doet men er beter aan rekening te houden met wat Rousseau zelf over deze relatie te zeggen heeft.

Rousseau over zijn Thérèse in *Les Confessions*

Het is merkwaardig om vast te stellen dat in de beeldvorming van Thérèse een aantal gemeenplaatsen steeds weer herhaald worden, zonder dat daarbij rekening gehouden wordt met wat Rousseau zelf over Thérèse geschreven heeft. Nochtans gaat Rousseau zelf uitdrukkelijk in op Thérèse en zijn verhouding met haar en wel in de *Confessions* (vanaf boek VII).

Twee karakteriseringen keren steeds terug: de eenvoud van haar geest en de goedheid van haar hart. Thérèse kan met moeite lezen en haast niet schrijven. Ook rekenen valt haar zwaar. Rousseau verhaalt hoe hij er ook niet in slaagt haar het uur te laten lezen of de volgorde van de maanden te laten onthouden. Ook kan ze zich moeilijk uiten en zegt ze vaak het omgekeerde dan ze bedoelt. Ze is van nature beperkt, zo je wil stupide, en alle inspanningen om haar wat aan te leren zijn vergeefse moeite; zo geeft hij zelf aan. Maar tegelijk verbindt hij daarmee ook haar gezond verstand: zij ziet vaak wat hij niet opmerkt, ze geeft goede raad, ze voorkomt onheil wanneer hij blindelings in gevaarlijke situaties dreigt te komen. Hij gaat zelfs veel verder: Thérèse geniet veel achting bij de hoogste kringen, omwille van haar '*bon sens*'.

Daarnaast heeft Thérèse het hart van een engel. Ze is teder, zacht, beminnelijk. Ze handelt totaal belangeloos. Ze geeft zich helemaal opdat hij (en anderen) gelukkig zou kunnen zijn. Alle koketterie is haar vreemd; ze is de bescheidenheid in persoon. In combinatie met haar eenvoudige geest, maakt deze goedheid haar onvoorstelbaar naïef: zij ziet nergens kwaad, vertrouwt alles en iedereen en neemt alles wat men haar zegt voor waar. Ze kan geen geld beheren, maar niet omdat ze wil pronken, maar gewoon omdat ze als een kind niet neen kan zeggen. Ze vertelt alles tegen iedereen, maar niet omdat ze zich interessant wil maken, maar gewoon omdat ze eerlijk en openhartig is.

Volgens Rousseau is het mooiste dat hem ooit te beurt gevallen is en wat hem alle ellende heeft doen overleven, zijn relatie met Thérèse. Deze verhouding is een heel bijzondere. Terwijl hij ervan overtuigd is dat zij hem geheel en onvoorwaardelijk beminde, zegt hij met zoveel woorden dat bij hem nooit sprake is geweest van liefde. De relatie is voor hem eerder een van een onbreekbare, intieme, alles omvattende vriendschap. Eén die hij nodig heeft om zijn eenzaamheid, het onbegrip van de omgeving en de haat van zijn vijanden te kunnen doorstaan. Hij had nood aan haar, zoals zij ook hem nodig had. De relatie is niet begonnen en heeft nooit de vorm van een passionele verhouding gehad. Omwille van haar goedheid en eenvoud, was ze het voorwerp van spot en misbruik. Hij heeft spontaan haar in bescherming genomen: zij voelde zich bij hem geborgen en hij leefde op van haar eerlijke zorg voor hem. De onvoorwaardelijke trouw en belangloze inzet voor elkaar hebben voor gevolg gehad dat ze steeds intiemer werden en dat de natuur haar gang kon gaan. Het seksuele aspect van de verhouding is in de ogen van Rousseau secundair en stelt niet veel voor: het blijft in de orde van de natuurlijke behoeften en alvast hij heeft zich nooit persoonlijk geëngageerd. Ze hebben nooit beloofd te trouwen, maar haar trouw was onvoorwaardelijk en hij heeft beloofd altijd voor haar te zorgen. Deze trouw hebben ze later dan geformaliseerd en hij heeft ervoor gezorgd dat ze later na zijn dood zal kunnen genieten van een onbekommerde levensavond. De onvoorwaardelijke trouw van Thérèse blijkt voor Rousseau ook uit het feit dat ze hem nooit verlaten heeft. Wanneer hij op de vlucht moet gaan, slaagt hij er niet in Thérèse ervan te overtuigen haarzelf in veiligheid te brengen. Ze wil bij hem blijven, ook al is op dat moment hun relatie niet erg bevredigend. Volgens Rousseau zijn ze immers uit elkaar aan het groeien: hij neemt haar bijna nooit meer nog mee op zijn wandelingen, zij spreken nog weinig met elkaar omdat ze weinig gemeenschappelijke interessen hebben en door zijn chronische blaasontsteking hebben ze ook reeds lang geen seksuele gemeenschap meer met elkaar. En toch blijft ze bij hem.

Hij wil Thérèse niet idealiseren: niets is immers perfect op deze wereld. En toch is hij ervan overtuigd dat zij alleen vele gebreken heeft, maar zeker geen ondeugden. Al het kwade dat geschied is, komt vanuit de omgeving. Zoals reeds aangegeven is Thérèse een gemakkelijk slachtoffer van anderen die het slecht menen en ja, ze heeft ook een rol gespeeld in de complotten tegen hem. Maar – en daarin is hij heel stellig – dat heeft ze nooit met slechte bedoelingen gedaan: ze is de speelbal geweest van mensen met slechte bedoelingen en vanuit haar natuurlijke goedheid heeft ze niet altijd, maar soms ook wel, weerstand kunnen bieden.

Dat er mensen zijn met slechte bedoelingen die misbruik gemaakt hebben van Thérèse om hem schade toe te brengen, is voor hem duidelijk. Op de eerste plaats is er de familie van Thérèse en wel in het bijzonder de moeder. Hoewel het gezin van goede huize was en de vader aanvankelijk een goede positie had (hij was ambtenaar bij de beurs van Orléans) heeft het noodlot zich tegen hen gekeerd. Vader werd werkloos en de moeder die verkoopster was ging failliet. Thérèse die als kind reeds mishandeld werd, heeft als jongste dan ingestaan voor het levensonderhoud van het gezin, door te gaan werken als linnenmeisje in een hotel in Parijs (waar Rousseau haar ook ontmoet heeft). De moeder heeft de relatie van haar dochter met Rousseau gebruikt om zichzelf en haar familie te verrijken. Alles wat Rousseau aan Thérèse gaf, werd door de moeder afgenomen. De giften voor Rousseau die de rijken aan Thérèse gaven, werden ook door de moeder ontvreemd. Als Rousseau afwezig was, liet de moeder Thérèse haar familie van voedsel en drank voorzien (en werd zijn garderobe zelfs geplunderd). Bovendien werden haar en zijn naam gebruikt om schulden te maken. Bij dit alles werd Thérèse door de moeder geterroriseerd: ze werd gedwongen tot stilzwijgen op straffe van slaag. Wanneer Thérèse dan toch alles aan haar man vertelde, kon Rousseau weinig doen. Uit respect voor Thérèse gooide hij de moeder niet uit huis. Hij begreep dat Thérèse niet anders kon dan loyaal zijn tegenover haar moeder, ook al maakte deze daarvan misbruik. Hij moest wel de moeder tolereren, ook al verafschuwde hij haar, niet zozeer omwille van de plundering van zijn huishouden, maar wel omdat ze Thérèse zo mishandelde en bovendien en vooral omdat ze zo achterbaks was: tegenover hem deed ze zich voor als een goede moeder, achter zijn rug complotteerde ze tegen hem.

Het is ook de moeder die een kwalijke rol speelt bij het weggeven van de kinderen van Thérèse aan het vondelingentehuis. Wanneer Thérèse zwanger blijkt te zijn, weet Rousseau immers niet goed wat doen: ze zijn niet getrouwd en hij is niet in staat een gezin te onderhouden. Het is de moeder die de oplossing aanbrengt. Zij adviseert hem de kinderen te vondeling te leggen. Haar argumenten klinken redelijk: op de eerste plaats kan hij zo de eer van Thérèse redden, vervolgens heet het dat het in Parijs de gewoonte is om kinderen toe te vertrouwen aan het asiel, zeker wanneer de ouders zelf niet in staat zijn de kinderen te verzorgen. Hij zelf zegt dat hij geen wroeging had en ook niet later zal hebben (er worden vijf kinderen geboren en weggedaan): het lijkt hem redelijk de ouderlijke gevoelens te onderdrukken in het belang van de kinderen. Het blijft voor hem wel een feit dat de rede hem kan bedriegen: de moeder van Thérèse is alleen uit op haar welzijn en wil geen bijkomende last. (In zijn 'Rêveries' is Rousseau trouwens nog steeds de mening toegedaan dat hij er goed aan gedaan heeft niet zijn vaderlijke gevoelens te volgen en wel de rede: zijn ongelukkig zijn als vader is de afkoopsom voor het geluk van de kinderen. Hij overweegt wel dat hij de kinderen had kunnen toevertrouwen aan één van zijn weldoensters, maar deze optie verwerpt hij omdat zo de kinderen zeker niet goed opgevoed zouden worden: in luxe en haat tegenover hun vader en alles waar deze voor staat). Wat voor ons hier belangrijk is, is dat hij uitdrukkelijk zegt dat Thérèse de enige is die van bij de eerste geboorte zich verzet heeft en die zich nooit heeft neergelegd bij het te vondeling leggen. Haar moeder heeft haar gedwongen en zij heeft niet anders dan de beslissing van haar man en moeder moeten ondergaan; een beslissing waarmee ze zich misschien uiteindelijk heeft kunnen verzoenen omdat ze hem en haar vertrouwde.

Vergelijkbaar is de situatie met haar vader. De moeder van Thérèse wil dat de vader naar een asiel gedaan wordt omdat ze niet langer voor hem wil zorgen. Uiteindelijk slaagt de moeder erin, maar Thérèse heeft zich altijd verzet en nooit verzoend met deze hardvochtige beslissing.

Ook bij andere gelegenheden blijkt hoe goed Thérèse wel is en hoe slecht de omgeving. Als jong meisje is ze reeds misbruikt geworden, maar ze denkt dat het haar schuld is. Haar goedheid komt ook tot uiting wanneer Grimm aan Thérèse vertelt dat hij erin geslaagd is Rousseau bij een hoer te laten slapen. Thérèse is niet zozeer door Rousseaus ontrouw geschandaliseerd (Hij had het haar trouwens reeds opgebiecht), wel door het feit dat Grimm haar dit vertelt als was het een goede grap, daardoor blijk gevend van weinig respect voor haar en voor zijn vriend.

Ook verhaalt Rousseau hoe één van zijn vrienden gepoogd heeft zijn levensgezellin aan te zetten tot ontrouw en haar wou misbruiken. Thérèse evenwel zegt hierover aanvankelijk niets: ze wil Rousseau niet ongelukkig maken door kwaad te vertellen over zijn vriend. Ook haar moeder wil ze ondanks alles loyaal blijven. Zo verzwijgt ze dat haar moeder haar beledigt, bedreigt en slaat. Wanneer haar moeder in ruil voor geld van Madame d'Epinay probeert met geweld de briefwisseling van Rousseau met Madame d'Houdetot te stelen, verbergt Thérèse de brieven en weigert ze aan haar moeder toe te geven, maar tegelijk probeert ze het ook voor Rousseau verborgen te houden, om zodoende in haar goedheid de kool en de geit te sparen.

Later, wanneer de moeder eindelijk niet langer bij hen woont en Thérèse onbevangen met hem kan praten , blijkt hoe de moeder samengespannen heeft met zijn vijanden – Diderot en Grimm – en tevergeefs gepoogd heeft Thérèse daarbij te betrekken. De moeder blijkt reeds geruime tijd regelmatig en langdurig Grimm te bezoeken. Het is trouwens van Grimm dat ze nu een uitkering krijgt. De zogenaamde vrienden van Rousseau blijken achter zijn rug Thérèse uitgehoord te hebben: in al haar naïviteit heeft ze allicht veel verteld dat nu tegen hem gebruikt wordt.

Een interpretatie van de 'functie' van Rousseaus beeld van Thérèse

De vraag of Rousseau in zijn beschrijving van zijn levensgezellin niet vreselijk naïef is geweest, is hier niet aan de orde. Het gaat ons in deze bijdrage immers niet over de historische waarheid over Thérèse, wel om de vraag op welke wijze we de beeldvorming inzake de vrouw van Rousseau kunnen begrijpen. Hierbij gaan we uit van de opvatting dat de beeldvorming niet zozeer en alleen functie is van de werkelijkheid, maar wel van de bedoelingen en contexten waarin de werkelijkheid ter sprake gebracht wordt.

Ook wat Rousseau zegt, is uiteindelijk een beeld dat een welbepaalde functie heeft in zijn verhaal. Thérèse is goed, haar omgeving is slecht. In zekere zin staat Thérèse voor de ideale vrouw of beter de vrouw in de natuurtoestand. Zij is puur natuur. Door haar beperkte verstandelijke vermogens is ze niet in staat zelf door middel van reflexie van haar oorspronkelijke goedheid afstand te nemen. Daardoor kan ze door de sociaal-culturele omgeving niet gecorrumpeerd worden. Het is niet toevallig dat de relatie met Thérèse geen passionele relatie is en dat dit juist aanzien wordt als een meerwaarde. In de natuurtoestand is er geen passie, er zijn hoogstens driften die bevredigd moeten worden, maar die de personen niet engageren. En dat ze niet opgevoed kan worden, is geen negatief gegeven, maar juist de voorwaarde om gelukkig te zijn.

Maar omdat Thérèse noodgedwongen in een sociale omgeving moet functioneren, kan deze goedheid niet tot haar recht komen. Daarom betreurt hij ook dat ze niet vatbaar is voor onderwijs. Ze kan en zal misbruikt worden door mensen die slechte bedoelingen hebben. De moeder verpersoonlijkt deze slechte bedoelingen als geen ander. De grond van de slechtheid van de moeder is ook niet toevallig haar hebzucht. Wat haar motiveert is dat ze van alles wil bezitten dat ze in vergelijking met anderen niet heeft. Zij had het goed en heeft dat verloren en wil dat nu terughebben. Anderen hebben luxe en die wil ze ook en kan ze ook bereiken door de relatie van haar dochter met Rousseau ten gelde te maken. Thérèse heeft daarentegen nooit iets bezeten en wil dus ook niet meer dan ze nodig heeft. Rousseau zegt uitdrukkelijk: wij zijn niet gemaakt om rijk te worden (ik wil niets bezitten en Thérèse geeft alles weg), maar dat is juist ons geluk.

Het is dan ook weer niet toevallig dat Rousseau wanneer hij beschrijft hoe Thérèse door haar moeder behandeld wordt, van die moeder zegt dat ze grootgebracht is in de nabijheid van een adellijke dame en dat zij wel haar wereld kent. Niet alleen haar hebzucht dus, maar ook het feit dat ze op een bepaalde wijze opgevoed is, wordt in verband gebracht met haar slechtheid. Je kan beter eenvoudig van geest zijn en beperkt zijn in je opvoedbaarheid, wil je je oorspronkelijke goedheid behouden. Bij deze is het dan ook niet zo verwonderlijk dat een argument van Rousseau om zijn kinderen in een asiel te plaatsen is dat hij ze ook geen dienst bewijst door hen bij zijn adellijke vriendinnen te plaatsen omdat deze de kinderen in ijdelheid en luxe zouden grootbrengen in plaats van in de eenvoud van één of ander ambacht.

Opvallend – maar geheel in de lijn van deze interpretatie – is de vaststelling dat tot tweemaal toe Rousseau zijn verhouding met Thérèse vergelijkt met en afzet tegen zijn verhouding met Madame de Warens. De relatie met deze laatste – zijn '*maman*' – wereldse dame moet uiteindelijk spaak lopen, kan hem in zijn diepste nood niet bevredigen. Dat kan in de verhouding met Thérèse – zijn '*tante*' – wel: deze biedt de rust, het vertrouwen, de intimiteit van de natuur. Terwijl al zijn relaties met de adellijke dames – ook deze met Madame d'Houdetot die aanvankelijk de morele kwaliteiten leek te bieden om niet hetzelfde lot te kennen als deze met Madame de Warens – op een mislukking uitlopen, trotseert de verhouding met Thérèse alle tegenslagen.[8]

Zoals Émile nood heeft aan Sophie, heeft Jean-Jacques nood aan Thérèse. De relatie van Émile en Sophie loopt echter op de klippen wanneer ze zich in de wereld – Parijs – begeven. Thérèse is evenwel niet Sophie. Haar eenvoud van geest en de natuurlijke goedheid van haar hart zorgen ervoor dat ze tevreden is met de relatie met Rousseau. Zijn grootste wens is dan ook zich met haar – zijn enige toeverlaat – alleen terug te trekken in een landelijke omgeving – met de natuur als enige andere metgezel – om daar onbekommerd de rest van zijn dagen door te brengen.

Thérèse, Belle, Germaine en de vrouwen

Het is onbegrijpelijk dat deze functie van de figuur van Thérèse in de *Confessions* van Rousseau niet opgemerkt is geworden, niet in de Rousseaustudies, noch in de vrouwenstudies. Dat de pedagogische geschiedenis dit niet gezien heeft, is veel minder verwonderlijk. De receptie van Rousseau is in de pedagogiek zeer fragmentarisch gebleven. Men beperkte zich meestal tot de eerste drie boeken van de *Émile*, soms las men *Julie ou la nouvelle Héloïse* als een roman over de opvoeding van de vrouw, maar al de andere geschriften van Rousseau werden niet gelezen. Zeker niet de autobiografische geschriften, omdat men dan geconfronteerd werd met het schandaal van het te vondeling leggen van de kinderen. Rousseau was de man van de natuurlijke opvoeding, de ontdekker van het kind, de Copernicus van de pedagogiek. In de pedagogische cultus was geen plaats voor negatieve autobiografische feiten, noch voor gecompliceerde ideeën. Als men dan toch door tegenstanders van deze Rousseau geconfronteerd werd met het verwijt dat hij zelf zijn kinderen verlaten had, kon de schuld gemakkelijk op Thérèse geschoven worden. Zij was de ontaarde moeder, de debiele en tegelijk achterbakse slet die Rousseau in zijn ongeluk had laten lopen.

De geschriften van Madame de Staël zijn voor deze beeldvorming niet alleen illustratief, ze zijn ervan het oorspronkelijke gezaghebbende voorbeeld waarop men steeds weer kon teruggrijpen. Haar bedoeling is duidelijk: zij wil het genie van Rousseau aan de wereld openbaren en hem vrijpleiten van alle verdachtmakingen. Als Rousseau foute dingen gedaan zou hebben, is dat de schuld van zijn omgeving die van zijn goedheid misbruik gemaakt hebben. Voor haar is Thérèse de oorzaak van alle kwaad. Wees zij bovendien niet naar getuigen uit de omgeving van Rousseau die de geruchten bevestigden? In haar *Lettres* kon ze niet gebruik maken van de autobiografische geschriften van Rousseau omdat het tweede deel dat handelt over de periode met Thérèse nog niet gepubliceerd was. Derhalve kan Belle van Zuylen terecht verwijten dat wat ze over Thérèse vertelt, ongefundeerd is.

Belle van Zuylen kende wel deze geschriften omdat ze meegewerkt had aan de publicatie ervan. Maar dan rijst het grote probleem: waarom heeft ze Thérèse niet beter verdedigd? Waarom laat ze Thérèse wel zeggen dat men rekening moet houden met haar levensomstandigheden voor men haar veroordeelt, zonder deze omstandigheden ook te benoemen? Ze beperkt zich tot de argumentatie dat het Rousseau is die haar verkozen heeft, dat hij het is die haar zijn naam gegeven heeft, dat hij het is die haar verzekerd heeft van de publicatierechten. Waarom gaat ze niet in op de rol van de moeder van Thérèse zoals Rousseau deze schetst? In feite had Madame de Staël hiervoor zelf de deur opengezet, wat bemerkt was door Belle van Zuylen. Belle/Thérèse zegt immers dat Madame de Staël gemakkelijk praten heeft: zij heeft een goede vader die ze kan vereren. Op dat moment suggereert ze dat Thérèse dat niet kan en met Rousseau zou ze hier alle schuld bij de moeder kunnen leggen. Toch doet ze dat niet.

We kunnen hier enkel speculeren over de motieven van Belle van Zuylen. De interpretatie dat Belle van Zuylen niet Thérèse wou verdedigen, maar wel Madame de Staël wou aanvallen, is er een.[9] Maar als ze inderdaad een hekel had aan de opgeblazen stijl en de oppervlakkigheid van Madame de Stäel – wat inderdaad het geval was – had ze dat dan niet nog meer kracht kunnen geven door ze te confronteren met dat wat Rousseau zelf zegt? Ze confronteert de Staël niet met de *Confessions,* wel met het huwelijk van Rousseau, en de auteursrechten van Thérèse, als ook met de neergeschreven ideeën van Rousseau. Kortom alleen met verifieerbare gegevens. En dat lijkt ons nu juist het punt te zijn.

Belle laat Thérèse begrip vragen voor haar situatie en voor de rest alleen feiten aangeven. In geen geval legt ze Thérèse in de mond wat Rousseau in zijn autobiografische geschriften zegt. Zo niet zou ze in dezelfde val trappen als Madame de Staël: m.n. impressies van personen verwarren met feiten en individuele ervaringen op te blazen tot zogenaamde universele waarheden. Dat is wat Thérèse aan de Staël verwijt en Belle van Zuylen aan al de dwepers van de Rousseaucultus. Voor Belle van Zuylen zijn de *Confessions* de weergave van Rousseaus belevingen en ervaringen. Wat hij zegt, is niet de werkelijkheid: het verhaalt hoe hij de werkelijkheid ervaren heeft. Uitdrukkelijk zegt ze (in haar *Éclaircissements relatifs à la publication des Confessions de Rousseau* uit 1790) dat diegene die zich aangevallen voelen door wat Rousseau over hen schrijft niets te vrezen hebben. Tegenover de impressies van Rousseau moeten ze zelf zoals Rousseau op waarachtige wijze en in alle eenvoud van stijl de waarheid van hun ervaringen plaatsen. Alleen op deze wijze kunnen ze de roddels en verdachtmakingen weerleggen. Geheel in de lijn van deze opvatting, kan ze alleen Thérèse zich laten beklagen over wat anderen over haar zeggen, maar ze kan niet datgene wat Rousseau zegt als haar waarheid verkondigen. Zij kan met andere woorden alleen oproepen tot een gesprek waarin alle betrokkenen hun waarheid kunnen inbrengen. Elders zal ze zeggen dat al het algemene onvolmaakt is en ze geeft als voorbeeld dat 'het' volk niet bestaat, wat alleen bestaat zijn concrete individuele mensen (*'Pierre et Jean, Jacques et Cathérine … '*). Hetzelfde kan over 'de' waarheid gezegd worden: ze bestaat niet en dus niemand kan pretenteren ze te kennen.

Het is natuurlijk wel zo dat de *Confessions* niet in tegenspraak hoeven te zijn met wat Madame de Staël oppert. Als het inderdaad zo is dat Thérèse voor Rousseau de enige toeverlaat was, dan zou het begrijpelijk zijn dat hij totaal verloren zou zijn wanneer hij zou ervaren hebben dat Thérèse hem bedrogen had met een andere man. Op dat moment zou immers geheel zijn hoge waardering voor Thérèse onterecht blijken te zijn en zou heel de relatie een grote leugen geweest zijn. En dan zou de idee van een zelfmoord helemaal niet zo absurd zijn, zoals Belle/Thérèse meent. Het is duidelijk dat Belle van Zuylen in dergelijke discussie over wat nu echt gebeurd is of niet, niet wil stappen, dat is immers niet haar punt. Het gaat haar niet om 'de' waarheid. Er zijn trouwens talrijke aanwijzingen dat Belle van Zuylen via haar contacten wel moest weten dat Thérèse niet de deugdzame vrouw was, die Rousseau zich inbeeldde. Dat interesseert haar niet, wel hoe Thérèse zelf haar situatie beleefd heeft. Deze vrouw moet zelf haar stem kunnen laten horen.

Overigens zou het psychologisch ongeloofwaardig en sociaal problematisch geweest zijn, moest Thérèse/Belle in een geschrift haar moeder allerlei gaan verwijten. Het zou immers niet stroken met de loyaliteit die Rousseau haar toedicht en het zou ook maatschappelijk niet aanvaard worden dat een dochter haar moeder zo openlijk zou aanvallen. Daarmee zou Thérèse niet alleen een ontaarde moeder zijn, maar ook nog eens een slechte dochter.

Gelooft Belle/Thérèse trouwens zelf dat ze zich kan verdedigen, is een vrouw in haar positie daartoe wel in de mogelijkheid? Kan ze wel haar stem laten horen? Zal er wel naar haar geluisterd worden? Dit brengt ons bij de problematiek van de vrouw die door Madame de Staël en door Belle van Zuylen ter sprake gebracht wordt.

Terugkijkend op het verleden is de opmerking van Belle/Thérèse dat er nog hoop is voor Madame de Staël daar ze nog jong is zodat ze nog tot de jaren van verstand kan komen op zijn minst intrigerend. Feit is immers dat Madame de Staël een vijftal jaar later, als het ware antwoordend op de kritiek van Belle/Thérèse, een verdediging schrijft voor de koningin van Frankrijk die geheel in de lijn ligt van wat Belle van Zuylen voorstaat. In '*Réflexions sur le procés de la reine par une femme*' uit 1793, noteert 'een dame' de laatste bedenkingen van de koningin. Hierin wil de koningin zich uitdrukkelijk niet verdedigen, noch een pleidooi houden of in een juridische discussie stappen. Alleen wil ze in alle eenvoud en waarachtigheid het verhaal brengen van haar ervaringen en haar motieven, en zodoende begrip vragen voor haar situatie, haar omstandigheden. Dit pamflet is des te opmerkelijker daar Madame de Staël geen of weinig sympathie had voor de koningin. Ze laat evenwel zien hoe de koningin in een situatie zit dat ze nooit goed kon doen voor iedereen. Als ze zich verzet had tegen de koning was ze een slechte echtgenote en slechte moeder voor haar kinderen, en nu dat ze loyaal gebleven is aan de koning en de kroonprins verwijt men haar een slechte koningin te zijn geweest. En wat men uitlegt als verraad aan Frankrijk is voor haar gewoon trouw aan haar man en kinderen.

We weten niet hoe Belle van Zuylen dit geschrift evalueerde. Feit is dat ze weinig moest hebben van de Staël en ook weinig voelde voor de hofadel die op de vlucht was na de revolutie. Het laat zich wel vermoeden dat ze de mening zou delen met Madame de Staël dat de maatschappelijke positie van vrouwen fundamenteel onrechtvaardig was. Of het nu ging om de laagste klassen – Thérèse – of de hoogste – de koningin – de vrouw had geen eigen stem en werd volledig gedefinieerd door mannen vanuit mannelijke posities. Zowel Belle van Zuylen als Madame de Staël zochten – zij het op totaal verschillende wijze – naar mogelijkheden om als vrouw zich maatschappelijk te manifesteren en te 'emanciperen'. Zo huwde Belle van Zuylen beneden haar stand omdat die man haar tenminste garandeerde dat ze zich kon ontplooien als intellectueel. En zo trouwde Germaine Necker met Baronne de Staël omdat de titel en het ambt van deze het haar mogelijk maakte, aanvaard te worden in de hoogste politieke kringen. Beide wilden als geletterde vrouw zich ontplooien.

Beide waren derhalve niet akkoord met Rousseaus opvatting over de vrouw en over de corresponderende meisjesopvoeding en hebben dat ook uitdrukkelijk verwoord. Voor beide moet Rousseaus beschrijving van Thérèse en zijn relatie met haar totaal onaanvaardbaar geweest zijn. Beide meenden dat meisjes recht hadden op een gelijke opvoeding als de jongens en dat een goede opvoeding niet de vrouw zou corrumperen maar juist wapenen tegen maatschappelijk onrecht en misbruik. Alleen reeds omwille hiervan zou Belle van Zuylen Thérèse niet willen identificeren met het beeld dat Rousseau van haar geeft. En ook daarom zou Belle van Zuylen niet opgezet kunnen zijn met de wijze waarop Rousseau zijn schoonmoeder reduceert tot de sluwe hebzuchtige vrouw die wel onderwijs genoten heeft. De vraag om Thérèse een stem te geven, is een vraag om vrouwen als individuen te erkennen en niet te schematiseren tot ofwel de ware – domme en goede – vrouw ofwel de ontaarde – slimme en slechte – vrouw. Of zoals Belle van Zuylen in een ander pamflet – *Courte réplique à l'auteur d'une longue réponse.*

(1789) – schrijft: Rousseau heeft nooit een idee gehad van de gevaren, de verlegenheden, en het lijden die een vrouw in haar carrière van moeder, vriendin en echtgenoot te wachten staan. Dat geldt zowel voor de Sophie van Émile, als voor Julie of de nieuwe Héloïse, en zeker ook voor Thérèse LeVasseur.

Noten

1. Henriette Roland Holst (1918). *Jean Jacques Rousseau. Een beeld van zijn leven en werken.* Amsterdam: Wereldbibliotheek; p. 89.

2. Tekenend voor de desinteresse, is wel dat een onderzoekster die uitdrukkelijk ingaat op het thema van de vrouwen en Rousseau [G. Weigand (2003). Die drei Frauen Rousseaus. *Pädagogische Rundschau, 57,* 497-516] voor de verhouding van Rousseau met Thérèse louter verwijst naar de historische roman (van Lion Feuchtwanger (1995/1977). *Narrenweisheit. Oder Tod und Verklärung des Jean-Jacques Rousseau.* Berlin: Aufbau); een roman die helemaal niet de historische feiten wil belichten, maar een '*Detektivroman mit historischem Hintergrund*' wil zijn. (Voor de opvattingen van Feuchtwanger over de verhouding van zijn romans met de historische wetenschap; zie: '*The purpose of the historical novel*' ('*Vom Sinn des historischen Romans*' *1935 – www.hisoricalnovelsociety.org.lion.htm).*

3. Marso, J.L. (1999). *(Un)manly citizens. Jean-Jacques Rousseau's and Germaine de Staël's subversive women.* Baltimore: John Hopkins University Press.

4. Voor de betekenis van Rousseau voor Belle van Zuylen, zie P. Godet (1905). Madame de Charrière et Jean-Jacques Rousseau. *Annales Jean-Jacques Rousseau, T.1,* 67-93

5. Een uitzondering vormt Guyot, C. (s.d.). *Plaidoyer pour Thérèse Levasseur.* Neuchatel: Ides et Calendes. Deze publicatie bevat veel documenten evenwel zonder weinig interpretaties. Geheel oninteressant is H.J. Wille (1952). Die Gefährtin. *Das Leben der Thérèse Levasseur mit Jean Jacques Rousseau.* Berlin: Henschel.

6. Geraadpleegde literatuur: I. de Charrière / Belle de Zuylen (1981). *Oeuvres Complêtes, X* Amsterdam-Genève; J.-J. Rousseau (1973). *Les Confessions II* (Ed. Gagnebin & Raymond) Paris; G. de Staël (1789). *Lettres sur les Ouvrages et le Caractère de J.J. Rousseau. Dernière Edition, augmentée d'une Lettre de Madame la Comtesse Alexandre de Vassy, & d'une Réponse de Madame la Baronnee de Staël* s.l. 1789 [pdf-copy Gallica/BNF]; G. de Staël (1793). *Réflexions sur le Procès de la Reine, par une Femme* s.l. 1793 [pdf-copy Gallica/BNF].

7. Voor de verhouding van Belle van Zuylen met Du Peyrou; zie: Guyot, C. (1958). *Pierre Alexandre de Peyrou. Un ami et défenseur de Rousseau.* Neuchatel: Ides et Calendes.

8. Vgl. voor de morele kwaliteit van de relatie: Rousseau, J.J. (2002/1757-8). *Lettres morales.* Paris: Fayard.

9. De gangbare visie in de kringen van bewonderaars van de Staël is dat Belle van Zuylen zich enerzijds als aristocrate de meerdere voelde van de burgerlijke de Staël, en dat ze anderzijds jaloers was op de Staëls relatie met Benjamin Constant; vgl. bijv. Diesbach, G. de (1983). *Madame de Staël.* Paris: Perrin.

Pestalozzi[3] 1746-1827

Johann Heinrich Pestalozzi werd in Zürich geboren in 1746 en stierf in 1827. Bij het grote publiek is zijn Franstalige landgenoot Rousseau veel bekender. Ook de naam van zijn leerling, de Duitser Fröbel, klinkt allicht vertrouwder. In de onderwijswereld is de invloed van Pestalozzi des te groter. Nu nog werken zijn idee van een basisonderricht voor geheel het volk, zijn onderwijsmethode (de *Elementarmethode*), zijn aanschouwingsbegrip, zijn algemene vorming door beroepsvorming, zijn principe dat de leraar een vaderfiguur moet zijn en dat de sfeer van de school deze van de familie moet zijn, nog inspirerend.

In zijn tijd was Pestalozzi 'wereldberoemd', niet in het minst door zijn volksroman '*Lienhard und Gertrud*' waarin hij de politieke, economische en sociale (wan)toestanden hekelde, en zowel politieke als opvoedkundige oplossingen voorstelde. Samen met beroemdheden als Washington, Bentham, Schiller en Klopstock was hij ereburger van de nieuwe Franse republiek. Liep Goethe niet hoog met zijn 'mechanische' pedagogie op, voor Herder was hij een voorbeeld van het 'Duitse genie'.

Vooraanstaande personen, onder wie Madame de Staël, correspondeerden met Pestalozzi over de opvoeding van hun kinderen, terwijl academische pedagogen zoals Herbart, uitleg vroegen over zijn bedoelingen. In de verschillende Europese landen was de belangstelling voor zijn pedagogische experimenten groot. Niet alleen vanwege particulieren, maar ook van officiële zijde. De Nederlandse regering zond, bijvoorbeeld, normaalschoolleraars naar Pestalozzi's instituut in Zwitserland.

Pestalozzi's leven spreekt meer tot de verbeelding dan zijn geschriften. Eigenlijk is Pestalozzi een tragische figuur. Vele, zo niet alle ondernemingen, mislukten. Zijn eerste landbouwbedrijf te Müllingen en zijn werkplaats voor kinderen te Neuhof gingen failliet, waardoor hij de moeizaam verworven sympathie en geldelijke steun van zijn schoonfamilie verloor. Zoals hijzelf zei, werd hij opstandig als hij werk moest uitvoeren, maar was hij evenmin in staat zelf een onderneming zakelijk te leiden. Wanneer hij dan toch succes kende met zijn instituut en er vanuit verschillende landen mensen afzakten naar Yverdon om van hem te leren, ontstonden er twisten tussen Pestalozzi en zijn naaste medewerkers. De twist met zijn assistent Niederer is de bekendste. In feite ging het hier om de kloof tussen theorie en praktijk. Pestalozzi was een gedreven opvoeder die reflecteerde op zijn praktijk, evenwel zonder enige

---

3.   Vgl. H. van Crombrugge De pedagoog als vader. *De Standaard der Letteren*, 23/11/1995.

filosofische vorming. Niederer en Fröbel waren daarentegen universitair gevormde intellectuelen die dweepten met de Duitse romantische en idealistische denkers en dichters (Novalis, Schelling), en die poogden de inzichten van Pestalozzi in een idealistisch filosofisch systeem te vatten. Pestalozzi herkende vaak zijn eigen ideeën niet in dergelijke theoretische kaders, maar was niet in staat dat in een intellectuele discussie uit te vechten.

Ook in zijn privé-leven was Pestalozzi niet erg gelukkig. De opvoeding van zijn zoon Hans Jacob werd aanvankelijk geheel opgezet volgens de principes van Rousseau. Dat liep totaal verkeerd af: Pestalozzi moest zijn zoon uitbesteden, die tot overmaat van ramp op vrij jeugdige leeftijd overleed. Na de dood van zijn zoon werd Pestalozzi gekweld door een knagend gevoel van twijfel. Hij wou voor zijn pupillen een vader zijn, maar kon dat wel? Zelf had hij nooit zijn vader gekend en was hij opgevoed door zijn moeder en een dienstmeid.

Daarbij kwam de twijfel over zijn capaciteiten als auteur. Pestalozzi las en schreef veel, en publiceerde ook veel, maar had grote nood aan redacteurs die zijn geschriften leesbaar maakten. Alles wijst er nu op dat Pestalozzi in hoge mate dyslectisch was.

Naast bewondering oogstte Pestalozzi ook veel afkeuring die hij als onbegrip moet hebben ervaren. Hoewel hij veeleer een feodale maatschappij voorstond die door opvoeding geleidelijk moest worden gerealiseerd, werd hij omwille van zijn Frans ereburgerschap verdacht van revolutionaire sympathieën. Hoewel hij pleitte voor een gemoedelijke samenleving met de 'Wohnstube' als hoeksteen en sluitsteen, werd hij door Fichte voor de kar gespannen van een Pruisische staatsopvoeding waarbij kinderen van bij de geboorte geplaatst werden in instellingen. Hoewel hij geloofde in de vader en moeder als opvoeders van de kinderen, slaagde hij er zelf niet in een gezin zoals hij zich dat voorstelde, te realiseren. Hoewel hij zich inzette voor een ervaringsgerichte opvoeding, werd hij door de door hem overigens erg bewonderde Goethe als een 'mécanicien' van de opvoeding beschouwd.

Wat vandaag nog aanspreekt, is niet zozeer Pestalozzi's leertheorie of didactiek, maar wel zijn engagement voor het volk en een 'democratisering' van het onderwijs. Nog steeds actueel zijn ook zijn aanklachten tegen de corrumperende macht in de samenleving, alsook zijn analyse van de dubbelzinnige burgerlijke moraal. Niet alleen zijn diagnose, maar ook zijn voorstel-

HERBART[4] 1776-1841

len voor een 'geestelijke gezondheidszorg' in zijn '*Gesetzgebung und Kindermord*' (1780) zijn zeer op hun tijd vooruit. Inspirerend is ook Pestalozzi's tragische antropologie in '*Meine Nachforschungen über den Gang der Natur in der Entwicklung des Menschengeschlechts.*' (1779).

In vele opzichten kan Pestalozzi's oeuvre gelezen worden als parallel aan de werken van Rousseau (opvoedingsromans, politieke filosofische werken, memoires, e.d.).

Johann Friedrich Herbart wordt in pedagogische handboeken steeds weer als grondlegger van de moderne pedagogiek opgevoerd. Tegelijk wordt hij gezien als diegene die het grondschema codeerde waarin het doel van opvoeding uit de ethiek afgeleid werd en het inzicht in de opvoedingsmiddelen door de psychologie geleverd werd. Herbart werd geboren in Oldenburg op 4 mei 1776 en stierf in Göttingen op 14 augustus 1841. Zijn leven is weinig spectaculair en eerder typisch voor de Duitse intellectueel uit die tijd. Zijn vader was een welgestelde ambtenaar, zijn moeder een goed opgeleide gecultiveerde vrouw. De ouders hadden met elkaar weinig gemeen en scheidden ook. Onder toezicht van zijn moeder, kreeg Herbart onderwijs van huisleraars. Na de Latijnse school met succes doorlopen te hebben, ging hij in 1794 naar de universiteit van Jena waar hij (samen met zijn moeder) de colleges van Fichte volgde. Deze studies onderbrak hij na drie jaar – zoals wel meer gebeurde in die tijd – om als huisleraar de wereld te verkennen. Dit opvoederschap bracht hem in contact met Pestalozzi. In 1800 keert hij terug uit Zwitserland om in 1802 te Göttingen te promoveren en zijn *Habilitation* te schrijven. In 1809 volgt hij niemand minder dan Kant op te Königsberg. Hier

4.   Vgl. De school: onderwijs en/of opvoeding. In H. Van Crombrugge & B. Vanobbergen (Eds.). *Opvoedend onderwijs*. (pp.1-6). Gent: Academia Press.

werkt hij aan zijn werken over psychologie en praktische filosofie. Ondertussen had hij reeds zijn *Algemene Pedagogiek* (1806) gepubliceerd. Hier ijvert hij ook voor een planmatige opleiding van leerkrachten, wat resulteert in de oprichting van een pedagogisch seminarie. Hij hoopt Hegel te kunnen opvolgen, maar deze hoop blijkt ijdel te zijn. Daarop keert hij naar Göttingen terug waar hij ook zal sterven.

De invloed van Herbart is niet alleen groot geweest in de Duitstalige pedagogische wereld, maar ook in de Engelstalige wereld. En ook in het Nederlandstalige gebied was hij in de 19de eeuw een centrale figuur. Vooral de realistische leertheorie van Herbart sprak de onderwijswereld sterk aan. In tegenstelling tot de romantische stromingen die de vorming van de geest vanuit zichzelf willen cultiveren, beklemtoont Herbart dat opvoedend onderwijs verloopt in en door het aanleren van inhouden van buitenaf. Als zodanig keert hij zich ook tegen de vermogenspsychologische pedagogische theorie die de aangeboren menselijke vermogens (geheugen, concentratie, denkvermogen, e.d.) wil laten ontwikkelen. Zich beroepend op Herbart, concipieerde men het onderwijs als een systematisch proces met als eerst stap het duidelijk aanbieden van de leerstof

dat door de leerling 'geabsorbeerd' moet worden, vervolgens is er het 'associëren' of verenigen van de nieuw verworven inzichten met de bestaande, in een derde stap worden deze eenheden gesystematiseerd tot coherente eenheden (passieve reflectie), die in een vierde fase toegepast worden op nieuwe stof ('actieve reflectie'). Alles wijst erop dat Herbart zelf de verschillende elementen en aspecten van de onderwijsleersituatie zelf niet begreep als opeenvolgende systematisch te doorlopen fasen. Nochtans is dat wat gebeurde. Mede hierdoor keerde men zich in het begin van de 20ste eeuw tegen Herbart die men aanzag als de grote schuldige voor de onpersoonlijke, mechanische, streng gedisciplineerde onderwijspraktijken. In plaats van de leerstof centraal te stellen (wat de reden was voor het aanvankelijk succes van Herbart) stelde men het kind centraal en cultiveerde men in de reformpedagogiek juist de romantische ontwikkelingspedagogische ideeën. In de reconstructie van de grondidee van de algemene pedagogiek van Herbart zullen we zien dat deze tegenstelling tussen leren en ontwikkelen in Herbarts vrijheidspedagogiek op zijn minst relatief is, en zeker niet het belangrijkst.

Aan Herbart dankt de pedagogische theorie ook haar begrip van 'opvoedend onderwijs'. Meestal wordt het anders begrepen dan Herbart zelf bedoelde. Onderwijs moet niet opvoedend zijn in de zin dat naast het leren van leerstof ook de moraliteit gevormd wordt, waarbij het morele doel bepalend zou zijn voor de selectie van de inhouden, terwijl de onderwijsmethoden op grond van leerpsychologische inzichten zouden opgezet worden. (de klassieke voorstelling dat de ethiek het doel levert en de psychologie de middelen). Dat is juist niet de grondintuïtie van Herbarts 'opvoedend onderwijs' zoals deze kernachtig geformuleerd is geworden in zijn 'Pädagogische Vorlesungen' uit 1841. Volgens Herbart is onderwijs dat alleen maar gericht is op het bijbrengen van kennis en vaardigheden geen pedagogisch verantwoord onderwijs. Onderwijs is dan pedagogisch wanneer de deugd nagestreefd wordt: dit wil zeggen wanneer het onderwijs streeft naar het bijbrengen van inzicht in het goede bij de leerling, en wel zodanig dat de leerling ook het goede wil doen. De waarde van de mens ligt immers, volgens hem, niet in het weten, maar wel in het willen. Onderwijs is opvoedend wanneer de goede gezindheid het doel is. Deze deugd is niet een bijzonder inzicht dat naast andere inzichten aan leerlingen voorgehouden wordt. Neen: deugdzaamheid is

als het ware een overkoepelende morele houding waartoe de leerling gebracht moet worden. Dat is opvoeding. Herbart weet dat die morele houding – de 'innerlijke vrijheid' – niet bijgebracht kan worden zoals je wiskunde of een taal leert. Voor hem maakt dat ook begrijpelijk waarom scholen zich beperken tot het overdragen van kennis en vaardigheden. Hij stelt dat de wil geen zelfstandig op zich staand vermogen ('Begehrungsvermögen') is, maar dat het willen geworteld is in 'Gedankenkreise': dit wil zeggen dat de wilskracht maar gevormd kan worden door middel van het verbinden van de aangeleerde inzichten tot een harmonisch volkomen geheel. De leerkracht zal zich met dit laatste moeten bezighouden: het bijbrengen van inzichten, maar met de focus op het ontwikkelen van een harmonische veelzijdigheid bij de leerling. Met andere woorden: voor Herbart is opvoeding niet iets wat staat naast onderwijs; onderwijs kan wel al dan niet opvoedend zijn, al dan niet gericht zijn op de vrijheid van de leerling, zonder evenwel rechtstreeks deze vrijheid of deugdzaamheid te produceren.

Zelfs voor Herbart die de verbondenheid van onderwijs en opvoeding een pedagogische vanzelfsprekendheid vond, is deze verhouding van opvoeding en onderwijs niet alleen complex maar ook problematisch. Herbart meent dat de openbare school de minst geschikte plaats is voor opvoedend onderwijs. Ook al erkent Herbart dat de staat zich actief moet bezighouden met het volksonderwijs en garanties moet bieden dat iedereen onderwijs kan genieten, toch ziet hij een fundamenteel probleem. De staat is hoe dan ook geïnteresseerd in de organisatie van bestaande verhoudingen tussen volwassen burgers. Politiek en pedagogiek zijn beide geïnteresseerd in de mens als redelijk wezen, maar de politiek richt zich tot de reeds volwassen mensen, en houdt geen rekening met het feit dat mensen hun vrijheid moeten leren gebruiken en daartoe opgevoed moeten worden. Maar dat is niet alles: in een school waarin de kinderen klassikaal onderwezen worden, kan geen of onvoldoende recht gedaan worden aan de individualiteit van het kind. De aangegeven deugdzaamheid kan niet in groep onderwezen worden, maar vereist een persoonlijke relatie van een individuele leerling en een individuele opvoeder. De leerkracht voor de klas is voortdurend bezig met het houden van orde in de groep, zodat er geen of weinig tijd overblijft voor opvoeding — de 'feinere Führung'. Elders is Herbart nog scherper: in het schoolse onderwijs wordt de leerling vergeleken met anderen, terwijl de echte opvoeder de leerling alleen met de leerling zelf mag vergelijken. Hij vergelijkt de feitelijke ontwikkeling van het kind met wat het kind in zich heeft en zou kunnen worden. Hij is niet tevreden met het kind dat zijn mogelijkheden niet realiseert en nooit ontevreden met het kind dat beperkt is in zijn mogelijkheden maar zich maximaal ontplooit.

Alleen reeds deze uitspraken geven aan dat de gangbare kritiek op de Herbart die de grondlegger van het traditionele klassikale onderricht zou zijn, waar een ijzeren discipline zou heersen en waar de leerlingen aan een louter uitwendig mechanisch verlopen leren onderworpen zouden worden onterecht is.

Fröbel[5] 1782-1852

Zoals Rousseau verliest Friedrich Wilhelm Fröbel zijn moeder bij de geboorte. Zijn vader is een norse dominee van boerenafkomst. Door zijn stiefmoeder voelt Fröbel zich verwaarloosd. Hij leeft in zijn eigen droomwereld. Hij krijgt gevarieerde kansen, leert bij een houtvester, een landmeter, een opzichter, geraakt tenslotte op de universiteit van Jena, waar hij verschillende studies aanvat, maar niet afmaakt.

Als leerling-architect komt hij in Frankfurt in contact met romantische jonge intellectuelen, waardoor hij een pantheïstische natuurvisie krijgt. Het heelal is een organisme doorstroomd van een oneindig scheppend leven. Een leerling van Salzmann en Pestalozzi, Grüner, leert hem de opvoeding kennen en geeft hem zijn roeping: geen bouwmeester, maar schoolmeester worden. Hij voelt zijn diepste wezen aangesproken, leest Pestalozzi, wordt hulponderwijzer en weldra preceptor. Met zijn leerlingen trekt hij naar Yverdon (waarvan hij de sfeer niet kritiekloos ondergaat). Bij alle bewondering, meent hij dat Pestalozzi te analytisch werkt.

Hij gaat weer naar de universiteit van Göttingen, nu om de oorsprong van de talen (oude talen) en van de natuur (natuurkunde) te bestuderen. De ontdekking van een komeet in 1811 wordt aanleiding tot pantheïstische natuurfilosofie. Eenheid, zich in veelheid organisch ontplooiend moet de grondwet van de opvoeding worden. Nu gaat hij ook de bouwwetten van het kleine bestuderen: kristallografie in de 'musea' te Berlijn. Hij wordt vrijwilliger in de Napoleontische oorlog. Nadien wordt hem gevraagd voor de opvoeding van de kinderen van zijn broer te zorgen. Hij begint voor goed zijn pedagogisch werk.

Met de kinderen van zijn broer sticht hij een werk-, levens- en opvoedingsgemeenschap, eerst te Griesheim en dan te Keilhau. Zeer veel wordt beroep gedaan op de creatieve geest en op de productieve arbeid van de leerlingen. Onder verdachtmaking van socialisme zal zijn inmiddels gegroeide inrichting de best betalende leerlingen verliezen.

In 1826 publiceert Fröbel 'Die Menschenerziehung' als zijn bijzonderste werk. In die periode bestudeert hij ook de Duitse filosoof Krause die veel invloed zal hebben op de Spaanse opvoedkunde.

In de crisisperiode van zijn instelling ontwerpt hij ook zijn onderwijsplannen van kindertuin tot universiteit: het 'Helbaplan'. Kenmerkend is zijn dubbel middelbaar onderwijsplan: een school voor werkenden met het hoofd, naast een voor werkenden met de handen, beide evenwaardig.

5. Bron: C.C. De Keyser (1969/1958). *Inleiding in de geschiedenis van het westerse vormingswezen*. Antwerpen: Plantin; p. 303 e.v.

Hij wordt naar Zwitserland geroepen en met een weeshuis te Burgdorf belast. Daar leert hij het kleine kind kennen en bestudeert deze en andere kinderlijke uitingen.

Na dit intermezzo schrijft hij in 1836 een werk 'Erneuung des Lebens fordert das Jahr 1836' en gaat zich, teruggekeerd in Duitsland, geheel aan de opvoeding van kleine kinderen wijden. Hij werkt aan de idee en de realisatie van zijn geniale 'Kindergarten'. In 1837 start hij een 'Sonntagsblatt' en een eerste speelschooltje.

In 1839 sticht hij zijn eerste opleidingscursus voor kleuterleidsters en zijn 'Spiel- und Beschäftigungshaus': zijn uitgeverij van pedagogische 'Spielgaben'. Dan ontstaat ook de naam 'Kindertuin' voor zijn opvoeding van creatief spel en in contact met de natuur.

Hij schrijft zijn 'Mutter- und Koselieder' (1847). En houdt een rondreis door Duitsland. Hij zet er zijn plannen voor onderwijsinrichting uiteen (o.m. de brugklas).

Later zullen zijn ideeën door toedoen van Diesterweg en een aantal aristocratische dames zich verspreiden over Europa, Engeland en Amerika.

De onvermijdelijke pedagogische religie

Onderwijs, levensbeschouwing en pedagogiek

Dat opvoeding steeds een levensbeschouwing impliceert, zal wel niemand betwisten. Men kan moeilijk iemand in de wereld inleiden, zonder dat hierbij uitgegaan wordt van een levensbeschouwing. Doorheen opvoeding worden levensbeschouwingen juist verwerkelijkt.[2] Dit wil zeggen: op persoonlijke wijze verwerkt, doorgegeven, aangepast, overgenomen, e.d.

> 'If we have any ground to be religious abouth anything, we may take education religiously.'
> JOHN DEWEY[1]

Met deze vaststelling is nog niets beslist over de wijze waarop met deze levensbeschouwelijke implicatie van opvoeding omgegaan moet worden in onderwijs. De onderwijspolitieke discussies geven dit aan. Volgens de één moet op school de impliciete levensbeschouwing van de gezinsopvoeding geëxpliciteerd worden en zo verder ontwikkeld worden. In deze visie wordt dan in onderwijs de levensbeschouwelijke opvoeding op bewuste wijze verder gezet. Anderen zullen tegen dergelijke opvatting, de stelling verdedigen dat de meerwaarde van onderwijs niet zozeer gelegen is in het op begrip brengen van een levensbeschouwing, maar wel in het ter sprake brengen van de verschillende bestaande levensbeschouwingen, waarbij de leerling bewust gemaakt wordt van de relativiteit en eigenheid van de tot dan toe vanzelfsprekende levensbeschouwing, wat de voorwaarde vormt om bewust en autonoom te kiezen voor of tegen deze of gene levensbeschouwing. Nog anderen zullen menen dat onderwijs eenvoudigweg niet moet ingaan op levensbeschouwelijke overtuigingen. In onderwijs moeten leerlingen in veralgemeenbare kennis en vaardigheden gevormd worden. Levensbeschouwingen horen volgens hen niet thuis op school.

Hoewel binnen de moderne pedagogiek geen eensgezindheid bestaat over deze kwestie, lijkt er toch een duidelijk verzet te bestaan tegen het beschouwen van onderwijs als onkritische inleiding in een welbepaalde gevestigde levensbeschouwing. De pedagogiek – de theorie van en voor opvoeding – stelt zich immers graag voor als een kind van de Verlichting, met Immanuel Kant als peetvader en Bertrand Russell als voltrekker van het testament.[3] Haar geschiedenis wordt begrepen als een proces van emancipatie, een loskomen van religies en levensbeschouwingen. Vóór de Verlichting maakte het denken over opvoeding en vorming wezenlijk deel uit van het zij de filosofie, het zij de theologie. De mens kon immers de maat van menszijn niet vinden in zichzelf, maar moest zich terzake richten naar de normen van een orde die het individuele bestaan oversteeg. Met Kant komt aan deze vanzelfsprekendheid een einde. Hij riep de mens op om 'mondig' te worden, dat wil zeggen om op zijn eigen verstand te gaan vertrouwen. Aldus werd opvoeding voor het eerst in de geschiedenis heel uitdrukkelijk als zelf-opvoeding beschouwd, als een zaak van het individu zelf en niet van instanties buiten hem.[4]

Deze emancipatie van het denken over opvoeding kreeg gestalte in een autonome pedagogische theorievorming, die zich op niets anders mag beroepen dan onderzoek van en reflectie op het opvoedingsfenomeen. Een wezenlijke motivatie hierbij is de emancipatie van opvoeding zelf: het bevrijden van de praktijk van opvoeding van theologische, filosofische en ideologische bekommernissen. De pedagogisering is dan tegelijk een rationalisering van de opvoedingswerkelijkheid, in de zin dat de eigen rationaliteit van de opvoeding de pedagogische rationaliteit moet zijn. De pedagogiek poogt deze ambitie te realiseren door middel van empirisch onderzoek van de opvoedingssituatie en door een eigen wijsgerige reflectie aangaande de pedagogische legitimering van het opvoeden. De eigen pedagogische theorievorming heeft daarbij als inzet een conceptuele verbinding te maken tussen deze empirie en reflectie, tussen middel en doel. Katholieke – of elke andere levensbeschouwelijke – pedagogiek wordt vanuit dit perspectief als een contradictio in terminis beschouwd. Pedagogiek is autonoom of anders is ze toegepaste theologie of ideologie en geen pedagogiek. En levensbeschouwelijk onderwijs wordt afgedaan als indoctrinatie.[5]

Voor dergelijke beeldvorming is natuurlijk veel te zeggen. Niet alleen kan men verwijzen naar een canon van gezaghebbende teksten. Om er maar enkele te noemen: Kants '*Über Pädagogik*' en '*Was ist Aufklärung?*'; Rousseau die zijn *Émile* aanvat met het '*écarter les faits*' (d.w.z. de feiten van de openbaring); Herbart die een wetenschappelijke pedagogiek wil ontwerpen die niet langer '*Spielball der Sekten*' is. Er zijn bovendien ook historische ontwikkelingen die het beeld lijken te bevestigen. Er is de ontplooiing van een relatief autonoom pedagogisch veld met een eigen pedagogische rationaliteit en identiteit (*functionele differentiatie*), die zich over de ideologische en levensbeschouwelijke grenzen heen steeds meer uitbreidt (*pedagogisering*), waarbij de theologie en religie steeds minder relevante gesprekspartners blijken te zijn (*secularisering*), voor een pedagogische wetenschap die zich steeds sterker profileert als een empirische sociale wetenschap die de eigen wijsgerig pedagogische traditie – als schatplichtig aan de theologische en filosofische oorsprong – steeds meer verdringt (*empirische Wende*).

Deze eigen beeldvorming van de pedagogiek is echter op zijn minst onvolledig. Wanneer we de moderne pedagogische theorievorming van dichterbij bekijken, dan stellen we vast dat de zelf-geclaimde emancipatie van het levensbeschouwelijke zeker geen onbetwistbaar feit is. Het lijkt ons veel voorzichtiger en meer in overeenstemming met de werkelijkheid, te stellen dat de moderne pedagogiek zich zelf als een levensbeschouwing ontwikkeld heeft. De pedagogiek beschouwt immers de wereld en de mens vanuit de eisen die gesteld worden vanuit het fenomeen opvoeding. Op grond van een analyse van wat opvoeding is, worden sinds Herbart, claims gemaakt van hoe de wereld ingericht moet worden opdat opvoeding mogelijk en zinvol zou zijn. Dergelijke reflectie vormt het voorwerp van wat men vroeger de 'pedagogische antropologie' en/of 'antropologie van het kind' noemde.[6]

Deze pedagogische levensbeschouwing wordt gemotiveerd en inhoudelijk bepaald door twee specifieke problematieken: enerzijds de verhouding tussen de eisen van individuele ontplooiing en de maatschappelijke verwachtingen, anderzijds de middel-doelproblematiek.

Voor beide problematieken vormde een 'innerlijke religiositeit' een belangrijk element van oplossing.

Vrijheid en het kernprobleem van de pedagogische theorie

Middel en doel

De moderne pedagogiek beoogde de eigen rationaliteit van opvoeding naar voor te halen, los van filosofie en theologie. Concreet betekende dit dat ze zich toelegde enerzijds op empirisch onderzoek naar de processen die in opvoeding een rol spelen, en anderzijds op een wijsgerige reflectie over de legitimiteit van het opvoedingshandelen. De eigen pedagogische theorie moest zorgen voor een conceptuele verbinding van deze twee activiteiten. Dit verband werd geconceptualiseerd in termen van middel en doel. Dit wil zeggen dat de verantwoording van het pedagogisch handelen afhankelijk werd gemaakt van twee consideraties: is het doel dat men met het handelen wil bereiken pedagogisch verantwoord, en leiden de handelingen tot dat doel.

Een cruciaal probleem met dergelijke constructie is dat men het doel zo algemeen mogelijk moet definiëren omdat men het niet wil laten invullen door een welbepaalde filosofie of theologie. Het doel is dan niets anders dan de menselijke vrijheid, bepaald als het vermogen van elke mens om uit eigen inzicht in het goede het goede te willen doen. Opvoedbaarheid is het pedagogisch begrip om uit te drukken dat de nog onvrije mens tot die vrijheid gebracht kan en moet worden door een reeds vrije mens. Een eerste probleem is natuurlijk hoe men zich dergelijk opvoedend handelen moet voorstellen: hoe breng je iemand tot eigen inzicht in het goede, zodanig dat hij het goede wil doen. Abstract geformuleerd: hoe moet een handelen voorgesteld worden dat de mens van heteronomie naar autonomie brengt? Moet die autonomie niet op één of andere manier reeds verondersteld worden? Maar wat is dan de betekenis van opvoeding, als opvoeding eigenlijk zelfopvoeding is?

Met andere woorden: theoretisch blijkt opvoeding een heel paradoxaal gegeven te zijn, wat zich nog het best uitdrukt in het feit dat het doel (vrijheid als deugdzaam handelen) en de voorwaarde van opvoeding (vrijheid als opvoedbaarheid) identiek zijn. Empirische onderzoek kan dergelijke conceptuele problematiek trouwens niet oplossen. Zoals vrijheid en opvoedbaarheid geen empirische begrippen zijn, is opvoeding uiteindelijk geen empirisch gegeven. Uiteindelijk verwijzen al deze begrippen naar welbepaalde veronderstellingen aangaande de mens. Empirische onderzoek kan nooit aangeven welke handelingen tot de vrijheid zullen leiden. Wat meer is: omwille van de veronderstelde vrijheid mag de pedagoog geen determinisme tussen middel en doel aanvaarden. Immers als een pedagogische handeling x noodzakelijk leidt tot uitkomst y bij de opvoedeling, waar blijven we dan met de vrijheid van de opvoedeling?

De pedagogische theorie heeft zich uitgesloofd om deze problematiek op te lossen, waarbij ze zowel haar eigen empirisch onderzoek, als haar aspiraties op autonomie poogde veilig te stellen.

Maar niet alleen dat. Voor de pedagogische theorie gaat het hier niet louter om een conceptueel probleem, maar wel degelijk om een pedagogisch probleem. Dit wil zeggen dat de conceptualisering in een een welbepaald perspectief staat, m.n. de opvoeder brengen tot een verantwoorde opvoeding. De theorie is immers niet alleen een theorie van de opvoeding, maar wel degelijk een theorie voor de opvoeding. De pedagogische theorie moest zelf opvoedend zijn ten aanzien van de opvoeder, zodanig dat deze zelf goed zou kunnen opvoeden. Dezelfde problematiek duikt hier dan ook op: hoe kan men de opvoeder brengen tot de juiste opvoeding. Men kan hem niet fysiek dwingen, noch door logische redenering hiertoe brengen. De opvoeder moet in zijn vrijheid aangesproken worden, zodat hij in alle vrijheid wil opvoeden zoals het hoort.

De vraag is dan ook welke de kwaliteiten moeten zijn van de tekst over opvoeding die de lezer aanzet goed op te voeden. Bij de institutionalisering van de pedagogiek (einde 18de eeuw, begin 19de eeuw) is de typische oplossing voor deze problematiek geformuleerd door Herbart, opvolger van Kant te Königsberg en beschouwd als *Urheber* van de moderne pedagogiek.

Herbarts pedagogiek als esthetische verbeelding van de wereld[7]

De moeder van alle algemene pedagogieken is Herbarts '*Allgemeine Pädagogik aus dem Zweck der Erziehung abgeleitet*' (1806). Wanneer Herbart spreekt over het doel van opvoeding waaruit hij zijn pedagogiek zou afleiden, dan moeten we dat plaatsen in de context van de praktische filosofie. Hij heeft het dan niet over de bedoelingen van de opvoeders die al dan niet verantwoord kunnen zijn. Het gaat hem hier wel om een ontologisch doelbegrip. Dit wil zeggen dat het doel staat voor de zin, de bestemming, datgene waarom het uiteindelijk te doen is, het wezen van in dit geval opvoeding. De algemene pedagogiek moet aansluiten bij het wezen van opvoeding. Dat is de enige manier om te voorkomen dat de pedagogiek een 'speelbal' blijft van wat Herbart 'sekten' noemt en wat we nu zouden kunnen vertalen als 'ideologieën' en/of normatieve levensbeschouwingen.[8]

Het wezen van opvoeding laat zich maar aanschouwen in samenhang met de andere wezenlijke structuurelementen van de menselijke vrijheid. Deze doelen van de menselijke vrijheid worden begrepen als de mogelijkheidsvoorwaarden van de menselijke vrijheid die tegelijk de ideale opgaven van die vrijheid zijn. De vraag naar het doel van opvoeding is met andere woorden de vraag naar wat opvoeding mogelijk maakt en dat zich als zodanig als ideale opgave van opvoeding aandient. '*Moralität als höchster Zweck des Menschen und folglich der Erziehung ist allgemein anerkannt (…) Aber Moralität als ganzen Zweck des Menschen und Erziehung aufzustellen, dazu bedarf es einer Erweiterung des Begriffs derselben, einer Nachweisung seiner notwendigen Voraussetzungen als der Bedingungen seiner realen Möglichkeit*'.[9] Het doel van opvoeding waarop Herbart zijn algemene pedagogiek wil bouwen is als het ware een construct dat de samenhang aangeeft van opvoeding met andere menselijke handelingen (zoals bijv. politiek, zedelijkheid, cultuur) en dat de mens aanspreekt omwille van die samenhang met de menselijke vrijheid. Deze samenhang is echter niet logisch noodzakelijk, noch moreel geldend, maar wel 'esthetisch' dwingend. Herbart zelf gebruikt het beeld van de Franse tuin om dit te verduidelijken. Zoals de Franse tuin een heel kunstig geometrische compositie is, zo is de algemene pedagogiek een coherente constructie van grondbegrippen die samen appèleren aan de mogelijkheden van de menselijke vrijheid van opvoeder en opvoedeling.[10] Als praktische theorie kan de algemene pedagogiek zelf niet het wezen van opvoeding verwerkelijken: dat moet in de praktijk van opvoeding in alle vrijheid gebeuren. De algemene pedagogiek moet echter zo geconstrueerd zijn, dat ze met haar inzichten de opvoeder in zijn wil tot menselijke vervolkoming aanspreekt. Nog anders geformuleerd: de algemene pedagogiek als praktische wetenschap geeft een beeld van de wezenlijke en dus ideale mogelijkheden van opvoeding die de opvoeder in alle vrijheid te verwerkelijken heeft. De algemene pedagogiek zegt dus niet hoe opvoedingsprocessen feitelijk verlopen, noch zegt ze hoe opgevoed moet worden. Ze geeft aan welke ideale mogelijkheden aan de opvoeding opgegeven zijn door de menselijke vrijheid. De algemene pedagogiek brengt met ander woorden een tekst, een samenhang van begrippen – '*einheimische begriffe*'.[11]

Het ontologisch doel van opvoeding nu is volgens Herbart de deugd. Deugd is het samengaan van het inzicht in het goede met de wil het goede te doen. Deugdzaam handelt hij die het goede wil nastreven uit inzicht in het goede. Opvoeding veronderstelt dat de mens deugdzaam kan handelen en heeft als opdracht de mens tot deugdzaam handelen te brengen. Dat de mens deugdzaam handelt, kan door opvoeding niet geproduceerd worden. De deugd onderstelt immers de vrijheid van de mens. De opvoeder kan hoogstens de meeste optimale voorwaarden opdat de opvoedeling deugdzaam zou handelen, scheppen, vanuit de aanname dat de opvoedeling deugdzaam kan en zal handelen, wanneer daartoe in de gelegenheid gesteld. Deze veronderstelling is voor Herbart wezenlijk voor opvoeding en dus ook voor de pedagogiek. De term voor deze aanname is 'opvoedbaarheid' (*Bildsamkeit*). Opvoedbaarheid wil dus zeggen dat de mens in staat is deugdzaam te handelen en dat daartoe de voorwaarden gecreëerd kunnen worden door de opvoeder. Opvoedbaarheid is met andere woorden geen psychologisch begrip, maar wel een algemeen pedagogisch begrip dat in wezen niets anders zegt dan wat in de algemene praktische filosofie vrijheid heet en in de ethiek als deugdzaam handelen verwoord wordt, en dat staat voor de idee dat de deugd zich niet spontaan ontwikkelt, maar ook niet opgelegd kan worden.

In de algemene pedagogiek brengt Herbart een analyse van de opvoedbaarheid: dit wil zeggen van de deugdzaamheid vanuit het perspectief van de opvoeding. Wat hij doet is de deugd als het ware uiteenrafelen in een aantal grondbegrippen die in hun samenhang een beeld geven van de mogelijkheden om als opvoeder te bewerken dat de opvoedeling tot deugdzaam handelen zou komen. Zoals reeds gezegd is deze samenhang van grondbegrippen van esthetische aard. Naar opvoeding toe zien we iets gelijkaardig. Zoals de pedagogiek de opvoeder niet tracht te overtuigen door middel van logische redenering, noch door morele dwang, zo kan ook de opvoeder de opvoedeling niet dwingen, noch determineren tot deugdzaam handelen. Opvoeding zal de opvoedeling tot deugdzaam handelen trachten te bewegen door een esthetische verbeelding van de wereld (of zoals één van de eerste pedagogische geschriften – en feitelijk een kritiek aan het adres van Pestalozzi – van Herbart heette: *die Ästhetische Darstellung der Welt als Hauptgeschäft der Erziehung' (1804).*

De analyse van de wezenlijke momenten van het pedagogisch grondbegrip kunnen we hier niet in alle details reconstrueren. We geven enkele elementen. Opvoedbaarheid wil zeggen dat de mens in staat is tot deugdzaam handelen. In de deugd gaan inzicht en wil samen. Daaruit volgt dat tot opvoeding wezenlijk de elementen *Unterricht* en *Zucht* behoren. Het onderwijs kent twee momenten: dat van kennis en dat van een 'verstandelijke (*gedankliche*) deelname aan de menselijke verplichtingen' Het onderwijs moet de meervoudige belangstelling van de leerling aanspreken. Deze meervoudige belangstelling valt zelf weer uiteen in veelzijdigheid die gevormd moet worden aan de veelvormige werkelijkheid en de interessen die gericht moeten worden op de werkelijkheid. Op zijn beurt wordt dan de veelzijdigheid geanalyseerd in verdieping van en bezinning op de werkelijkheid, terwijl de interessen uitgesplitst worden in empirische (voorwerpen betreffende) en 'sympathetische' interesse die gericht zijn op de medemens. De *Zucht* dient de 'karaktersterkte van de zedelijkheid' van de mens. Dat laatste valt uiteen in het aspect karaktervorming en de vorming van de zedelijkheid. Onder karakter analyseert Herbart de aard en de sterkte van de besluitvaardigheid van de mens, terwijl hij onder zedelijkheid handelt over de aard en de relatie van beslissingen tot de esthetische inzichten en wilsoordelen.

Deze analysen zijn op zich niet zo belangrijk. Het is wel belangrijk te zien dat Herbart niet zomaar een pedagogische theorie opstelt waarin het doel door de ethiek geleverd wordt en de psychologie inzicht geeft in het kind, waarbij dan de pedagogick de leer is van de middelen waarmee het doel gerealiseerd kan worden. Hoewel dergelijke opvatting voorkomt in tal van pedagogische handboeken en steeds weer gereproduceerd wordt, is het duidelijk dat de zaken toch wel wat subtieler liggen. Pedagogiek als praktische wetenschap is iets anders dan pedagogiek als technologie.

Belangrijk is te zien hoe Herbart een heel systeem van conceptuele onderscheidingen bouwt op het grondbegrip van de opvoedbaarheid. Daarbij zegt hij uitdrukkelijk dat het bij deze onderscheidingen niet gaat om opvoedingsmethoden. In de algemene pedagogiek wil hij het alleen hebben over het wezen van opvoeding en wel op een zodanige wijze dat de opvoeder opgeroepen wordt in vrijheid de juiste opvoeding te doen. Zoals hij beklemtoont dat opvoeding hoogstens de voorwaarden voor deugdzaam handelen kan scheppen – '*machen daß der Zögling sichselbst finde als wählend das Gute, als verwerfend das Böse*',[12] beklemtoont hij dat de opvoeder over de nodige '*pädagogische Takt*'[13] moet beschikken, om – aangesproken door de algemene pedagogiek – een kind concreet op te voeden. De takt veronderstelt heel wat psychologisch inzicht. Psychologie is niet nodig om de opvoedbaarheid van een kind in te schatten. Opvoedbaarheid is een praktische veronderstelling, geen psychologische categorie. Herbart brengt de psychologie binnen omwille van de individualiteit van het kind. Elke mens is behept met allerlei individuele kenmerken (verstandelijke vermogens, temperament, constitutie, e.d.). Deze zijn niet constitutief voor de zedelijkheid, maar conditioneren in hoge mate de opvoeding. Alleen met een analyse van de opvoedbaarheid kan je niet opvoeden. Je moet ook in staat zijn de bijzonderheden van elk kind in te schatten

Voor de algemene pedagogiek is opvoeding in wezen een morele opvoeding. De vrijheid van de mens toont zich immers in zijn deugdzaam handelen. Het overdragen van kennis en vaardigheden is niet onbelangrijk. Maar dit overdragen heeft weinig van doen met het wezen van opvoeding. De kennissen en vaardigheden zijn belangrijk om te overleven. Opvoeding dient echter niet het louter overleven, wel de menselijke vrijheid. Een concreet gevolg is dat de algemene pedagogiek zich niet moet bezighouden met de empirische kwestie wat de mens nodig heeft om te overleven en maatschappelijk te kunnen functioneren.

Dit betekent heel concreet dat de pedagogiek eigenlijk niet veel meer te zeggen heeft over opvoeding dan dat de mens vrij is, en dat opvoeding en vrijheid elkaar veronderstellen. Een tijdgenoot van Herbart – de satiricus Jean Paul Richter – vergelijkt daarom Herbart met een profeet die wel over het einde van de tijden, maar niets over de dag van morgen kan zeggen in een pedagogiek die is als een poolster, welke de mens richt bij een reis rond de wereld, maar niet helpt in zijn dagelijkse korte wandelingen.[14] De pedagogiek wil m.a.w. alleen laten zien dat opvoeding opgevat moet worden als werk van de vrijheid. Zonder vrijheid geen opvoeding, zonder opvoeding geen vrijheid. Maar zoals de vrijheid gegeven opgave voor de mens is, zo is opvoeding een opgave. De pedagogiek roept de mens op deze opgave op zich te nemen en wil hem vooral laten 'zien' dat opvoeding mogelijk en zinvol is, ook al ligt het resultaat van opvoeding, zoals de vrijheid, niet in zijn macht. De opvoeder kan kennis overdragen, maar dat de opvoedeling tot het ware inzicht komt, is iets wat hij alleen maar kan verhopen. Hij kan discipline eisen, maar dat garandeert niet dat de opvoedeling het goede wil. En analoog geldt voor de pedagogiek dat hij de opvoeder niet tot het ware en juiste inzicht kan dwingen, door middel van logica of morele dwang. Het enige wat de pedagogiek kan doen is de opvoeder aanspreken in zijn wil het goede te doen en hem sterken in het geloof dat opvoeding mogelijk, zinvol en realiseerbaar is.

De esthetische verbeelding dient om de opvoeder als het ware te bekeren en wel door de ideale mogelijkheid van opvoeding als het ware te 'belijden'. Herbart gebruikt deze termen 'bekeren' en 'belijden' niet. Maar dat is duidelijk wat hem voor ogen staat. Opvoeden is een bekering bewerkstelligen en wel door een geloofsbelijdenis en de vorming van de opvoeder heeft een analoge structuur.

Wat Herbart hier heel technisch-filosofisch uit te doeken doet als opdracht van de pedagogiek en tegelijk tracht te verbergen als een religieus ondernemen, is datgene wat tal van pedagogische klassiekers in praktijk brengen, zij het met eigen accenten.

Bekering en belijdenis

De wijze waarop klassieke pedagogen (bijv. Rousseau, Fröbel, Pestalozzi) de taak van de pedagogische theorie ten aanzien van de opvoeder invullen, geeft duidelijk aan dat deze theorie van en voor opvoeding niet zonder meer een kind van de Verlichting is. Met de Verlichting is het regulatieve principe bij het denken over opvoeding de menselijke vrijheid. Tegelijk wil men opvoeding concipiëren binnen een instrumentele rationaliteit van middel en doel. Maar hoe kan de mens als doel op zich beschouwd worden en de opvoeding tegelijk als een instrument voor menswording? Deze problematiek heeft twee aspecten die voortdurend door elkaar lopen: is het geoorloofd in te grijpen in de vrijheid, en is het wel mogelijk vrijheid door opvoeding te bewerken.

Hoe men deze problematiek ook definieert, de oplossing komt steeds neer op een concipiëren van opvoeding als bekering van de opvoedeling op grond van een belijdende opvoeder. De opvoeder moet door zijn persoonlijk getuigen van zijn bekering de opvoedeling oproepen tot een vergelijkbare bekering.

Rousseau: utopie en belijdenis

Émile, ou de l'éducation van Rousseau is wellicht één van de meest bekende pedagogische teksten uit de westerse geschiedenis. Nochtans is het ook één van de minst praktische – in de zin van bruikbare – publicaties over opvoeding. Het realiteitsgehalte van de *Émile* is zeer klein; het verhaal is utopisch: het kind heeft feitelijk geen band met de ouders, de opvoeder werkt autonoom, er is niet zo iets als toeval, alles wordt door de opvoeder onder controle gehouden. Zo beschouwd, staat het verhaal haaks op de werkelijkheid: kinderen komen nu eenmaal ergens vandaan en hebben een familiale voorgeschiedenis, opvoeders/huisleraars waren bedienden van de ouders en in hoge mate afhankelijk, en een cruciale pedagogische ervaring is wel dat inzake opvoeding de resultaten onvoorspelbaar zijn.

Met andere woorden: hoe centraal ervaring ook moge staan in zijn pedagogische visie, hij vertrekt niet van ervaringsgegevens, integendeel. Hij gaat uit van een ideale situatie die nooit gerealiseerd zal kunnen worden. Problematisch is dat niet, zolang de lezer zich bewust blijft van het genre. Rousseau houdt de opvoeder een droom van een ongeschonden wereld voor, zonder de welke een menselijke opvoeding in een verdorven wereld niet uit te houden is. In de opvoeder moet de liefde voor de ideale orde gewekt en/of ondersteund worden, zodanig dat hij in de wanordelijke feitelijkheid een houvast heeft. Wanneer men eenmaal de realiteit binnenbrengt in het verhaal over opvoeding – in dit geval gerepresenteerd door de vrouw Sophie – stort de geconstrueerde wereld in elkaar en rest de opvoeder en de opvoedeling alleen hun *vertu*, de deugd om zo goed mogelijk te handelen (wat in de *Émile* nog lijkt te lukken, maar in het fragment 'Sophie et Émile, ou les solitaires' op een ramp uitloopt.[15]

Tussen de ideale wereld van Émile (boek 1 tot 3) en de wereld van Sophie (boek 5) figureert de '*Confession de foi du vicard savoyard*'.[16] Terwijl in de eerste drie boeken eerst de feiten van het geloof tussen haakjes zijn geplaatst, hoofdzakelijk de ervaring beklemtoond wordt door dewelke de mens geleidelijk aan ontwikkelt volgens zekere natuurlijke wetmatigheden, krijgen we hier plots een priester die getuigenis aflegt van zijn bekeringsweg. Deze bekering volgt na het verwerpen van de gevestigde religies, uit het luisteren naar de hemelse stem van het geweten, de onfeilbare gids voor een onwetende mens. Dit geweten is niet gevormd, maar is opgedoken en heeft de *vicaire* aangegrepen en laat hem toe zelf de geopenbaarde waarheid van de bestaande religies te onderkennen.

Deze belijdenis is niet op de eerste plaats gericht tot Émile, maar wel tot de opvoeder, die deze op zijn beurt verhaalt aan Émile. De boodschap is duidelijk: om de maatschappij aan te kunnen, moet de mens zijn geweten volgen, maar dit geweten is geen product van de opvoeding. Het is iets wat de mens aanspreekt in zijn innerlijk en dat opgeroepen wordt door een persoonlijke getuigenis van de beleefde realiteit van het geweten. Op dat geweten moet de opvoeder vertrouwen bij zijn pedagogische opdracht en op zijn beurt moet hij hiervan getuigenis afleggen ten aanzien van zijn opvoedeling. De belijdenis van de *vicaire* heeft tot functie de opvoeder de hoop, het vertrouwen en geloof in de goede ordening van de schepping te geven, in een wereld die juist het tegendeel manifesteert. Met deze 'liefde voor de natuurlijke orde' kan hij samen met Émile de wereld gaan trotseren.

Met deze belijdenis is tevens het utopische gehalte van de eerste drie boeken verantwoord: ze brengen het verhaal van de ideale orde, op wiens realiteit de mens mag betrouwen, gegeven de ervaring van de *vicaire* en alle andere gewetensvolle mensen. Met andere woorden: met het boek de Émile wil Rousseau de opvoeder als het ware bekeren tot het geloof in de mogelijkheid en zinvolheid van de zuivere opvoeding in een geschonden wereld. Niet toevallig heeft Kant het over de '*Schönheit der Ausdrücke*' van Rousseau, die zich verzetten tegen redelijk onderzoek. En Madame de Staël wijst in haar commentaar op Rousseaus *Émile* op dat de verleiding door de '*éloquence*' als het ware de kern van Rousseau's pedagogische geschriften uitmaakt.[17]

Kortom. Bij Rousseau moet de mens tot zijn oorspronkelijke goedheid gebracht worden in een gecorrumpeerde wereld. Het zich terugtrekken uit de wereld is op zich niet voldoende, men moet hoe dan ook immers terugkeren. De negatieve opvoeding – het zich op de achtergrond houden van de opvoeder opdat de natuur zich zou kunnen doorzetten – moet met andere woorden aangevuld worden met een positieve opvoeding – een ingrijpen van de opvoeder in de vrijheid van het kind. Dit ingrijpen wordt op geen enkel andere wijze verantwoord dan door een getuigen van de eigen bekering en/of wedergeboorte (die zelf veroorzaakt werd door een dergelijke getuigenis). En de opvoeder kan niet anders dan zijn geloof belijden in de oorspronkelijke goedheid van de mens en zijn vertrouwen uitdrukken dat – hoe slecht de wereld ook is – elke mens met zijn oorspronkelijke natuur in contact kan komen.

Pestalozzi: mijn methode als de weg, de waarheid en het leven[18]

Een totaal ander type pedagoog is Pestalozzi. Deze volksopvoeder is op de eerste plaats een prakticus die reflecteert op zijn pedagogische ervaringen. Zijn geschriften zijn filosofisch veel minder systematisch en gaan niet in discussie met andere visies. Pestalozzi wil 'zijn' visie op opvoeding weergeven.

Zijn pedagogische roman '*Lienhard und Gertrud*'[19] is dan ook geen utopisch verhaal zoals dat van *Émile*. Pestalozzi schetst uitvoerig de maatschappelijke verhoudingen, waarbij hij uitdrukkelijk niet voorbijgaat aan de vele negatieve aspecten van de contemporaine maatschappelijke en familliale situatie. Hij brengt een verhaal van hoe in de '*Kot der Welt*' opvoeding noodzakelijk en mogelijk is. De verschillende personen zijn als het ware personificaties van zijn levenservaringen. Pestalozzi blijkt een eerder tragische visie op de werkelijkheid te hebben: er is een haast onoverbrugbare kloof tussen realiteit en ideaal, een kloof die de opvoeder aan zichzelf, de opvoedeling en aan de wereld verplicht is te overbruggen.

De pedagogische opgave is te werken aan de vervolmaking van de mens wel wetende dat volmaaktheid niet van deze wereld is. De garant voor de zinvolheid van het ondernemen is God. De opvoeder moet vervuld zijn van de overtuiging dat God het goed met hem voorheeft. Dat Godsvertrouwen moet heel de arbeid doordringen en zo het kind aanspreken. In *Lienhard und Gertrud* is het Gertrud die door haar Godsvertrouwen de uitzichtloze situatie weet leefbaar te houden en zo andere mensen tot vergelijkbare engagementen weet op te roepen, zonder zelf enige verdienste hiervoor te claimen.

Telkens weer verwijst Pestalozzi naar zijn eigen ervaringen en getuigt hij van zijn goede bedoelingen, zijn nederlagen en uiteindelijk zijn overwinningen. Zijn exemplarische ervaring geeft hem het recht aan de anderen te zeggen hoe moeilijk opvoeding wel is en in welke zin opgevoed moet worden. Meer en meer identificeert Pestalozzi zich daarbij met 'de methode' en wordt deze zoals zijn eigen leven als de enige weg en waarheid aanzien. Deze methode staat niet voor een revolutionair andere aanpak van de kinderen. De methodegeschriften spreken aan omwille van hun toon. Ze getuigen van een enorm engagement en enthousiasme. Deze 'emotieve semantiek' van de eeuwige strijd van de opvoeder met de verdorven wereld, gecombineerd met de eigen praktijk en de idealisering ervan, vormen het succes van Pestalozzi. Zo blijkt Maine de Biran als filosoof geen hoge dunk te hebben van de wetenschappelijkheid van Pestalozzi's opvattingen, maar hij vraagt Pestalozzi wel opvoeders voor zijn school omwille van het feit dat het mensen zijn die ervaring hebben, een visie en de goede geestesgesteldheid om op te voeden.

Pestalozzi en zijn aanhangers hanteren een overduidelijke religieuze taal om hun pedagogische denkbeelden te verwoorden. De methode is de vrucht van de arbeid van een man die als het ware door God gezonden is om de waarheid te brengen. Mislukkingen worden aangegrepen om de vijandige wereld aan te vallen: het zijn de anderen die niet openstaan voor de waarheid, zij maken de goede bedoelingen verdacht, het zijn zij die bekeerd moeten worden. Hierbij verschijnt Pestalozzi voor zichzelf en voor zijn aanhangers als een geestelijke vader. Kritiek hebben op de methode is de vader afvallig zijn.

Pestalozzi aarzelt zelfs niet zijn eigen leven te beschrijven in navolging van de heiligenlevens. De boodschap is duidelijk. Hij is met een bijzondere missie hier op aarde, maar vanaf zijn geboorte zijn er allerlei opstakels die telkens weer overwonnen moeten worden. Deze overwinningen hebben iets van mirakels. Een steeds weerkerend motief is het niet begrepen worden door de wereld, een wereld die hem steeds poogt te gebruiken voor eigen doeleinden en wanneer dit niet lukt zich van hem afkeert en hem zelfs vervolgt. Een ander element is dat van de leerlingen die de meester verraden (althans zo ervaart Pestalozzi elke poging van kritiek en aanvulling op zijn methode).

Zijn pedagogiek moet kritiekloos aanvaard worden door de opvoeders en wel omwille van zijn persoon. Dat is Pestalozzi's houding, maar dat is ook de houding van zijn vele bewonderaars en leerlingen. Ze laten zich aanspreken door het woord en het voorbeeld van de vader. Velen beschrijven dan ook het lezen van zijn teksten en het bezoeken van zijn instelling als een bekeringsproces door confrontatie met de blijde boodschap. Zo wordt Pestalozzi vergeleken met Jezus en wordt hij de Sint-Franciscus van de pedagogiek genoemd.

In deze context is een passage uit *Lienhard und Gertrud* veel betekenend. Wanneer iemand die leerkracht wil zijn, Gertrud komt vragen op welke wijze hij een even goede opvoeder als zij kan worden, antwoordt ze hem dat ze het echt niet zou weten. In de daaropvolgende dialoog komt de man tot het besluit dat Gertruds opvoederschap een kwaliteit van haar innerlijkheid is en dat haar gebrek aan uitwendige pedagogische kennis juist daarvoor kenmerkend is. Gertrud antwoordt daarop dat ze juist daarom ook het opvoederschap niet kan overdragen. Ze kan alleen getuigen van haar onvermogen, onwetendheid en behoeftigheid en van haar liefde voor haar man en kinderen en vooral vertrouwend op God. Lienhard wordt geheel in deze lijn niet opgevoed, maar wel letterlijk bekeerd door het voorbeeld van Gertrud (de moederliefde) en het woord van de priester (Godsvertrouwen).[20]

Dit alles sluit niet uit dat Pestalozzi tal van publicaties heeft met concrete 'uiterlijke' aanwijzingen over hoe de kinderen onderwezen moeten worden en die de opvoeder zo goed als mogelijk moet opvolgen. De garantie voor succes wordt echter nergens aangetoond en/of bewezen, tenzij door de getuigenis van de eigen ervaringen en door het verkondigen van het geloof dat de mens zijn bestemming zal bereiken wanneer hij erop vertrouwt dat wat hij moet doen ook kan. De opvoeder moet de pedagoog vertrouwen, zoals het kind de opvoeder moet vertrouwen. Dergelijk vertrouwen is het vertrouwen van de mens in een God die zich laat beluisteren in het innerlijke van de mens. Dit geloof is niet zozeer een theologisch gegeven of een in de geschiedenis eenmaal geopenbaarde waarheid, maar wel een ervaringsgegeven dat voorafgaat aan elk geformaliseerde godsdienst en theologie. Bij Pestalozzi is hierbij de ervaring van de moeder die zich volledig geeft aan het kind, zich geheel wegcijfert voor het welzijn van het kind en daarin zich vindt, een cruciaal fenomeen: de ultieme ervaring dat uiteindelijk de schepping goed in elkaar zit.

De houding tegenover de gevestigde kerken was daarbij afwijzend, wat hem in conflict bracht met zowel protestantse als katholieke autoriteiten. Geloof was een kwestie van innerlijkheid en persoonlijk voorbeeld. Zo keert Pestalozzi zich tegen de religie als *'Betrug'*, dit is de georganiseerde godsdienst en niet toevallig vormde het Johannesevangelie het uitgangspunt voor de godsdienstlessen. Kern van alles is de Geest. Pestalozzi wordt begeesterd en werkt begeesterend, zoals opvoeding werk van de Geest is.

Pestalozzi komt met andere woorden tot eenzelfde oplossing als Rousseau, ook al is voor hem de mens niet van oorsprong goed, maar is hij 'gevallen'. De opvoeder moet én de gecorrumpeerde natuur tegenwerken én het goede zich laten ontwikkelen. Ook moet hij tegelijk de opvoedeling voor de maatschappij uitrusten en zich tegen de verdorvenheid van de wereld verzetten. Maar dit alles is niet de opvoeder die de mens in vrijheid brengt tot het goede: hij moet het goede voorhouden en de opvoedeling de kans geven zelf in vrijheid het goede te doen. Maar dit alles garandeert niet dat de mens vrij zal zijn: het goede zal willen doen omwille van het goede. Dit kan maar gegarandeerd worden door God. Opvoeding veronderstelt dat de mens zich kan en zal bekeren. Dit is de veronderstelling van opvoeding, niet wat opvoeding kan bewerken, maar de geest die de opvoeder moet doorgeven vanuit een eigen gedragen zijn.

Dit geloof of fundamenteel vertrouwen in de mogelijkheid van opvoeding is wat Herbart samenvat met de term opvoedbaarheid: *Bildsamkeit*. In de Duitse term zit bovendien heel duidelijk de verwijzing naar de religieuze oorsprong: de mens is geschapen naar het beeld van God, en geroepen dat beeld te verwerkelijken. Dat is Vorming (*Formatio, Bildung*). De opvoeder moet dat beeld voorhouden en voorleven, met andere woorden verbeelden (*cf. de ästhetische Darstellung*). Dat is uiteindelijk opvoeding. Het toerusten van de mens voor een functioneren in de maatschappij is noodzakelijk, maar niet opvoeding. We zouden het zo kunnen formuleren: opvoeding betreft de roeping en niet het beroep. Het laatste kan de mens leren en/of daartoe de talenten ontwikkelen door toedoen van een ingrijpen van de opvoeder. Het eerste is iets waartoe de opvoeder hoogstens kan oproepen, maar wat niet aangeleerd, noch ontwikkeld wordt. Het is een kwestie van opgeroepen worden, opnieuw geboren worden, van ommekeer, van bekering.

Fröbel: symbolische pedagogiek van de goddelijke 'wet' van het leven[21]

Fröbels *Menschenerziehung* (1826) kan gelezen worden als een echte anti-Herbart. In de '*Selbstanzeige*' van zijn pedagogisch hoofdwerk uit 1838/40 ontwikkelt Fröbel haast parallel aan en in contrast met Herbart zijn bedoelingen en opzet.[22] Ook Fröbel wil met zijn opvoedingswetenschap de praktijk overtuigen van wat het wezen van opvoeding is en van wat daaruit volgt voor het pedagogisch handelen. Hoofddoel van de pedagogiek is het opwekken van de juiste pedagogische houding bij de opvoeder: hem brengen tot inzicht in het '*innere Gesetz*' – de wet – van de opvoeding. Aan deze doelstelling – het overbrengen van een inhoudelijke boodschap – is de vorm ondergeschikt. De formele tekortkomingen moeten maar aanvaard worden.

Omdat voor Fröbel de inhoud hoofdzaak is, kan er volgens hem geen abstractie gemaakt worden van de inhoudelijke opvoedingsfenomenen. Deze fenomenen moeten juist beschouwd worden als mogelijkheden om de ene ware wet van het leven en van de opvoeding te laten zien. Ze moeten met andere woorden symbolisch opgevat worden, als zin-beelden ('*Sinnbilder*'), als uitingen van iets inwendig. Daar waar Herbart zijn *Selbstanzeige* besluit met het opsommen van alle inhoudelijke onderscheidingen (zoals de verschillende ontwikkelingsfasen en de verschillende opvoedingscontexten) waar hij uitdrukkelijk aan voorbij wil gaan, stelt Fröbel in zijn besluit dat de familie – als plaats waar opvoeding per definitie aanwezig is – hem steeds voor ogen heeft gestaan en eindigt hij met de stelling dat het kinderlijk bestaan – en bijzonder de knapenleeftijd – als zijnde symbolisch juist symbool is voor de mens zelf. De pedagogische ingesteldheid kan met andere woorden niet louter op grond van een esthetische samenhang van begrippen opgewekt worden – niet alleen op grond van de formele esthetiek van een Franse tuin – zoals Herbart voorstond, maar wel aan de hand van heel tastbare, materiële zinbeelden – de blauwe lelies in de (Engelse) tuin (die metafoor is voor Fröbel).

Volgens Fröbel kan opvoeding niet beperkt worden tot de zorg dat de feitelijke mensen – zij het deze van het volk, zij het deze van de burgerij – zich in hun feitelijke situatie goed zouden voelen. Opvoeding kan zich niet met deze uiterlijkheden – en dus ook niet met de verinnerlijking van dergelijke uiterlijkheden – bezighouden. Opvoeden moet erop gericht zijn de mens met zijn meest innerlijke zelf in contact te brengen.

Vorming is het voortdurend proces van het aanschouwen van de uiterlijkheden als beelden van het innerlijke, waarmee men steeds meer contact krijgt. Het is dat wat Fröbel bedoelt wanneer hij zegt dat het menselijk bestaan symbolisch is en dat in dat feit opvoeding zijn diep menselijke betekenis vindt. Pedagogiek is dan niet zozeer de leer of kunde van het empirische opvoeden, dan wel de speculatieve theorie die deze gerichtheid op het innerlijke wil oproepen bij de opvoeder. Opdat de opvoedingswetenschap in dergelijk opzet zou kunnen slagen moet ze zelf symbolisch zijn. Dat wil zeggen dat ze alles en iedereen ter sprake moet brengen als beeld van een dieper oorspronkelijk innerlijk. En juist in dat feit ligt haar wetenschappelijkheid.

Om terug te keren naar de beeldspraak van de tuin: het gaat Fröbel niet om de tuin – zoals bij Herbart – maar wel om de blauwe bloem. En hoe geometrischer de tuin hoe kleiner de kans om de bloem te vinden. Het is dan ook niet toevallig dat Herbart het heeft over een Franse tuin. Fröbels tuin is – zoals bij de door hem bewonderde en gelezen romantici – de Engelse tuin. Dat wil zeggen een tuin die harmonie met wildheid, natuur en cultuur, materie en geest verbindt; die met andere woorden symbool is voor de eenheid van alles en iedereen. De blauwe bloem symboliseert zelf op haar beurt deze eenheidservaring en deze symbolische *'Anschauung'*.

In commentaren wordt gesteld dat gesteld dat Fröbel – in tegenstelling tot Pestalozzi – ideaal en werkelijkheid door elkaar haalt, waarmee tevens de spanning verdwijnt tussen ideaal en werkelijkheid en bijgevolg uiteindelijk ook elke pedagogische motivatie.[23] Dergelijke interpretatie is evenwel niet correct daar ze de ware aard van het symbolisch spreken van Fröbels pedagogiek niet ziet. Fröbel is het niet te doen om de spanning tussen werkelijkheid en ideaal, maar om een spanning tussen feitelijkheid en mogelijkheid, waarbij het symbolisch beschouwen van de werkelijkheid het beschouwen is van de mogelijkheden van die werkelijkheid: van de feitelijke mogelijkheden. Wanneer Fröbel Pestalozzi verwijt empirisch te zijn, dan bedoelt hij daarmee niet dat Pestalozzi geen hooggestemd ideaal zou hebben. In tegendeel. Fröbel identificeert heel uitdrukkelijk Pestalozzi's empirisch zijn met Pestalozzi's beperking tot het gefragmenteerd zijn en verscheurd zijn van het menselijk bestaan. Dat laatste wil zeggen: het zich beperken tot de ervaring van het verschil tussen werkelijkheid en ideaal en het betrouwen op de goede God om de kloof uit te houden. Op deze wijze kan men niet de ware pedagogische geest wekken, zoals men dat ook niet kan door een weliswaar esthetische , maar hoe dan ook wereldvreemde conceptuele orde, zoals bij Herbart. De pedagogische geest, de juiste gezindheid, de ware ingesteldheid van de opvoeder kan maar gewekt worden door de feitelijkheid onder de modus van de mogelijkheid te aanschouwen en voor te stellen. Met andere woorden: door een symbolische houding. Alleen zo kan men laten zien dat het leven anders en beter kan.

Met deze symbolische houding staat Fröbel op één lijn met de door hem bewonderde en gelezen romantici, met op de eerste plaats Novalis. Wat hij als opvoeding en als de opdracht van de pedagogiek fomuleert, is haast identiek met de definitie van wat Novalis *'romantiseren'* noemt: een *'kwalitatieve machtsverheffing'*, een operatie waarin het *'lagere zelf met een beter geïdentificeerd'* wordt. Staat een symbool als feitelijke mogelijkheid voor de eenheid van ideaal en werkelijkheid, dan is hiermee nog niet gezegd dat het symbool zelf een enkelvoudig of eenduidig gegeven is. Integendeel. Het symbool roept een innerlijke werkelijkheid op in en door het verschillend zijn me de werkelijkheid.

We moeten hier niet verder ingaan op de verschillende symbolen die Fröbel aanreikt om de opvoeder op te roepen tot de juiste pedagogische ingesteldheid. We willen hier wijzen op het feit dat Fröbel zelf aangeeft dat zijn symbolische pedagogiek een fundamenteel vertrouwen veronderstelt en juist dit vertrouwen wil oproepen. Opvoeding en vorming vereisen een drievoudig vertrouwen: vertrouwen in zichzelf, vertrouwen tussen alle individuen onderling en vertrouwen tussen individu en geheel. De familie is als eenheid van liefde van man en vrouw, van ouders en kinderen, van broers en zussen de plaats waar dit drievoudige vertrouwen verwerkelijkt wordt en waaraan elke mens zich kan vormen en als zodanig symbool van de alles doordringende goddelijke liefde en wet. Met andere woorden: Fröbel wil de opvoeder door zijn pedagogiek in feite oproepen tot een alles dragend vertrouwen in God en de schepping.

Zoals Pestalozzi heeft Fröbel ook een grote invloed gehad met zijn autobiografische geschriften, waarvoor het grote voorbeeld zeker Rousseau was. Evenals Pestalozzi heeft Fröbel zijn leven verhaalt met een uitdrukkelijke pedagogische bedoeling. De autobiografie is een voorbeeld van hoe de pedagoog de opvoeder wil oproepen tot de juiste pedagogische ingesteldheid. Ligt bij hun systematische geschriften de nadruk vooral op het 'bekeren' van de opvoeder, in de levensbeschrijvingen ligt het accent op de 'belijdenis': het getuigen van de eigen ervaringen van mislukking, van inkeer en loutering. Conform zijn pedagogiek, is zijn autobiografie heel symbolisch. Zijn levensbeschrijving heeft alles van een romantische *Bildungsroman*. Hierin begrijpt hij zijn leven als een voortdurende strijd om het uiterlijk en innerlijke in harmonie te brengen, waarbij de nadruk ligt op een creatieve synthese van een actief zelf. Hij wil duidelijk een getuigenis afleggen van het feit dat opvoeding hoe dan ook mogelijk en zinvol is en dat de opvoeder niet mag wanhopen.

Naast de pedagogische theorieën, zullen dergelijke levensgeschiedenissen in het onderwijs aan beginnende leerkrachten steeds weer gelezen worden: woorden wekken, maar voorbeelden strekken.

Kortom: Fröbels symbolische pedagogiek is niet anders dan een romantische variant van wat Rousseau, Pestalozzi en Herbart voor ogen stond. Ook bij hem vraagt vorming een verbeelding. Deze verbeelding van de werkelijkheid die de mens tot zijn waar beeld moet oproepen, kan maar door middel van *Sinnbilder*: zinnebeelden die de werkelijke mogelijkheden van de werkelijkheid aanwezig stellen en zo de opvoedeling oproepen tot het (h)erkennen van de eigen oorspronkelijke mogelijkheden. Natuur, maatschappij en mens worden zo niet tegenover elkaar geplaatst als wat bij Rousseau en Pestalozzi wel gebeurt, maar opgenomen in één omvattend levensproces, dat de waarborg moet zijn voor de reële mogelijkheid van de vrijheid van de mens. Ook hier is opvoeding niet de garant voor de vrijheid, maar iets wat zelf gedragen wordt door het leven. Opvoeding bestaat erin vanuit dit zich gedragen weten, de mens in contact te brengen met deze wet van het leven. Symbolen zijn hierbij geen subjectieve waarderingen van de mens die een middel zijn om de opvoedeling op te voeden. Ze hebben een objectief universeel karakter. Misschien moeten we Fröbels *Sinnbilder* niet als symbolen, maar eerder als sakramenten benoemen. In elk geval hebben ze een vergelijkbare werking op de mens.

Besluitend kunnen we het volgende stellen. De nadruk op de persoonlijke vrijheid in de theorie van en voor opvoeding verwijst duidelijk naar de Verlichting. Om deze vrijheid echter met opvoeding te verbinden, moet de pedagogische theorie gebruik maken van denkbeelden die voorafgaan aan de Verlichting en zelfs haaks staan op de ambities van de Verlichting. Opvoeding is niet de mens die zichzelf opvoedt. In plaats van dergelijke autonomie is er de veronderstelling en (h)erkenning van een fundamentele heteronomie. Opvoeding en vrijheid zijn maar verzoenbaar op grond van een vertrouwen in 'iets' of 'iemand' dat de mens overstijgt, aan de mens oorspronkelijk is en zonder toedoen ervan de mens niet zich zelf kan zijn, waarbij dit zichzelf zijn een terugkeer (ommekeer, bekering) tot deze oorsprong of bestemming is.

Innerlijkheid en de wereld

De erfenis van Luther

De voorstelling van een pedagogiek die zich doorheen de geschiedenis bevrijdt van de godsdienst en theologische kaders is derhalve onjuist. Het is juist dat de pedagogische theorie loskomt van de gevestigde godsdiensten en zich uitdrukkelijk keert tegen de godsdienst van de priesters en deze van de staat, zoals we zagen bij Rousseau en Pestalozzi. Maar tegelijkertijd zien we dat het pedagogisch denken een innerlijke religiositeit cultiveert. Deze innnerlijke religiositeit heeft men nodig om de ambities van een theorie van en voor opvoeding waar te maken.

Maar er is meer. De innerlijke religiositeit heeft ook een welbepaalde functie ter oplossing van een andere problematiek. Met name deze van de verhouding van individuele vrijheid en maatschappelijke verwachtingen.

Het onderscheiden van enerzijds een opvoeding die alles van doen heeft met een persoonlijk geloof en anderzijds een leren van maatschappelijk nuttige vaardigheden en het ontwikkelen van talenten, roept immers reminiscenties op aan de twee-regimentenleer van Luther.[24] In zijn *Schulschriften* maakt deze laatste een onderscheid tussen dat wat noodzakelijk is voor het geloof en het zielenheil en datgene wat geleerd moet worden om maatschappelijk te kunnen functioneren. Daarbij is het opvallend dat Luther de schoolverantwoordelijken geen normatieve christelijke pedagogiek voorhoudt, maar zich houdt aan het '*ermahnen*' en '*erinnern*' aan het belang van het geloof, opdat men aangesproken zou worden door God en van hieruit zijn persoonlijke verantwoordelijkheid zou opnemen. De vernoemde pedagogen zullen hierdoor zeker beïnvloed zijn. Zo zal Herbart ook wel bekend geweest zijn met Kants oplossing van de vraag hoe de boze mens goed kan handelen, waarin de idee van een bekering en wedergeboorte duidelijk aanwezig is.[25] Bekend is ook de piëtistische achtergrond van de duitstalige peda-gogen. Er is evenwel ook een ander spoor dat loopt via Rousseau.

De vergeten Fénelon

Rousseau wordt meestal in deze Lutherse en Calvinistische lijn geplaatst, en dan meer bepaald in relatie met de Katholieke variant: het Jansenisme. Rousseau heeft zelf aangegeven dat hij '*demi-jansenist*' geworden was door het lezen (hij spreekt zelfs over *dévorer*) van de geschriften van Port-Royal en l'Oratoire.[26] Rousseau geeft echter ook aan dat hij een groot bewonderaar van Fénélon was.[27] Hierdoor wordt de kwestie complexer.

De opvatting dat de opvoeding een bekeringsproces is op grond van een persoonlijke belijdenis van een innerlijke religiositeit van het hart, is duidelijk aanwezig en geijkt in de jansenistische pedagogiek waarmee ook Fénélon in ge-sprek gaat. Opvoeding is hier iets wat zich afspeelt in het innerlijke van de mens en gericht is op de innerlijkheid van de mens. Maar er zijn ook verschillen.

Een heel belangrijk motief, zowel in Port Royal als bij Fénélon, is het ver-zoenen van twee onverzoenbare houdingen: een fundamentele afkeer van de we-reld als een ijdel gebeuren enerzijds en anderzijds de wereldse belangen en functies waaraan geen mens kan voorbijgaan. De pedagogische geschriften stammen uit de context van de prinsenopvoeding. De prins moet voorbereid worden op zijn wereldse taak, maar tegelijk ook opgevoed worden tot inzicht in wat werkelijk van belang is: het geloof en het zielenheil. Het ene kan niet aan het andere onder-geschikt gemaakt worden. Daarom wordt de prins zo goed mogelijk onderricht in de wereldse zaken, maar cultiveert men ook bij de prins een innerlijkheid, waarin hij zich als het ware kan terugtrekken en van waaruit hij de ijdele wereld kan doorzien en weerstaan. Dit innerlijk houvast wordt gevormd in de eenzaamheid die als fundamenteel opvoedingsmiddel gehanteerd wordt. In deze eenzaamheid is de opvoeder de andere eenzame figuur die de buitenwereld vakkundig tussen haakjes zet. In deze eenzaamheid wordt de deugd '*vertu*' gevormd, niet door de opvoeder, maar wel door de genade die in de eenzaamheid kan doorbreken.

Op deze wijze kan opvoeding de persoonlijke vrijheid cultiveren zonder voor de wereld een bedreiging te zijn. Bij Fénelon zien we hoe aan de hand van dit vormingsconcept de vrouw wel degelijk kan worden opgevoed, zonder de bestaande man – vrouw verhoudingen te doorbreken en ze zelfs te bevestigen. De opvoeding van en door de innerlijkheid is in hoge mate maatschappij bevesti-gend. Iets gelijkaardig zien we bij Luther en ook bij de geanalyseerde pedagogen. Opvoeding houdt zich eigenlijk niet bezig met de wereld, ze voltrekt zich in een andere wereld.

Dit maakt ook begrijpelijk de ogenschijnlijke tegenstelling tussen de peda-gogische theorie die zich beperkt tot de innerlijkheid, en de praktijk van diezelfde pedagogen die de kinderen zo goed mogelijk in de maatschappij willen laten functioneren. Sociaalhistorisch kan men aangeven hoe op deze wijze de pedago-gen erin geslaagd zijn zich te verzekeren van de steun van de politieke en economische machthebbers die hen op hun beurt konden gebruiken voor de uitbouw van hun openbaar onderwijs.

We moeten hier wel aan toevoegen (een uitwerking voorzien we in een andere afzonderlijke publicatie) dat er ook grote verschillen bestaan tussen enerzijds Fénelon en anderzijds Luther en de Jansenistische pedagogiek. Bij de Calvenistische en Jansenistische pedagogiek is de wereldse opvoeding uiteindelijk louter een noodzakelijk kwaad.[28] Bij Fénelon zal het inwijden in de wereld ook een andere pedagogische en positieve functie krijgen: het wordt een middel om de eigenliefde van de mens te bestrijden en deze zo op te voeden tot volledige belangeloosheid (met als uiteindelijk doel het opgeven van het eigen zielenheil als voorwaarde voor de ware zuivere liefde voor God). Bij Fénelon is niet zozeer de wereld de boosdoener die de mens weghoudt van het ware geluk, maar wel de eigenliefde die maakt dat de mens niet belangeloos het goede nastreeft. Opvoeding die het geluk van de mens wil bewerken, moet een radicale belangeloosheid betrachten. Daartoe moet de mens weggevoerd worden van de eigen bekommernissen, ook deze van het eigen geluk. Het inleiden in de maatschappij en de mens zich als het ware laten verliezen in wereldse belangen zijn een middel om de mens te laten loskomen van zichzelf. Het innerlijke van de mens is weliswaar waar het in opvoeding op aan komt, maar juist daarom mag de mens niet voortdurend reflecteren op deze innerlijkheid. Het inleiden in de uitwendigheid van de wereld, is de noodzakelijke omweg om het innerlijke te cultiveren, zonder te vervallen in het heilloze verdrinken in het eigen zelf.

Daartoe kan de mens evenwel niet eenvoudigweg in de wereld zoals die is, ingeleid worden. Opvoeding moet de omweg langs de wereld zo organiseren, dat de terugkomst naar de eigen innerlijkheid verzekerd wordt. Deze garantie heeft de opvoeder niet. Daartoe moet hij vertrouwen op de genade. Uit dit laatste zou dan de hypothese kunnen afgeleid worden, dat Herbarts esthetische voorstelling van de wereld en de overeenkomstige vorming van de veelzijdige interessen in opvoeding ook een geseculariseerde versie is van de religieuze denkfiguur van Fénelon.[29]

Heydorn of opvoeding als exodus[30]

"Geef de keizer wat de keizer toekomt en God wat God toekomt" is duidelijk het motto van deze pedagogische theorievorming. Twintigste eeuwse pedagogische bestellers vormen hierop geen uitzondering. De meeste handelen over zelfontplooiing en persoonlijk geluk en niet over maatschappelijk engagement. Ook de geesteswetenschappelijke pedagogiek die de twintigste eeuw beheerste is hiervan een voorbeeld. De kritische pedagogiek heeft dit kenmerk sterk belicht, hierbij evenwel voorbijgaand aan het kritisch potentiaal van deze innerlijkheidspedagogiek: met name dat ze op deze wijze poogde de mens en opvoeding te vrijwaren van een verregaande instrumentalisering.

Voor de kritische pedagogiek is de pedagogische theorie uiteindelijk niet veel meer dan een masker voor het gebrek aan maatschappelijk engagement, die bovendien poogt de vervreemding van haar initiële emancipatorische ambities te legitimeren. Reeds bij Rousseau is de ontaarding van de pedagogische theorie aan te duiden. In naam van een respect voor de individuele vrijheid van het kind, wordt deze niet alleen aan de maatschappij onttrokken, maar tevens in een totalitaire schijnvrijheid geheel gedetermineerd door de opvoeder en de bestaande maatschappij. Om het in de woorden van Heinz-Joachim Heydorn – auteur van een van de meest oorspronkelijk kritische vormingstheorieën – te zeggen: de zo opgevoede mens wordt in de eenzaamheid teruggetrokken omwille van een bewustwording die niet mogelijk zou zijn in de maatschappij, maar deze eenzaamheid is tegelijk zich in het geheel niet bewust van zijn maatschappelijk functioneren; hij ervaart zijn maatschappelijke machteloosheid als een geestelijke macht.

Heydorn verwerpt ook een opvoeding die opgezet wordt vanuit een politiek ideaal. Voor opvoeding is de vrijheid en het geluk van elke concrete individuele mens cruciaal. De politiek kan de bestaande maatschappij kritisch analyseren en strategieën bedenken voor een rechtvaardigere maatschappij. Alleen via een vorming kan echter de rechtvaardige samenleving verwerkelijkt worden. Voor opvoeding en vorming is immers niet alleen het individu heilig, maar is ook het inzicht fundamenteel dat de nieuwe mens niet zomaar geboren wordt. Elke mens wordt in een gegeven situatie geboren die de mens zich noodzakelijkerwijze eigen moet maken. Niet om deze te aanvaarden, maar om dan zich er reëel tegen te verzetten en in te zetten voor een betere wereld. Met andere woorden: in plaats van een opvoeding als een initiële afkeer van de wereld die uiteindelijk leidt tot een feitelijke aanvaarding van de gegeven toestand, opteert Heydorn voor een vorming die inleidt in het bestaande om deze dan te verwerpen.

Hierbij komt een wezenlijk taak toe aan de leerkracht. Heydorn heeft het niet over het onderwijs, maar wel over de concrete figuur van de leerkracht die vanuit zijn persoon (weliswaar in een gegeven institutionele pedagogische situatie) moet vormen en opvoeden. De leerkracht is hier de '*Führer durch das verdorrte Land*'. Hij is de bemiddelende instantie tussen de kritische maatschappelijke analyse en de persoonlijke ervaring van geluk en vrijheid. In zijn persoon stelt de leerkracht de feitelijke mogelijkheid aanwezig van een ander en beter bestaan. De leerkracht getuigt met andere woorden van een kritische houding tegenover het bestaande en wel vanuit zijn positie als diegene die het kind moet inleiden in de gegevenheid (waarbij Heydorn heel uitdrukkelijk kiest voor een klassieke intellectuele vorming – wat hem de naam van een conservatief revolutionair opleverde).

De leerkracht en algemeen de opvoeder wordt door Heydorn gemodelleerd naar de figuur van Mozes die zijn volk door de woestijn uit Egypte leidt, naar het beloofde land dat hij zelf niet kent, noch zal aanschouwen. Met deze figuur geeft Heydorn uitdrukkelijk aan dat een kritische vorming niet alleen een afwijzing van het bestaande al dan niet op grond van één of ander ideaalbeeld inhoudt, maar op de eerste plaats een belofte van het beloofde land veronderstelt. Opvoeding wordt niet zomaar gemotiveerd vanuit een utopie – zoals bij tal van kritische pedagogen die zich aan Habermas inspireren, maar wel gedragen door een persoonlijk engagement dat van generatie op generatie wordt doorgegeven.

Met elke geboorte van een kind kan de messias op de wereld komen. De messias zal echter alleen op het geschikte moment komen. De komst moet met andere woorden voorbereid worden door de mens. Hij moet zich inzetten voor een betere wereld, maar tegelijk de mogelijkheid van een nog betere wereld openhouden. Met elk kind wordt de belofte van een betere wereld opnieuw gesteld, maar steeds binnen een gegeven wereld.

De opvoeder is Mozes. Opvoeding en vorming een exodus: weg uit een gegeven toestand door de woestijn, maar op weg naar het beloofde land. De leerkracht is *'Bekünder menschlichen Glaubens an den Menschen ; er gibt ein Zeichen in zeichenloser Welt. Er bezeugt die Fähigkeit des Menschen in der Wüste zu leben ; er läßt erkennen daß die Hoffnung auf das Land Kanaan nicht umsonst ist'.* Heydorn verbindt hieraan een duidelijke opgave voor de pedagogische theorie. Ze heeft *'nicht mit dem Gespenst des Begriffes zu tun, das den unaufgehobenen Widerspruch anzeigt, sondern mit der Hingabe an den wirklichen Menschen, in dem sie die Spur der Versöhnung findet'.*[31]

In dit spoor kan opvoeding verder uitgewerkt worden weliswaar als een kommunikatief handelen, maar dan niet beperkt tot de *'herschaftsfreie Dialog'*, maar als een gezagvol persoonlijk getuigen van de opvoeder dat de opvoedeling oproept tot een persoonlijk engagement voor een betere toekomst.[32] Voor Heydorn kan opvoeding niet alleen gedragen worden door ideeën als vrijheid, waarheid en rede. Zoals bij de Grieken en een Verlichting die zich alleen daarop stoelt, leiden deze tot een tragiek van de eeuwige wederkeer. Opvoeding veronderstelt ook de historische belofte van een verzoende toekomst, waardoor geschiedenis ook als de openbaring van een verborgen God verschijnen kan, waarbij de mens opgeroepen wordt mee te werken aan een rechtvaardige wereld.

En dus ook hier impliceert pedagogiek wel degelijk een religieuze levensbeschouwing.

Noten

1. Cit. in Rockefeller, S. (1991). *John Dewey. Relious faith and democratic humanism.* New York: Columbia; p. 235.

2. Vgl. Dewey, J. (1966/1916). *Democracy and education. An introduction to the philosophy of education* (1916). New York: The free Press; p. 323 e.v.

3. Osterwalder, F. (1999).Pädagogik – ein Bekenntnis. Zur Architektur pädagogischer Diskurse und ihrer Geschichte. *Zeitschrift für Pädagogische Historiographie, 5*(1), 21-27

4. Depaepe, M., M. Hellemans & W. Leirman (1989). Pedagogiek. In P. De Meester e.a. (Eds.). *Wetenschap nu en morgen.* (pp. 233-246). Leuven: Universitaire Pers.

5. Russell, B. (1967/1932). *Education and the social order.* London: Unwin; p. 60 e.v.

6. Flitner, A. (1963).*Wege zur pädagogischen Antropologie. Versuch einer Zusammenarbeit der Wissenschaften von Menschen.* Heidelberg: Quelle & Meyer.

7. Schmied-Kowarzik, W. (1967). Herbarts Begründung einer Erziehungsphänomenologie. In D. Benner & W. Schmied-Kowarzik, *Prolegomena zur Grundlegung der Pädagogik I. Herbarts praktische Philosophie und Pädagogik.* (pp. 53-124). Ratingen: Henn.

8. Herbart, J.F. (1851/1806). Allgemeine Pädagogik aus dem Zweck der Erziehung abgeleitet. In *Sämmtliche Werke. Band. 10. Erster Theil.* Leipzig: Vos; p.118.

9. Herbart, J.F. (1964/1804).Die Ästhetische Darstellung der Welt als Hauptgeschäft der Erziehung (1804). In J.F. Herbart, *Pädagogische Schriften. Band I.* (pp.105-121). München: Küpper; p. 105.

10. Herbart, J.F. (1965/1806). Selbstanzeige der 'Allgemeinen Pädagogik'. In J.F. Herbart, *Pädagogische Schriften. Band II.* (pp. 257-260). München: Küpper; p. 259.

11. Herbart (1851/1806); p. 119.

12. Herbart (1964/1804); p. 108.

13. Herbart, J.F. (1851/1802). Über Pestalozzi's Schrift: Wie Gertrud die Kinder lehrt. An drei Frauen. In *Sämtliche Werke. Band 11. Zweiter Theil.* (pp. 45-60). Leipzig: Vos; p. 78.

14. Jean Paul (1963/1814). *Levana oder Erziehlehre.* (besorgt von K.G. Fischer). Paderborn: Schönigh; p. 12.

15. Vgl. Van Crombrugge, H. (1995). Rousseau on family and education. *Paedagogica Historica, 31,* 445-480.

16. Rousseau, J.J. (1951/1762). *Émile, ou de l'éducation.* Paris: Garnier; p. 320 e.v.

17. Osterwalder (1999); p. 23.

18. Van Crombrugge, H. & M. Depaepe (1997). Pestalozzi in Europa. Prolegomena van een pedagogische werkingsgeschiedenis van zijn erfgoed. *Pedaogisch Tijdschrift, 22,* 107-123.

19. Pestalozzi, J.H. (1899). *Lienhard und Gertrud. Ein Buch für das Volk.* Liegnitz: Seyffarth.

20. Van Crombrugge, H. (1996). "Opvoeder zijn is iets anders dan vader-zijn." De vader en de echtelijke liefde bij Pestalozzi. In N. Bakker & P. Schreuder (Eds.). *Kind en cultuur in opvoeding en onderwijs.* (pp. 202-209). Groningen: GION.

21. Van Crombrugge, H. (1999). Friedrich Fröbel (1782-1852). Zoals de lelie in de tuin, groeit de mens op in het gezin. In H. Van Crombrugge, *Verwantschap en verschil. Over de plaats van het gezin en de betekenis van het ouderschap in de moderne pedagogiek.* (pp. 81-112). Leuven: Garant.

22. Fröbel, F. (1961/1826). *Die Menschenerziehung. Erster Band.* München: Küpper ; p. 265 e.v.

23. Soëtard, M. (1995). Fröbel et Pestalozzi. Pédagogie de la vie ou vie de la pédagogie. In F.P. Hager & D. Tröhler (Eds.). *Studien zur Pestalozzi-Rezeption in Deutschland des frühen 19. Jahrhunderts.* (pp. 177-190). Bern: Lang.

24. Keferstein, H. (1888). Charakteristik und zusammenfassende Darstellung von Luthers pädagogischem Denken und Wirken. In *Dr. Martin Luthers pädagogische Schriften und Äusserungen.* (pp. XVII-XCII). Langensalza: Beyer.

25. Oelkers, J. (1990). Vollendung: Theologische Spuren im pädagogischen Denken. In N. Luhmann & K.E. Schorr (Eds.). *Zwischen Anfang und Ende. Fragen an die Pädagogik.* (pp. 24-72). Frankfurt: Suhrkamp.

26. Osterwalder, F. (1995). Die pädagogische Konzepte des Jansenismus im ausgehenden 17. Jahrhundert und ihre Begründung. Theologische Ursprünge des modernen pädagogischen Paradigmas. *Jahrbuch für Historische Bildungsforschung, 2,* 59-84.

27. Vgl. Gusdorf, G. (1976). *Naissance de la conscience romantique au siècle des lumières.* Paris: Payot; p. 244 e.v.

28. Een van de beste werken, blijft: Sellmair, J. (1932). *Die Pädagogik des Jansenismus.* Donauwurth: Auer.

29. Vgl Spaemann, R. (199/1963). *Fénelon. Reflexion und Spontaneität.* Stuttgart: Klett-Cotta; p. 237-270.

30. Vgl. Van Crombrugge, H. (2003). Onderwijzen als het wijzen van de uittocht. *Diagoog, 2*(2). (www.diagoog.be)

31. Cit. in Titz, E. (1995).Exodus und Pädagogik. Die Exodus-Erzählung als Grundmuster der kritischen Bildungstheorie Heydorns. *Zeitschrift für Padagogik, 42,* 255-275; p.270.

32. Dit wordt verder uitgewerkt in Van Crombrugge, H. (in druk). Voorbij gezag en authenticiteit. Over geloofwaardigheid. In Braeckman, L. (Ed.). *De leerkracht als levensbeschouwelijk pedagoog.*

Gezins- en opvoedingsondersteuning tussen staat, gezin en pedagogiek

> 'Unter allen geheimen Gesellschaften und Klubs, welche der Staat oft in bedenklichen Zeiten untersagt, werden doch die Familienklubs von so vielen Kindern, als man taufen liess, unbedenklich geduldet.'
>
> JEAN PAUL[1]

Inleiding

Een tijdje terug belde een journaliste me op met de vraag wat ik dacht van de toch wel drieste ontwikkelingen inzake overheidsbemoeienis bij de opvoeding in het gezin. Zij was vooral ontsteld over de idee die in de Engelse pers verschenen was en waarin voorgesteld werd de kinderdagverblijven van staatswege beter uit te rusten om ouders te leren omgaan met hun kind. Kinderdagverblijven zouden uitgebouwd moeten worden tot echte centra voor oudervorming. '*Waar gaan we naar toe?*' vroeg ze zich af.

Ook al lijkt een dergelijk voorstel ver gaand en een teken des tijds, m.n. dat ouders totaal onbekwaam worden geacht en de opvoedingsdeskundigen steeds meer greep willen krijgen op de opvoeding, toch lijkt het me niet zo vergezocht. Zeker niet als we dergelijk voorstel plaatsen tegen de achtergrond van de logica van het moderne pedagogische denken. Reeds van bij de aanvang hebben pedagogen in naam van het belang van het kind, van het gezin en van de samenleving voorstellen gedaan om de vorming van ouders steeds ingrijpender te organiseren. '*Van waar komen we?*' vraag ik me af.

In volgende bijdrage breng ik voorstellen uit het begin van de 19de eeuw opnieuw onder de aandacht. Er blijkt niet zo veel nieuws onder de pedagogische zon te bestaan.

In de wereld van gezins- en opvoedingsondersteuning kunnen twee stromingen onderkend worden.[2] Aan de ene kant van het spectrum zijn er de voorstanders van een doorgedreven door de staat georganiseerde en door professionele pedagogen uitgevoerde gezins- en opvoedingsondersteuning. Daartegenover staan de zelfhulpgroepen en de *family support movement* die juist een alternatief willen bieden voor de professionalisering en pedagogisering van de gezinsopvoeding door de staat. Samen met Lieve Vandemeulebroecke heb ik sinds begin van de jaren negentig een concept van oudervorming en gezinsondersteuning ontwikkeld en verdedigd waarin gepoogd werd de kritiek van de *family support movement* om te buigen tot een alternatieve methodiek om te werken met gezinnen in diverse contexten.[3]

We begrepen toen de *family support movement* in de context van de historische analyses van de ontwikkeling van gezins- en opvoedingsondersteuning die aangaven hoe de probleemgerichte ondersteuning de gezinnen in een passieve rol bracht: enerzijds werden de ouders afhankelijk gemaakt van de hulpverleners die anderzijds een bepaalde norm van gezinsopvoeding doordrukten. Dit alles onder het mom van wetenschap en met de steun van een overheid die zich steeds meer maatschappelijke functies toeeigende.[4] Meer bepaald sloten we ons aan bij de stelling van Lasch dat de ouders inzake opvoeding 'geproletariseerd' werden: zoals de burgerij de productiemiddelen bemachtigd had, zo had de burgerij ook de reproductiemiddelen in handen gekregen. In naam van het 'belang van het kind' werd de ouderlijke macht steeds meer beperkt en toevertrouwd aan opvoedingsdeskundigen die de doelstellingen van de opvoeding bepalen, een overzicht hebben over het opvoedingsverloop en de ouders zeggen hoe en waartoe ze moeten opvoeden. Ouders vervreemden op deze wijze steeds meer van hun opvoedersrol: ze hebben geen inzicht in wat kan en mag inzake opvoeding. Het fenomeen van de zelfhulpgroepen begrepen we dan ook als een vorm van 'opstand van het proletariaat'. Dat de ouders nu in opstand komen, begrepen we niet alleen als een gevolg van het feit dat het steeds duidelijker werd dat de deskundigen hun 'toverformules' niet konden waarmaken,[5] maar ook in het kader van Alvin Gouldners theorie over de verhouding van staat en wetenschap.[6] Volgens deze laatste bestaat er binnen de burgerij een strijd tussen de 'oude' en de 'nieuwe' burgerij. De opvoedingsdeskundigen behoren tot de nieuwe burgerij die de staat poogt te controleren en uit te bouwen voor haar sociale en culturele interventies. Daartegenover staat de oude burgerij die de productiemiddelen bezit en liefst zo weinig mogelijk overheidsinitiatief voorstaat. Tussen de intellectuele en de ondernemende burgerij bestaat een groeiende kloof. Wanneer de bestaansmogelijkheid van de welvaartstaat – de staat van de nieuwe burgerij – in vraag gesteld wordt op grond van de economische problemen, is het moment gekomen dat de economische burgerij opnieuw het culturele monopolie naar zich kan en wil toehalen. '*No-nonsense*', '*common sense*', 'traditionele waarden' – termen die zowel door neo-liberalen als menig zelfhulpgroep in de mond genomen worden – vormen het alternatief voor de wetenschappelijke kennis van de intellectuele burgerij die gewraakt wordt.[7]

Hoewel de theorieën van Lasch en Gouldner een aantrekkelijk analysekader blijken te bieden, zou ik in deze bijdrage vanuit een andere hypothese het fenomeen van de gezins- en opvoedingsondersteuning willen herbekijken. Daar waar we vroeger vooral beklemtoonden dat de *family support movement* en ons concept van opvoedings- en gezinsondersteuning een alternatief waren voor de bestaande vormen van pedagogische hulpverlening aan gezinnen en als zodanig iets nieuws brachten, zou ik nu elementen willen onderzoeken, die erop wijzen dat de principes van de zogenaamde nieuwe ontwikkelingen reeds vervat zijn in de ideeën die aan de wieg staan van de moderne pedagogiek; met andere woorden: bij representanten van de opkomende 'intellectuele burgerij' van Gouldner, voor wie Lasch's 'proletarisering van het ouderschap', noch de verzorgingsstaat realiteit waren.

Aan de hand van een verkenning van ontwikkelingen in verschillende taalgebieden zal ik eerst trachten de wezenlijke kenmerken van de nieuwe gezins- en opvoedingsondersteuning aan te geven, zonder deze a priori te begrijpen als een 'opstand van het proletariaat'. Vervolgens zal ik kort ingaan op de omstandigheden die de opkomst van deze nieuwe benadering in de gezins- en opvoedingshulpverlening begrijpelijk kunnen maken, zonder dat beroep gedaan moet worden op de theorieën van Lasch en Gouldner inzake de verwevenheid van staat en wetenschap, overheid en deskundigheid. Dit zal mij in een laatste deel er toe brengen om terug te gaan in de geschiedenis van de moderne pedagogiek. Ik zal pogen aannemelijk te maken dat de principes van de zogenaamd nieuwe gezins- en opvoedingsondersteuning besloten liggen in dit moderne pedagogische denken en handelen en de daarin geïmpliceerde opvattingen over de verhouding van gezinsopvoeding, staat, wetenschap.

Empowerment en *Family Support Movement*

In de Verenigde Staten van Amerika spreekt men reeds sinds het einde van de jaren tachtig over een *'family support movement'*.[8] Het meest kenmerkende van de *'family support programs'*, die ook wel met de term *'family resource programs'* aangeduid worden, is dat de gezinsinterventies gebruik maken van bestaande of nog uit te bouwen informele sociale netwerken waarin de primaire leefvormen gesitueerd kunnen worden. De ondersteuning werkt in de context van de *'community'*, de plaatselijke gemeenschap, en het gezinsleven. Dit gebeurt vanuit een gemeenschappelijke voorziening: een school, een buurthuis, een kinderdagverblijf, een *'child and family resource center'* (Head Start), e.d. Gezinnen kunnen in deze instellingen elkaar ontmoeten, deelnemen aan gemeenschappelijke activiteiten, die al dan niet uitdrukkelijk gericht zijn op de ouder-kind relatie en/of het gezinsleven. Bij deze sociale en educatieve activiteiten wordt een cruciale rol toegekend aan 'leken': mensen uit dezelfde buurt en/of gelijkaardige achtergrond als de gezinnen en de ouders, die opgeleid en ingeschakeld worden als 'paraprofessionele' hulpverleners.

Een ander kenmerk is dat vanuit een dergelijk centrum aan de individuele gezinnen individuele hulp en begeleiding geboden kan worden. Centrale figuur is hier de *'home visitor'*: iemand die de mensen thuis opzoekt en mogelijke problemen hier met het gezin tracht op te lossen en/of te voorkomen.

Het uiteindelijke doel van dit alles is de *'empowerment'* van de gezinnen. Zij moeten in staat gesteld worden zelf problemen aan te pakken en op te lossen. Het principe van de hulpverlening is in feite begeleide zelfhulp. Dit impliceert dat de professionele hulpverleners niet langer uitgaan van een *'deficit model'*. De gezinsinterventie is niet zozeer gericht op het verhelpen van een probleem, van een tekort, maar veeleer op het ontwikkelen van de al dan niet latente mogelijkheden en *'strengths'* van de gezinnen en hun omgeving. De benadering is deze van een 'groei- en leermodel': gezinnen kunnen leren – hoofdzakelijk van elkaar – problemen op een zelfstandige wijze aan te pakken. Dit houdt tevens in dat alle gezinnen mogelijkheden hebben, maar ook dat alle gezinnen moeten leren deze te ontwikkelen. In de agaogische terminologie van Boshier: de gezins- en opvoedingsondersteuning is niet *'deficiency oriented'* en beperkt zich niet tot tot het vrijwaren van de *'life chances'*, maar is *'growth oriented'* en gericht op het vergroten van de *'life space'*.[9]

Een andere belangrijke implicatie van deze gezinsondersteuningsfilosofie is dat de ouders zo vroeg mogelijk van deze ondersteuning moeten kunnen gebruik maken en dat de gezinnen zo snel mogelijk in netwerken ingebouwd moeten zijn. In de literatuur spreekt men terecht niet langer over een preventieve benadering, maar over 'optimalisme' dat: *'extends the concept of prevention because it moves beyond avoiding or prevention of problems to promoting optimal development of children and families.'*[10]

Andere landen, andere contexten, een zelfde benadering

Deze nieuwe benadering die bij de hulpverlening aan gezinnen het accent legt op de sociale netwerken waar gezinnen onderlinge steun kunnen vinden en van elkaar kunnen leren en die uitgebouwd wordt rond een gemeenschappelijke voorziening van waaruit individuele thuishulp opgezet wordt, duikt op in verschillende landen en contexten.

In de Verenigde Staten verschijnen de ondersteuningsprogramma's vooral als een uitbreiding en/of als een erfgenaam van de *'Child and family resource centers'* van compensatieprogramma's zoals Head Start. Hierdoor staat de school vaak centraal.[11]

In Duitsland zien we eenzelfde filosofie opduiken in de *'Mütter- und Familienzentren'*.[12] Deze projecten *'Familien helfen Familien'* zijn enerzijds een ontwikkeling binnen het buurtopbouwwerk, anderzijds een uitloper van initiatieven voor kinderopvang, zoals de *'Eltern-Kindgruppen'* (coöperatieve kinderopvang)[13] en het *'Tagesmütter-Projekt'* (gastouderopvang)[14]. De emancipatie van de vrouw, via het scheppen van mogelijkheden om uit de geïsoleerde positie in het huishouden te geraken, is hierbij (nog steeds) een belangrijk motief. De principes van de centra zijn gelijklopend met deze van de Noordamerikaanse *family support movement*. Gezinnen hebben nood aan ondersteuning vooral bij de opvoeding van de kinderen en deze kan het best geleverd worden in en door de gemeenschap waarin de gezinnen leven. Het uitbouwen van sociale netwerken en het stichten van gemeenschap zijn daarom noodzakelijke initiatieven. In het *'Familienzentrum'* zijn daartoe ondergebracht: een moeder-kind café, een winkel voor tweedehands kinderkleding, opvoedingscursussen, allerlei dienstverlening zoals babysit, huiswerkbegeleiding, inkoopdiensten voor oudere mensen, contactmogelijkheid voor alleenstaande moeders en voor seniorenwerking, kinderopvang. Drie principes worden sterk benadrukt. 'Leken' kunnen heel wat inbrengen vanuit de eigen ervaringen, de kinderen moeten steeds meegebracht kunnen worden naar het centrum, en alle primaire leefvormen moeten welkom zijn.

Een andere context waar de ideeën van de gezinsondersteuning terug te vinden zijn, is deze van de volwassenenvorming en meer in het bijzonder het sociaal-cultureel-vormingswerk in verenigingsverband. Hier vertalen de principes zich naar het opzetten van groepen van gezinnen, zogenaamde *family clusters*[15] die elkaar geregeld willen ontmoeten om van elkaar te leren inzake gezin en opvoeding van de kinderen en die daartoe zelf de eigen vorming in handen nemen. Ook hier hebben we een *'home visitor'*, m.n. een vormingswerker die de verschillende gezinnen bezoekt en via gesprek tracht te achterhalen welke vormingsbehoeften bestaan en die dan samen met alle gezinsleden van de verschillende gezinnen zoekt naar een aangepast vormingsaanbod.[16]

Ook in andere specifieke contexten zien we elementen van de gezinsondersteuningsfilosofie. In de pleegzorg werd bijvoorbeeld in Nederland geëxperimenteerd met plaatsingen van de kinderen in een gezin dat reeds tot het netwerk van het gezin van oorsprong behoort.[17] Maar ook bij de begeleiding van pleegouders die niet tot het netwerk behoren, vinden we het concept van gezinsondersteuning terug bij de pleegouders die zelf een netwerk voor onderlinge steun opzetten.[18]

Een andere context is deze van de begeleiding van de zogenaamde *'multiproblem'*-gezinnen.[19] In Vlaanderen startte men zo vanuit kinderpsychiatrische en orthopedagogische hoek met 'moedergroepen', waarbij de idee is dat de moeders van elkaar (positieve) dingen kunnen leren. Naast de intensieve thuishulp, is cruciaal hierbij het 'leken'-principe: men tracht de moeders om beurt in de positie van groepsleider te plaatsen.[20]

Ook de talrijke projecten inzake coöperatieve kinderopvang getuigen vaak van de gezinsondersteuningsfilosofie. Er zijn de Franse *'crèches parentales'*,[21] de reeds vermelde Duitse *'Eltern-Kindgruppen'*, maar ook de Nederlandse peuterspeelzalen situeren zich reeds lang binnen deze traditie.[22] Naast het feit dat hier de gezinnen zelfstandig het probleem van de kinderopvang trachten op te lossen en dit in en door de plaatselijke gemeenschap, is de gezinsondersteuningsbenadering hier ook aanwezig in de onderstelling dat ouders zelf terzake deskundigheid bezitten en dat ze van elkaar terzake heel wat kunnen leren. Zo is de kinderopvang ook een plaats waar de ouders leren met kinderen om te gaan.

Vanwaar de interesse aan dergelijke gezins- en opvoedingsondersteuning?

Deze aandacht voor deze 'nieuwe' benadering in de gezins- en opvoedingsondersteuning is te begrijpen vanuit verschillende factoren. Hierbij moet een onderscheid gemaakt worden tussen enerzijds allerlei ontwikkelingen die de 'nood' inzake de opvoeding vergroten, en anderzijds 'omstandigheden' die maken dat gezinnen deze noden niet zelf aankunnen. Een mooie en representatieve illustratie van de wijze waarop in die jaren aangekeken werd tegen deze realiteit is te vinden in de *Nederlandse Programeringsnota Opvoedingsondersteuning* van het PCOJ.[23] De voor de Nederlandse situatie opgestelde opsomming van factoren, vinden we ook terug in internationale literatuur terzake.[24]

Binnen de factoren die leiden tot een minder vanzelfsprekend worden van de opvoeding, wordt een onderscheid gemaakt tussen interactieve, culturele en maatschappelijke factoren. De interactieve factoren zijn: veranderende rolpatronen, de toenemende variatie in vormen van primaire leefverbanden, afstemmingsproblemen tussen de verschillende opvoedingsmilieus, de invloed van de media, de verkleining van de gezinnen wat leidt tot enerzijds meer intense gezinsrelaties en anderzijds tot minder kansen om te leren omgaan met kinderen, de toegenomen mobiliteit van de gezinnen en de verdere aftakeling van de meer omvattende netwerken.

Als culturele factoren worden genoemd: het verdwijnen van een algemeen geldende 'pedagogische norm', professionalisering en daarmee samenhangende problematisering van de opvoeding, gepland ouderschap en de 'verwetenschappelijking' van het ouderschap, individuele zelfontplooiing, onderhandelingshuishoudens en gelijkwaardigheid in de opvoeding, de multiculturele samenleving, veranderende opvattingen over afwijkend en te tolereren gedrag.

De maatschappelijk factoren omvatten: de huisvestingsproblematiek in een vergrijzende en kindarme samenleving, de financiële en materiële problemen van heel wat huishoudens (de eenoudergezinnen, de economische crisis, de zinvolheid van de werk- en leefsituatie, het gezinsbeleid.

Deze ontwikkelingen leiden maar eerst onder bepaalde omstandigheden tot een daadwerkelijke onmacht van de ouders en de gezinnen om op te voeden en samen te leven in gezinsverband. In de vermelde Nota wordt gewezen op: de sociaal-economische achterstelling van bepaalde groepen (laag inkomen, weinig opleiding, werkloosheid, slechte werkomstandigheden), de isolement-bevorderende woon- en leefsituatie (oude buurten, kleine behuizing, alleenstaande ouders, allochtonen), de overgang naar nieuwe situaties (nieuw ouderschap, echtscheiding, verhuizing, veranderende culturele achtergrond, pleegouderschap). Daarbij worden nog een drietal andere factoren aangeduid: de wijze van verwerking van belastende situaties, de mate waarin ouders toegerust zijn voor hun opvoedingstaak, de mate waarin sprake is van een ondersteunend netwerk.

Deze factoren en omstandigheden verklaren vooral het feit van de groeiende behoefte aan begeleiding bij de opvoeding. Ze verklaren ook, zij het in mindere mate, dat bij de vormgeving wordt gekozen voor de besproken gezins- en opvoedingsondersteuning. De afbouw van de omvattende sociale structuren waarbinnen de gezinnen gesitueerd waren, wordt ervaren als één van de factoren die opvoeding problematisch maken. Met de grotere mobiliteit wordt tevens de noodzaak ervaren van het opbouwen van nieuwe netwerken, om de gezinnen in nieuwe verbanden in te bouwen, met andere woorden om gemeenschappelijkheid tussen de gezinnen te mobiliseren en/of te creëren. Door het verdwijnen van een algemeen maatschappelijk geldende pedagogische norm, waarmee ook de opvoedingsdeskundigen geconfronteerd worden, neemt de noodzaak aan een 'opvoedingsberaad' in de samenleving toe, waarbij alle betrokkenen aangesproken moeten worden. De netwerkgedachte is voor deze problemen een oplossing. De vermelde verscheidenheid aan primaire leefvormen, de individualisering en de privatisering van de huishoudens geeft aan waarom een individualisering van de interventies, bijvoorbeeld door een *'home visitor'*, aangewezen is.

Er zijn echter ook andere redenen die de nieuwe opvoedings- en gezinsondersteuning verklaren. Het beleid is in de verschillende landen dergelijke vorm van gezinsondersteuning allicht ook gunstig gezind omwille van de kostenbesparende aspecten. De uitbouw van sociale netwerken lijkt minder financiële middelen te vereisen. En de nadruk op de preventie en/of optimalisatie houdt de belofte in zich dat er minder curatieve hulpverlening nodig zal zijn in de toekomst. De discussies in Nederlandse tijdschriften als *Jeugd en Samenleving* en *Tijdschrift voor Jeughulpverlening en Jeugdwerk* in de jaren '90 zijn voor deze bekommernissen vanuit de overheid illustratief. In de Angelsaksische wereld is deze politieke factor in de discussie ook duidelijk aanwezig.[25]

Gezinsondersteuning als pedagogisch project

Bij dit alles mag echter niet uit het oog verloren worden dat de wortels van de filosofie van de gezinsondersteuning veel verder teruggaan. Bij de principes van de gezinsondersteuning gaat het ook om ideeën die wanneer in historisch perspectief geplaatst, niet zo nieuw zijn; die echter nu opduiken omdat de maatschappelijke, culturele en economische omstandigheden hiervoor gunstig zijn.

Head Start, het buurtopbouwwerk, alsook allerlei vormen van coöperatieve kinderopvang werden reeds vermeld. We kunnen nog verder teruggaan in de geschiedenis; en wel naar de wortels van het moderne pedagogische denken.

De grond voor onze (veronder)stelling is gelegen in het hoger genoemde 'optimalisme'-perspectief van de gezins- en opvoedingsondersteuning. De nieuwe gezins- en opvoedingsondersteuning gaat uit niet van een *'deficit model'*, wel van een groei- en/of leermodel, zo werd aangegeven. Een juistere typering is dat het model een uitgesproken pedagogisch model is. Dit wil zeggen dat de ondersteuning van de opvoeding zelf naar het model van opvoeden gedacht wordt. Dit is eenvoudig aan te tonen.

Opvoeden is in de moderne pedagogiek op één of andere wijze altijd gedacht als een handelen vanwege de opvoeder dat gericht is op de volwassenheid, de 'zelfver-antwoordelijke zelfbepaling' (Langeveld) van de opvoedeling, waarbij uitgegaan wordt van de opvoedbaarheid van de opvoedeling, en waarbij de tussenmenselijke omgang – de pedagogische relatie – het onontbeerlijk medium is voor iets wat uit-eindelijk dan toch als een zelfactiviteit van de opvoedeling opgevat moet worden.

Vervang de term opvoedeling door gezin en/of ouders, de opvoedbaarheid door de eigen mogelijkheden van het gezin (de *family resources*), en de intersub-jectieve omgang door sociale netwerken, en je hebt de principes van de *family support movement*.

Zoals in de opvoeding een onophefbare spanning bestaat tussen indivi-dualiteit en socialiteit, die maakt dat opvoeding ondenkbaar is zonder zowel de zelfactiviteit van de opvoedeling als de sociale omgang met de opvoeders; zo zijn de twee cruciale elementen in de gezinsondersteuning enerzijds de '*home visitor*' die aan de eigenheid van elk gezin recht wil doen, en anderzijds de ondersteuning in en door het sociale netwerk.

Het typische voor de nieuwe gezins- en opvoedingsondersteuning is met andere woorden dat de ondersteuning als een pedagogisch handelen geconci-pieerd wordt. Deze gedachte nu is pedagogen – en zeker de Nederlandstali-gen – niet onbekend. In de na-oorlogse periode hebben een aantal (klinische en/of ortho)pedagogen, zoals Vliegenthardt, Lubbers en Kok, geïnspireerd door Langeveld, gepoogd juist deze intuïtie te conceptualiseren, en zodoende een eigen pedagogische hulpverlening te legitimeren.[26] Dit resulteerde onder meer in een aantal vormen van gezinsgerichte hulpverlening.[27]

Deze vaststelling kan er ons toe brengen nog verder in de geschiedenis terug te gaan, en wel naar einde achttiende, begin negentiende eeuw, de periode waarin het moderne pedagogische denken vaste vormen kreeg.

Twee notoire pedagogen – Fröbel en Herbart – hebben toen reeds voorstel-len geformuleerd en initiatieven genomen van opvoedingshulp als een pedago-gische activiteit, waarbij de gedachte aan sociale netwerken en aan '*home visitors*' reeds duidelijk aanwezig was.

Het kan hier niet de bedoeling zijn om een historische reconstructie te maken van de wortels van de gezins- en opvoedingsondersteuning in de moderne pedagogiek. Hoogstens willen en kunnen we hier aangeven dat het zinvol zou zijn om een historische analyse vanuit dit perspectief op te zetten.[28]

De opvoedingsverenigingen van Fröbel

In zijn '*Aufruf zur Gründung von Erziehungsvereinen*' uit 1845, stelt Friedrich Fröbel dat de ouders behoefte hebben aan begeleiding.[29] Hij stelt echter tevens vast dat alle denkbare interventies die tot dan toe opgezet zijn, geen bevredigend effecten kennen. De meest adequate vorm van hulp aan de gezinnen bij de opvoe-ding van hun kinderen en jongeren, moet gezocht worden in het samenbrengen van de gezinnen, in het vormen van 'opvoedingsverenigingen'. Er bestaan voor alles verenigingen, behalve voor de opvoeding hoewel deze iedereen aanbelangt. Dat men de oplossing nooit in die richting heeft gezocht, kan Fröbel aan niets anders toeschrijven dan aan het feit dat de mensen nu eenmaal voorbijgaan aan wat voor hun bestaan wezenlijk noodzakelijk is, in dit geval het samenleven. De verenigingen hebben een drievoudige opgave. Ze moeten ten eerste inzicht verwerven in de vereisten van een hedendaagse opvoeding. Ten tweede moeten ze de problemen in de gezinnen en bij de opvoeding leren oplossen en/of de wegen tot oplossing leren kennen. En ten derde – en dit is het belangrijkst – moeten de gezinnen gemeenschappelijk de opvoeding van hun kinderen in daad en woord doorvoeren. Het grondprincipe is dat de gezinnen samen uitdagingen aankunnen die ze geïsoleerd niet kunnen bemeesteren. Hij besluit met te zeggen dat hij niet in detail kan aangeven hoe deze gezinsverenigingen verder concreet georganiseerd moeten worden, daar uit de aard van de zaak volgt dat elke vereniging van gezinnen anders zal (en moet) zijn.

Een concrete aanleiding om ouders te verenigen is de kinderopvang. Fröbel stelde zich zijn *'Kindergarten'* niet alleen voor als een instelling voor kinderopvang, maar als een plaats waar vrouwen kunnen leren met hun kinderen om te gaan, ze te verzorgen en op te voeden, als een *'Elternschule'*.[30] Hierbij vallen twee aspecten onmiddellijk op. Vooreerst is het interessant te zien hoe Fröbel iets voor ogen staat, dat een vaste component is in heel wat gezinsinterventieprogramma's.[31] Door middel van spelactiviteiten zullen de ouders niet alleen de ontwikkeling van hun kind leren stimuleren, ze zullen ook hun kind beter leren kennen. Een tweede opvallend iets is dat Fröbel deze *'Kindergarten'* ook uitdrukkelijk zag niet alleen als zijnde geïntegreerd in de plaatselijke gemeenschap, maar als gemeenschaps-integrerende instelling, die de 'vervreemding' – niet in het minst deze tussen de kinderen en de volwassenen – moet meehelpen opheffen. Het moet een plaats zijn waar het maatschappelijke en het gezinsleven elkaar doordringen. Een opgave die nu ook uitdrukkelijk gericht wordt naar de centra voor gezinsondersteuning.

Dit is een eerste concreet voorbeeld van 'gezinnen helpen gezinnen'. Op deze idee van Fröbel zijn andere pedagogen verder gegaan: bijvoorbeeld zijn neef Karl Fröbel, en de sociaal-pedagoog Paul Natorp.[32]

De huispedagoog van Herbart

Een voordracht van één van de *'Urhebers'* van de moderne pedagogiek is allicht nog veel illustratiever voor deze pedagogische intuïtie.

In 1810 hield namelijk Johann Friedrich Herbart in de *Deutsche Gesellschaft* te Königsberg een lezing *'Über Erziehung unter öffentlicher Mitwirkung'* waarin hij stelling nam tegen de ideeën van Fichte betreffende een *'Nationalerziehung'*, een door de staat volledig gecontroleerde opvoeding.[33] Hij tracht aan te geven hoe in pedagogisch perspectief – dat uitdrukkelijk afgezet wordt tegen een politiekfilosofisch perspectief – de opvoeding van de kinderen en de begeleiding van de ouders bij de opvoeding georganiseerd moet worden. Hij komt hierbij tot de conclusie dat de ondersteuning moet uitgaan van gezinnen die zich met deze bedoeling verenigen. Opvoeding is geen zaak van het ene gezin, noch van de staat, maar wel van de gezinnen samen. En wat hierbij nog meer opvalt, is de rol die Herbart hierbij aan de pedagoog toebedeelt, namelijk één die vergelijkbaar is met de *'home visitor'* van de *'family support programs'*.

Wat is de kern van Herbarts betoog? Vooreerst stelt Herbart, die in de historische pedagogiek geassocieerd wordt met vooral onderwijs en didactiek, dat scholen pedagogisch gezien niet wenselijk zijn, en hoogstens geduld kunnen worden omdat er te veel kinderen en te weinig opvoeders zijn.[34] Opvoeding is gericht op de ontplooiing van de individualiteit van elke mens, en moet dan ook maximaal geïndividualiseerd worden. Als zodanig hoort opvoeding eerder thuis in het gezin. Hij onderkent evenwel dat ouders onvoldoende competent zijn. Daarom moeten de ouders bijgestaan worden. Dit kan evenwel niet door de staat gebeuren. De gezinnen moeten zich verenigen om zich zelf dergelijke ondersteuning te verschaffen. Concreet denkt Herbart aan een 'huisleraar' die door een aantal gezinnen geëngageerd wordt – of nog beter: die zelf een aantal gezinnen weet samen te brengen rond de opvoeding van hun kinderen – en die de ouders met raad en daad bijstaat bij de opvoeding. De rol van de staat kan hoogstens erin bestaan deze huispedagogen te vormen.

Herbart heeft dat jaar ook daadwerkelijk voorstellen ten aanzien van het beleid geformuleerd. Hij diende met name een *'Plan der Errichtung eines Haus-lehrersinstituts für die Provinz Ostpreußen'* in bij de *'Wissenschaftliche Deputation für öffentliche Erziehung'* van Königsberg op 23 mei van hetzelfde jaar.[35] Hierin vraagt hij aan de regering van Pruisen een instituut op te richten dat dergelijke huispedagogen zou vormen, dat tevens zou bemiddelen bij plaatsaanvragen en dat ook zou toezien op de kwaliteit van de activiteiten van de huispedagogen. Waarvoor Herbart zich zelf trouwens kandidaat stelt.

De huispedagoog wordt door Herbart vergeleken met een huisarts die in huis geroepen kan worden om de nood te helen. De pedagoog zal echter regelmatiger de gezinnen moeten bezoeken, niet alleen wanneer er een acute nood is. En zoals de huisarts spreekuren houdt en recepten voorschrijft, zal de huispedagoog de gelegenheid scheppen voor ouders om over de opvoeding te komen spreken en zal hij raad geven inzake de opvoeding van de kinderen.

De ambitie van Herbart om op deze manier de scholen als het ware overbodig te maken of althans te reduceren tot leveranciers van kennis waarop gezinnen beroep kunnen doen, is te ver gegrepen en allicht ook niet wenselijk. De opvoeding zou zo te veel afhankelijk zijn niet alleen van de ouders die niet noodzakelijk het beste met hun kind voorhebben, maar ook van andere maatschappelijke krachten die andere dan pedagogische belangen nastreven, zoals de economie. Dit is trouwens één van de redenen omwille waarvan Schleiermacher namens de *'Wissenschaftliche Deputation'* het voorstel van Herbart zal afwijzen.[36] Als vorm

van gezins- en opvoedingsondersteuning die voortvloeit uit een pedagogische redenering is het echter wel interessant.

Tot besluit

Het is duidelijk dat de idee om verenigingen van gezinnen op te richten waarbij de
gezinnen zich zouden beraden over de opvoeding van hun kinderen, waar ze van
elkaar zouden kunnen leren en zich samen zouden inzetten voor die opvoeding
en vooral ter voorkoming van mogelijke problemen, een toe te juichen idee is, en
datgene is wat ons nu voor ogen staat bij gezins- en opvoedingsondersteuning.

De wijze waarop Herbart en Fröbel deze ideeën ontwikkelen, is trouwens
ook politiek interessant. Hier wordt duidelijk dat opvoedings- en gezinsondersteuning vanuit en met de gezinnen, niet noodzakelijk een oplossing is van een
beleid dat zo niet geen, dan toch minder geld wil spenderen aan hulpverlening
aan gezinnen. Er is ook een emancipatorisch motief aan te geven. Opvoeding
mag niet overgelaten worden aan de staat die haar eigen belangen nastreeft, ze kan
echter ook niet overgelaten worden aan de individuele ouders die hun particuliere belangen nastreven en die niet over de nodige competenties beschikken. Het
welzijn en groot-worden van de kinderen kan het best verzorgd worden door en
vanuit gezinnen die zich daartoe verenigen en die zich gezamenlijk inzetten om
dit te bereiken. Opvallend is dat Herbart en Fröbel op deze wijze een aspect benadrukken dat in de huidige discussies over de rol van de staat bij het opzetten van
al dan niet verplichte preventieve opvoedingshulp marginaal blijft.[37] We denken
hierbij aan de rol van het 'middenveld' tussen staat en gezin; een rol die voor heel
wat pedagogische denkers in de achttiende en negentiende eeuw vanzelfsprekend
was en die de dag van vandaag vanuit communautaristische hoek verdedigd en
geconceptualiseerd zou kunnen worden.[38]

Reeds meer dan tweehonderd jaar geleden zei von Humboldt: '*Wer oft und
viel geleitet wird, kommt leicht dahin, den Überrest seiner Selbsttätigkeit gleichsam
freiwillig zu opfern. (...) Wie jeder sich selbst auf die sorgende Hülfe des Staats verlässt,
so und noch weit mehr übergiebt er ihr das Schiksal seines Mitbürgers. Diess aber
schwächt die Theilnahme, und macht zu gegenseitiger Hülfsleistung träger.*'[39]

Indien emancipatie het doel is van de opvoeding, dan gelden deze woorden niet alleen de primaire opvoeders, maar ook voor hulpverleners en voor alles
zouden ze het denken over de verhouding van overheid, gezin en opvoedingsondersteuning kunnen motiveren.

Noten

1. Jean Paul (1963/1814/1811). *Levana oder Erziehlehre*. Paderborn: Schönigh; p. 13.
2. Vandemeulebroecke, L. & Crombrugge, H. van (1993). Family Life Education. In T. Husen & T.N. Postlewhaite (Eds.). *The International Encyclopaedia of Education. Second Edition. Vol. IV.* (pp. 2262-2267). London: Pergamon.
3. Van Crombrugge, H. & Vandemeulebroecke, L. (1992). Naar een concept van vorming van ouders. In J. Gerris (Ed.), *Opvoedings- en gezinsondersteuning.* (pp. 27-46). Lisse: Swets & Zeitlinger.
4. Donzelot, J. (1971). *La police des familles*. Paris: Minuit; Lasch, C. (1977). *Haven in a heartless world*. New York: Basic Books.
5. Trotha, T. von (1990). Zum Wandel der Familie. *Köllner Zeitschrift für Soziologie und Sozial-psychologie, 42,* 452-473.
6. Gouldner, A.W. (1979). *The future of the intellectuals and the new class.* London: MacMillan; p. 14.
7. Van Crombrugge, H. (1986). Opvoeden, een kwestie van overleven? De Toughlove-beweging in de Verenigde Staten. *Jeugd en Samenleving, 16*(7), 419-432; David, M. (1983). Sex, education and social policy: a new moral economy. In S. Walker & L. Barton (Eds.), *Gender, class and education.* Sussex: Falmer Press.
8. Weissbourd, B. & Kagan, S.L. (1989). Family support programs: catalysts for change. *American journal of orthopsychiatry, 59*(1), 20-31; Zigler, E. & Black, K.B. (1989). America's family support movement: strengths and limitations. *American journal of orthopsychiatry, 59*(1), 6-19; zie ook: Price, R. H. e.a. (1989). The search for effective prevention programs: what we learned along the way. *American journal of orthopsychiatry, 59*(1), 49-58; Weiss, H. B. (1989). State family support and education programs: lessons from the pioneers. *American journal of ortho-psychiatry, 59*(1), 32-48.
9. Boshier, R. (1977). Motivational orientations re-visited; life-space motives and the education participation scale. *Adult education, 27,* 89-115.
10. Weisborn & Kagan (1989); p. 22.
11. Bronfenbrenner, U (1986). Alienation and the four worlds of childhood. *Phi delta kappan 67*(6), 430-436.
12. Gerzer, A. (1991). Mütter- und Familienzentren: mehr als ein Treffpunkt in der Nachbarschaft *Diskurs, 1*(1), 41-46.
13. Hopf, A. (1988). Eltern-Kindgruppen in der Früherziehung. *Zeitschrift für Pädagogik, 23* (Beiheft: Erziehung und Bildung als öffftliche Aufgabe), 279-282.
14. Arbeitsgruppe 'Tagesmütter' (1985). *Das Modellprojekt Tagesmütter.* München: Deutsches Jugendinstitut.
15. Sawin, M. H. (1986). The family cluster approach tot family enrichment. In L. Denton (Ed.), *Marriage and family enrichment.* (pp. 47-58). London: Haworth Press.
16. Van Crombrugge, H. (1990). Leren opvoeden, een kwestie van vorming. *Vorming, 6,* 43-56.
17. Nijon. S. (1991). Ouders in de pleegzorg *Tijdschrift voor jeugdhulpverlening en jeugdwerk, 3*(6), 36-40.

18. Van Crombrugge & Vandemeulebroecke, L. (1994). Foster care education in Belgium. A review of emerging policy. In B. McKenzie (Ed.), *Current perspectieves on foster family care for children and youth.* (pp. 124-130). Dayton-Toronto: Wall & Emerson.

19. Ghesquiere, P. (1989). Multiproblem gezinnen. Eigenaardige cliënten vragen een eigen-aardige hulpverlening *Tijdschrift voor orthopedagogiek, kinderpsychiatrie en klinische kinderpsychologie, 14* (4), 157-170.

20. Smeyers, L. & Adriaenssens, P. (1991). De moedergroep: een andere manier van hulpverlenen. In E. Eggermont & P. Adriaenssens (Eds.), *Kindermishandeling. Perspectief in interacties.* (pp. 156-163). Leuven-Apeldoorn: Garant.

21. Combes, J. (1990). The advantages of parent participation'. In J. Peeters e.a. (Eds.), *Family day care. Family day care provider: teacher or substitute mother?* (pp. 255-285). Gent-Brussel-Leiden: VBJK-K&G-NOB/DR.

22. Rijswijk-Clerkx, L. E. van (1981). *Moeders, kinderen en kinderopvang.* Nijmegen: SUN.

23. PCOJ (1990). *Programmeringsnota: opvoedingsondersteuning ter vergroting van de opvoedingsbekwaamheid van primaire opvoeders.* Utrecht: PCOJ.

24. Naast de reeds vermelde artikels, zie ook: Pourtois, J.-P. (1984). *Eduquer les parents.* Bruxelles: Labor.

25. Zie ook David (1983).

26. Geld, A. M. C. van der (1984). *Opvoedingshulp in theorie en praktijk.* Leuven-Amersfoort: Acco.

27. Hellinckx, W. (1987). Op weg naar een gezinsgerichte hulpverlening. In P. Van Oeffelt (Ed.), *Aspecten van orthopedagogisch denken en handelen.* (pp. 129-144). Leuven-Amersfoort: Acco.

28. Van Crombrugge. H. (2003²/1999). *Verwantschap en verschil.* Antwerpen-Apeldoorn: Garant; zie ook: Liegle, L. (1987). Freie Assoziationen von Familien -eine 'postmoderne' familiale Lebensform? In L. Liegle, *Welten der Kindheit und Familie. Beiträge zu einer pädagogischen und kulturvergleichenden Sozialisationsforschung.* (pp. 197-225). München: Juventa.

29. Fröbel, F. (1966/1845). Aufruf zur Gründung von Erziehungsvereinen; nebst Statuten eines solchen Vereins (1845). In F. Fröbel, *Gesammelte pädagogische Schriften. Abteilung 2.* (pp. 484-500). Osnabruck: Biblio.

30. Reyer, J. (1988). Kindergartenprinzip und Anstaltsform. Erziehungspolitische und erziehungspraktische Transformation einer pädagogischen Idee. *Neue Sammlung, 28*(4), 486-504.

31. Zie bijv. Eldering, L. (1990). Interventieprogramma's voor jonge kinderen uit ethnische minderheidsgroepen. *Tijdschrift voor orthopedagogiek, 29,* 500-523; Pourtois (1984).

32. Liegle (1987); zie ook: Schymroch, H. (1989). *Von der Mütterschule zur Familienbildungsstätte. Entstehung und Entwicklung in Deutschland.* Freiburg: Lambertus.

33. Herbart, J. F. (1964). Über Erziehung unter öffentlicher Mitwirkung (1810). In J. F. Herbart, *Pädagogische Schriften. Band 1: Kleine pädagogische Schriften.* (pp. 143-151). München: Küpper.

34. Benner, D. (1976). Herbart als Schultheoretiker. Zur Bedeutung seiner Konzeption des 'erziehenden Unterrichts' für eine Entschulung der Schule. In F.W. Busch & H.D. Raapke (Eds.), *Johann Friedrich Herbart. Leben und Werk in den Widersprüchen seiner Zeit. Neun Analysen.* (pp. 53-66).

35. Herbart, J. F. (1965/1810). Plan der Errichtung eines Hauslehrerinstituts für die Provinz Ostpreußen (1810). In J. F. Herbart, *Pädagogische Schriften. Band 3: Pädagogisch-didaktische Schriften.* (pp. 41-43). München: Küpper

36. In Herbart (1965/1810); zie ook: Schleiermacher, F.D.E. (2000/1814). Über den Beruf des Staates zur Erziehung. In F. Schleiermacher, *Texte zur Pädagogik. Band 1. (Ed. Winkler & Brachmann).* (pp.272-289). Frankfurt: Suhrkamp; Van Crombrugge, H. (1996). Schleiermacher über Erziehung und Familie. *Vierteljahrsschrift für Wissenschaftliche Pädagogik, 72,* 495-509.

37. Willems, J.C.M. (1998). *Wie zal de opvoeders opvoeden?Kindermishandeling en het recht van het kind.* Dissertatie Universiteit Maastricht; vgl. Van Crombrugge (1999a). De gezinspedagogische betekenis van het Verdrag inzake de Rechten van het Kind. In M. Bouverne- de Bie e.a., *Het gezin en de rechten van het kind.* (pp. 13-58). Leuven-Leusden: Acco.

38. Krautkrämer, U. (1979). *Staat und Erziehung. Begründung öffentlicher Erziehung bei Humboldt, Kant, Fichte, Hegel und Schleiermacher.* München: Johannes Berchmans.

39. Humboldt, W. von (1960). Ideen zu einem Versuch die Gränzen der Wirksamkeit des Staats zu bestimmen (1792). In W. von Humboldt, *Werke in fünf Bänden. Band 1: Schriften zur Anthropologie und Geschichte.* Darmstadt: Wissenschaftliche Buchgesellschaft; p. 74 e.v.

KEY[6] 1849-1926

'Er moet een pedagogische zondvloed komen en de ark mag alleen Montaigne, Rousseau, Spencer en de nieuwe kinderpsychologische literatuur bevatten'. Deze zin kan men vinden in een Zweeds boek uit 1900 met de titel '*De eeuw van het kind*' en waarvan de schrijfster een publiciste is: Ellen Key. Zowel de gevestigde als academische pedagogische wereld probeerde deze publicatie te negeren. Een aankomende generatie van opvoeders vond evenwel bij Key de verwoording van de eigen onvrede met de bestaande pedagogische praktijken en opvattingen alsook voorstellingen voor de eigen aspiraties inzake een hervorming van opvoeding en onderwijs.

Ellen Key werd geboren op 11 december 1849 als eerste van zes kinderen op een landgoed in het zuiden van Zweden. Haar vader was politiek actief als liberaal volksvertegenwoordiger en was een van de stichters en leidende figuren van de boerenpartij. Haar moeder kwam uit een prestigieus aristocratisch milieu. Haar opvoeding genoot Ellen haast geheel thuis. Het sluitstuk hierop was een reis (*Bildungsreise, Grand Tour*) doorheen Europa. Haar vader begeleidde haar op deze reis die voor hemzelf een studie was van het Duitse onderwijssysteem. Ellen Key richtte een zondagschool op voor het personeel van haar vaders landgoed en gaf er zelf les. De eerste publicaties van Key waren literatuurkritische bijdragen in progressieve vrouwentijdschriften (bijv. over George Eliot, Elisabeth Barrett Browning). Als secretaresse van haar vader kwam zij in contact met het liberale gedachtegoed en de Zweedse politiek. Zij zelf sympathiseerde meer en meer met de arbeidersbeweging. In 1880 begon zij les te geven in een privé school voor meisjes, waar zij poogde allerlei alternatieve leermethoden uitprobeerde. De daaropvolgende jaren '80 en '90 gaf Key voordrachten over literatuur en ideeëngeschiedenis aan een arbeidershogeschool in Stockholm. Vooral onder invloed van de beweging van Ruskin en Morris ontwikkelde zij haar opvatting van 'de schoonheid van het dagelijks leven', waarbij kunst opgevat werd als een pedagogische motor in het dagelijks leven om mensen niet alleen gelukkiger te maken maar ook moreel te verheffen. Deze '*arts and craft*' beweging promootte ze via talloze artikels en evenementen inzake huisinrichting. Vanaf 1900 rees haar ster in Europa als publiciste. Haar meest beroemde werken waren de *Eeuw van het kind* (1900) en *Levenslijnen* (1906). Reeds in 1896 had ze in Zweden opzien verwekt met haar kritiek op de feministische bewe-

---

6. Vgl. H. Van Crombrugge (2005). Ellen Key (1849-1926). Feministische pleitbezorger van de eeuw van het kind. *Pedagogiek in praktijk, 11*(5), 42-44.

ging in haar boek *Misbruikte vrouwenkracht*. Key was een veel gezien figuur in Europese intellectuele kringen. Niet alleen reisde ze zelf heel Europa rond voor voordrachten, op haar eigen villa – welke na haar dood als een ontmoetings- en werkruimte voor vrouwelijke intellectuelen bleef voortbestaan, ontving ze tal van schrijvers, kunstenaars en hervormers allerlei. Key stierf op 25 april 1926 te Alvastra. In het Nederlands werden de meeste van Keys werken vertaald: *De nieuwe maatschappij* (1906); *De eeuw van het kind* (1903); *De weinigen en de velen* (z.j); *De ethiek van liefde en huwelijk* (1904), *Levenslijnen* (1906), *De misbruikte krachten der vrouw* (1898); *De moedige vrouw* (1911); *Liefde en ethiek* (z.j); *De vrouwenbeweging* (1909).

In '*De eeuw van het kind*' formuleert Key als geen ander de principes van een opvoeding '*vom Kinde aus*' binnen een naturalistisch – zeg maar biologisch – kader. Zo luidt ze inderdaad een eeuw – of in elk geval een aantal decennia – in, gekenmerkt door tal van 'reformpedagogische' experimenten die in opvoeding en onderwijs het kind centraal stellen en die daarbij vooral veel verwachten van de natuurwetenschappelijke (biologische) studie van de menselijke geest. Enkele citaten uit Keys manifest zijn veel betekenend. 'Rustig en langzaam

de natuur zich zelf laten helpen, en alleen maar toezien dat de omgeving de arbeid van de natuur ondersteunt, dat is opvoeding'. 'Tracht het kind in vrede te laten, zo weinig mogelijk onmiddellijk in te grijpen, en alleen ruwe en onzuivere indrukken te verwijderen'. 'Niet vooraleer vader en moeder het hoofd in het stof buigen voor zijne kinderlijke hoogheid, niet vooraleer ze inzien dat het woord kind louter een andere uitdrukking is voor het begrip majesteit, niet vooraleer ze voelen dat het de toekomst is die in de gestalte van hun kind in hun armen sluimert, zullen ze ook niet begrijpen dat ze de macht, noch het recht hebben dit nieuwe wezen wetten voor te schrijven, zoals ze ook niet de macht noch het recht hebben de sterren hun baan op te leggen.'

Bij Key vind je dezelfde merkwaardige mix van Darwin en Nietzsche die je ook bij tal van reformpedagogen – hoe verscheiden ook – terugvindt. De mens is deel van een constante natuurlijk verlopende (re)generatie en/of evolutionair proces, waarbij het kind als geen ander de 'levenskracht' die alles en iedereen doordringt, belichaamt. Opvoeding die recht wil doen aan het kind moet het kind niet '*Führen*' maar '*Wachsenlassen*'. Deze levenskracht individualiseert zich in elk wezen. Niets of niemand kan of mag hierin ingrijpen. Wat haar verbindt met de vermelde Montaigne en Rousseau is niet dat biologisme (wat wel voor Spencer kenmerkend is) maar wel het respect voor de individualiteit van het kind als element van de natuur. In feite komt haar mens- en wereldbeeld nog het meest overeen met Fröbels 'natuurmystiek'. 'Zelf zoals de kinderen worden is de eerste voorwaarde om kinderen op te voeden'. In de plaats van het kind te sturen, moet de opvoeder het goede voorbeeld geven door zelf ruimte te geven aan de levenskrachten in hem of haar. Spontaneïteit, creativiteit, levenslust, enthousiasme, openheid voor alle mogelijke ervaringen, durf zich uit te leven e.d. zijn de waardevolle grondhoudingen van de nieuwe tijd die de opvoeder moet voorleven en waartoe hij tijd en ruimte aan het kind moet schenken. Dit zijn de basishoudingen van de nieuwe mens, de '*Uebermensch*'. Met Nietzsche stelt Key dan ook dat het de opvoeders zijn die het kind vergiffenis moeten vragen voor het tekortschieten bij het 'schenken van het leven'.

Het is niet verwonderlijk dat Key deze opvattingen niet op de eerste plaats uitwerkt naar een hervorming van het onderwijs op school. De school waar kinderen in groep gedisciplineerd worden en waar '*en masse*' leerprocessen georganiseerd worden, is per definitie een kwaad. Het ideaal is de individuele opvoeding of beter de individuele zelfontplooiing in een ervaringsrijke wereld. Key zelf had goede herinneringen aan haar eigen kindertijd: zij ging zelf niet naar school, maar leerde onder begeleiding van gouvernantes op het landgoed van haar ouders, waar vooral de bibliotheek van haar vader en de omringende natuur haar inspireerden. Als zij dan toch voorstellen voor een nieuwe school doet, zijn deze niet altijd erg consequent. Dat ze pleit voor veel aandacht voor lichamelijke opvoeding, expressieve en creatieve vorming is niet verwonderlijk. Ook haar aandacht voor natuurwetenschappen en proefondervindelijke kennis is nog begrijpelijk. Ze heeft er echter geen probleem mee dat deze kennis opgelegd zou worden: ervaringsgerichtheid blijkt dan wel geen uiting meer te zijn van respect voor het kind, maar louter een effectieve leermethode. Helemaal merkwaardig is haar opvatting dat juist kleine kinderen niet teveel zichzelf mogen zijn: opdat ze zich zouden kunnen ontplooien moeten ze eerst 'gedresseerd' worden met het 'oog op een hogere ontwikkeling'.

De meest concrete voorstellen van Key betreffen vooral de maatschappelijke positie van het kind en de verhouding van het kind tot zijn ouders. Niet ouders hebben recht op een kind, wel heeft het kind recht op goede ouders. Heel provocatief heeft zij het over het recht van het kind zijn ouders te kiezen. Goede ouders zijn die ouders die bewust kiezen voor de ontplooiing van het kind. Niemand mag verplicht worden kinderen op te voeden. Deze laatste zin moet geplaatst worden in de context van Ellen Keys 'feminisme'. Voor 1900 was Key vooral bekend als voorvechtster van de vrouwenrechten (bijv. 1896 '*De misbruikte krachten der vrouw*'). Waarover meer in dit hoofdstuk over Ellen Keys visie op het moederschap.

De betekenis van Ellen Keys '*Eeuw van het kind*' ligt niet zozeer in het feit dat ze aan de bron zou liggen van de Reformpedagogiek van de daaropvolgende eeuw. Key is niet het begin, maar is wel iemand die als geen ander in staat was de pedagogische onvrede van haar tijd te verwoorden. Enerzijds was er de ontwikkeling van de biologische wetenschappen algemeen en het Darwinisme – het inzicht in de evolutie – ook op het domein van de psychologie die een herinterpretatie van opvoeding noodzaakten. Anderzijds was er het toenemend individualisme en de verbreiding van de door Nietzsche verwoorde bestaanservaring van 'God is dood' die een gezagsvolle opvoeding herleidde tot een problematische willekeurige autoritaire opvoeding, waardoor de pedagogiek voor een rechtvaardigingsprobleem gesteld werd. '*De eeuw van het kind*' is een welsprekend pamflet dat deze thematiek aan de orde stelt, en dat heel aanstekelijk oproept tot alternatieve praktijken. De betekenis van Ellen Key moet dan ook niet gezocht worden op het niveau van concrete hervormingen die ze geïnitieerd zou hebben of die op haar voorstellen terug zouden gaan. Haar betekenis is veeleer van culturele aard: ze heeft concepten en perspectieven aangereikt voor diegene die opvoeding en onderwijs hervormden. Dat is haar grote verdienste.

Tevens ligt hier juist haar beperking. Zij verving het grote idealistische pedagogische verhaal van de almachtige en onbetwistbare gezagsvolle opvoeder door een ander groot verhaal van het Kind als Majesteit en levenskracht. Nu die eeuw van het kind voorbij is, moeten we vaststellen dat ook haar verhaal niet zaligmakend is. De bevrijding van het kind blijkt te kunnen ontaarden in een verdwijnen van opvoeding zelve: in de antipedagogiek mag niet alleen niet opgevoed worden, maar is er ook geen ruimte meer om kind te zijn.

Ellen Key

6 De moeder als opvoeder van kind en man

Vraagstelling

'Woman: a symbol of higher things'
COMENIUS

'*Daß die neue Zeit, auch die unerhört neue, mit einem so alten Fräulein einbricht*', verzuchtte Rainer Maria Rilke.[1] Met deze zinsnede uit een brief aan zijn vrouw, rekent de dichter kort en bondig af met zijn oudere vriendin Ellen Key. De '*alte Fraulein*' – vrij vertaald: die oude vrijster – is immers de beroemde Zweedse publiciste en de '*unerhört neue Zeit*' is de door haar aangekondigde Eeuw van het Kind. Was Rilke aanvankelijk erg enthousiast over Ellen Keys ideeën – getuige zijn in de pedagogische historiografie graag aangehaalde geëxalteerde recensie van *De eeuw van het Kind* (1902)[2] – geleidelijk aan geraakte hij ontgoocheld in Ellen Key. Ze bleek geheel niet modern te zijn. Tekende de jonge Rilke – in de beste *Rousseauistische* traditie – zijn brieven aan haar met '*ihr Sohn*'; later in de brieven aan zijn vrouw Clara heet het onverbloemd dat zijn '*maman*' een kletsmajoor is, waarmee geen gesprek mogelijk is; '*eine gute Allerweltstante*' met een koffer vol traditionele levenswijsheden goed voor elk gebruik bestemd voor zij '*die an Zuckerstücken und billigen Bonbons vergnügen finden*'. Ze is '*ein Fetzchen altmodischen Ideals*' – zeg maar: een ouderwetse vod – geworden, aldus de rijpere Rilke.[3]

Er is inderdaad veel voor te zeggen dat Ellen Key eerder staat voor het verleden dan voor de toekomst. Om in de beeldspraak van Rilke te blijven: Ellen Keys theorieën hebben iets van een lappendeken. En dit is haar niet vanuit een postmodernistisch perspectief als een verdienste aan te rekenen. Ze lijkt immers totaal geen probleembewustzijn te hebben van het feit dat het niet volstaat allerlei elkaar vaak tegensprekende vroeg negentiende-eeuwse gedachten te overgieten met een evolutionair biologisch sausje om een coherente theorie te hebben. Als zodanig lijkt ze inderdaad niet veel meer dan een 'vertegenwoordigster van het '*pedagogisch dilettantisme*' te zijn.[4]

Ik zal in deze bijdrage Ellen Key benaderen als een representant van een welbepaalde pedagogische traditie die deze traditie – weliswaar met eigen accenten – continueert en er dus geen breuk mee vormt. Dit laatste impliceert dat een aantal kritieken aan het adres van Ellen Key ons meer zeggen over de traditie waarin ze staat, dan over haar zelf.

Meer bepaald zou ik de aandacht willen richten op de kritiek van een aantal 'verontruste vaders' in de eerste decennia van deze eeuw. Volgens academisch pedagogische tijdgenoten zou in '*De eeuw van het Kind*' de moederlijke opgave van de opvoeding eenzijdig geaccentueerd zijn geworden ten nadele van de vaderlijke taak. Uit respect voor de eigenheid van het kind (het 'vrouwelijke') zou Key discipline en leiding (het 'mannelijke') verwaarloosd hebben. Deze kritiek was trouwens niet alleen gericht aan het adres van Keys '*Backfischen*'-literatuur,[5] maar betrof al die '*pedagogische schrijfsters die het duivelse dat in de menselijke natuur steekt niet kennen*' terwijl '*de eenvoudigste voedster en de minst begaafde moeder kunnen waarnemen hoezeer de neiging tot het kwaad in het kind de overhand heeft*'[6] en richtte zich ook niet alleen tot schrijfsters, maar tot al '*de onderwijzeressen met hun moederlijke instincten*'. Zo stelde ene professor Sachs van Columbia University in de *Educational Review* van maart 1907, dat '*de wens van het zwakke geslacht om zich voor anderen op te offeren, een zware hinderpaal voor een werkelijk grondig en vruchtdragend schoolonderricht is*'.[7]

Deze mannelijke critici gaan uit van de vanzelfsprekende rol van de vader (Paulsen) en van het mannelijke element in de opvoeding (Foerster). Wat moeten we ons bij deze rol echter voorstellen? Of beter: waaruit bestaan die mannelijkheid en vaderschap in de pedagogische traditie?

Mijn stelling zal zijn dat Ellen Key een illustratie is van een theoretisch pedagogische traditie waarin weliswaar plaats is voor het mannelijke, maar alleen om het vrouwelijke, zeg maar het moederlijke dat pedagogisch relevant is, in het licht te stellen; waarbij echter geen conceptuele ruimte (meer) is voor de vader.

Met deze stelling keer ik me tegen de opvatting dat het vaderschap omstreeks 1900 door vrouwen als Key en Montessori in reactie tegen een mannelijke pedagogische traditie theoretisch gedemonteerd zou zijn geworden.[8] Het is mijn stelling dat reeds van bij de aanvang van de conceptualisering van de moderne pedagogische theorie tweede helft 18[de] en begin 19[de] eeuw, de vader conceptueel buitenspel gezet was, maar niet zozeer door een gegeneraliseerde vader-idee en een overwaardering van de moeder,[9] maar wel – hoe paradoxaal dit moge lijken – door de (over)accentuering van de mannelijkheid van de man, waardoor de man hoogstens een goede echtgenoot kon zijn maar geen opvoedende vader.

Ik zal eerst reconstrueren op welke wijze Key de toekomst van de generatie verbindt met de vrouw-moeder. Vervolgens zal ik aangeven hoe in de pedagogische traditie de vader als opvoeder uitgesloten wordt door het cultiveren van de seksuele differentie, wat geleid heeft tot wat Nohl de '*weibliche Zug des pädagogischen Genies*' genoemd heeft.[10]

De eeuw van de moeder

'Rustig en langzaam de natuur aan zichzelf overlaten en slechts toezien, dat de omgeving de arbeid van de natuur ondersteunt, dat is opvoeding'. Zo klinkt het zeer *Rousseauistisch* in *De Eeuw van het Kind*.[11] Opvoeden is niet de persoon vormen door in de mens één of andere abstracte idee van menselijkheid of redelijkheid te realiseren, maar wel de individuele natuur van elk mens tot volle ontplooiing laten komen. De vereiste pedagogische zorg voor het individuele kind moet persoonlijk onvoorwaardelijk en totaal zijn. Voor de opvoeding is met andere woorden een opvoeder(s) noodzakelijk die zich geheel en onvoorwaardelijk geeft aan de opvoeding van het kind. Deze opvoeder is voor Ellen Key de moeder. Dat wil zeggen: de moeder die radicaal kiest voor het kind en bereid is zich helemaal te geven aan het kind.

Wat zijn de argumenten voor deze uitverkiezing van de vrouw als opvoeder? In wat volgt, breng ik een synthese van de ideeën die in de pedagogische bestseller van Key weliswaar aanwezig zijn, maar die veel uitvoeriger uitgewerkt zijn in haar andere geschriften.[12]

Ellen Key hanteert een merkwaardige combinatie van twee totaal verschillende argumenten: (1) individuele keuzevrijheid en wel op grond van (2) een radicale seksuele differentie-opvatting.[13] Voor Ellen Key is het essentieel dat de opvoeder iemand is die kiest voor het kind. Dit wil zeggen dat de pedagogische opgave zo geheel omvattend is dat deze ook moet samenvallen met het leven van de opvoeder. Kiezen voor het kind en zijn opvoeding is een levenskeuze. Deze keuze moet vrij zijn: niemand kan gedwongen worden tot dergelijke keuze. Ook niet de vrouw. Wanneer deze keuze vrij is, dan – en alleen dan – kan men de stem van de eigen individuele natuur volgen en deze natuur ook realiseren. Hier komt dan het tweede element uit Keys redenering naar voor: er is een natuurlijk verschil tussen mannen en vrouwen. Van nature uit zijn vrouwen meer geneigd zich ten dienste te stellen van de ander, terwijl mannen van nature individualistisch en prestatiegericht zijn. De vrouwen staan van nature dichter bij de natuur en de bronnen van het leven. Zij zijn onmiddellijk verbonden met de natuur, daar waar mannen steeds door middel van eigen prestaties het gemis van deze verbondenheid moeten trachten te compenseren. Dit laatste verklaart volgens Key waarom er zo weinig vrouwelijke scheppende kunstenaars zouden zijn, en dat onder de vrouwen er wel goede uitvoerende kunstenaars zijn. Wanneer men vrouwen de keuze zou laten, dan zou de meerderheid spontaan kiezen voor het moederschap.

Met dit laatste punt gaat Key uitdrukkelijk in tegen wat zij de burgerlijke vrouwenbeweging noemt.[14] Deze laatste komt op grond van de eigen ervaring gedwongen thuis te moeten blijven terecht op voor een gelijkheid van kansen voor mannen en vrouwen in het publieke leven. Daarbij argumenteerde deze burgerlijke tak van de vrouwenbeweging dat er geen wezenlijk verschil is tussen man en vrouw en dat de emancipatie van de vrouw maar mogelijk is door haar te bevrijden van haar natuur. Het ideaal van mens-zijn is met andere woorden het mannelijk ideaal. Voor Key is alleen reeds de idee dat de natuurlijke conditie antropologisch secundair zou zijn, onaanvaardbaar. Dat de vrouw het moederschap moet opofferen om vrij te zijn, vindt ze een absurde gedachte. Bovendien stelt ze dat de burgerlijke vrouwenbeweging op deze wijze toegeeft aan de onmenselijke economische rationaliteit. De realiteit voor Ellen Key is immers niet zozeer deze van de vrouw die thuis moet blijven, maar wel deze van de ontelbare vrouwen die in de fabriek moeten gaan werken en gedwongen worden om te overleven de kinderen aan hun lot over te laten. Vanuit dat perspectief stelt Key dat de emancipatie van de vrouw alleen mogelijk is door middel van een daadwerkelijke keuzevrijheid. Dit betekent voor haar op de eerste plaats dat de maatschappij de werkelijke keuze van de vrouw voor het moederschap mogelijk moet maken.

Dit moet op twee manieren gerealiseerd worden: (1) door de keuze voor het moederschap los te koppelen van het huwelijk, en (2) door de moeder te vergoeden voor haar opvoedingswerk. In het belang van het kind beperkt Key deze keuzevrijheid wel op twee manieren: (1) de vrouw kiest ofwel voor het moederschap ofwel voor maatschappelijke arbeid; een combinatie is niet mogelijk; (2) de vrouw moet zich bij haar keuze laten leiden door wetenschappelijke inzichten in de eisen van de natuur.

Deze laatste beperking was reeds geïmpliceerd in haar opvatting dat man en vrouw wezenlijk verschillen en dat de keuzevrijheid dient tot het realiseren van de vrouwelijke natuur. Het betekent bij Key ook dat op grond van eugenetische inzichten bepaalde mensen uitgesloten moeten worden van het moederschap. Alleen zij die gezonde kinderen op de wereld kunnen brengen en die in staat zijn ze op te voeden, mogen kinderen hebben. Bovendien is het ook zo dat Key wel stelt dat het al dan niet gehuwd zijn van de ouders niet relevant is voor de kwaliteit van de opvoeding – en dat ongehuwde moeders evenzeer goede moeders kunnen zijn – toch gaat zij uitdrukkelijk uit van de pedagogische betekenis van de heteroseksuele liefde van de ouders: volgens haar zullen kinderen die verwekt worden in een liefdesdaad, die de vrucht zijn van twee geliefden, gezondere en betere mensen zijn. Omwille van het belang van het kind – zij spreekt zelf over '*de heiligheid van de generatie*' – stelt Key dat het de vrouw is die de man moet kiezen.

Vooraleer we deze opvatting van Key situeren tegen de pedagogische traditie, nog twee opmerkingen. Hoewel Key uitgaat van een wezenlijk verschil tussen man en vrouw dat de moeder voorbestemt op de moederrol, sluit zij niet uit dat er vrouwen zijn die 'van nature' geen moeders zijn en die zich moeten kunnen ontplooien op het domein van de man. Dat zijn echter voor haar de uitzonderingen die de regel bevestigen. Zij zijn de elite (de weinigen) die een belangrijke voortrekkersrol ten aanzien van de massa (de velen) te vervullen hebben. Ze zullen ook uitzonderingen blijven, daar het niet deze vrouwen zijn die zich voortplanten. Het is duidelijk dat Key met deze redenering haar eigen levenskeuze – ze trouwde niet en bleef kinderloos – legitimeert.

Belangrijk is ook te zien dat Key niet uitgaat van een statisch natuurbegrip. De natuur is voortdurend in verandering, reorganiseert zich steeds in wisselwerking met de geest. In principe is het dus mogelijk dat de natuurlijke verschillen tussen mannen en vrouwen zouden verdwijnen wanneer de vrouwen kiezen voor een identificatie met het mannelijke. Op termijn zou dit echter doodlopen, omdat op deze wijze er geen kinderen meer zouden zijn en er niemand zou zijn om voor de kinderen te zorgen. De natuur kan degenereren, maar – en hier toont zich een nieuwe paradoxale redenering bij Key – dit kan voorkomen worden wanneer de mensen vrij levenskeuzen kunnen maken en zich daarbij laten leiden door de wetenschap: dan zullen ze immers hun natuur ontdekken en de heiligheid van de generatie ook kunnen dienen.[15]

Voor de man-vader lijkt in het pedagogisch denken van Ellen Key weinig of geen ruimte. Omdat het kind recht heeft op een goede opvoeding is het de vrouw die de man kiest, waarbij de man een goede minnaar moet zijn die de vrouw gezonde kinderen kan geven, en die vooral de vrouw alle kansen moet geven om haar moederrol ten volle op te nemen (en dat laatste kan volgens Key het best door de staat gewaarborgd worden). Van een vaderrol is zelfs geen sprake.

Met deze stellingen lijkt Ellen Key te breken met de traditionele opvattingen volgens dewelke het de ouders zijn die rechten laten gelden ten aanzien van het kind, waarin het de man is die zich een vrouw uitzoekt, een vrouw die zijn kinderen baart en verzorgt en die, zoals de kinderen, hem gehoorzaamt.

Dit laatste is op het einde van de negentiende eeuw zeker de feitelijk geldende publieke opvatting, zoals deze in de wetgeving geformuleerd is en terug te vinden in de populaire pedagogische literatuur. Ten aanzien van deze *common sense* vormt Ellen Key zeker een radicale breuk. Het is echter de vraag of de feitelijke pedagogische opvattingen deze zijn van 'de' moderne pedagogische theoretische traditie. Dé pedagogische traditie bestaat niet. Historiografisch is het voorzichtiger uit te gaan van verschillende tradities.

Stellen dat Key in tegenstelling met de traditie de vaderrol zou onderwaarderen (Paulsen, Foerster) of zelfs onder de mat zou vegen (Andresen & Baader) is weinig zeggend, wanneer niet aangegeven wordt over welke traditie men het heeft. In elk geval is Key niet de antipode van een welbepaalde romantische pedagogische traditie en haar pedagogische appreciatie van het gezin, maar eerder een variant. In deze laatste traditie is immers van bij aanvang geen conceptuele ruimte voorzien voor de vader, dit wil zeggen voor de man als opvoeder.

De traditie van de afwezige vader[16]

Van bij de aanvang van de moderne pedagogiek was het vaderschap verdacht. Ik zou zelfs durven stellen dat in beginsel de vader uitgesloten was van het pedagogisch project. Niemand minder als Immanuel Kant heeft dit als geen ander kort en bondig gezien en verwoord. Als mens heeft elk kind recht op opvoeding, dat wil zeggen het recht en de plicht in zichzelf de idee van mensheid te realiseren. Dit wil zeggen dat de mens alleen de rede mag gehoorzamen, mondig moet worden, zich moet losmaken van alle vormen van leiding door heteronome autoriteiten. Opvoeding is uiteindelijk zelfopvoeding: het zich richten naar de rede om zich zelf te vormen. Opvoeding is zorg voor de natuurlijke zelfontplooiing.

Dergelijke pedagogische zorg kan in principe aan niemand anders dan aan de rede zelf toevertrouwd worden. Het grote probleem is echter wel dat de rede niet voor het grijpen ligt, zich niet zelf openbaart tenzij in de redelijkheid. Maar wat moeten we ons daarbij voorstellen? Een filosoof kan zich beperken tot het zoeken naar de juiste formulering van wat de rede postuleert, voor de opvoeding en de pedagogiek stelt zich echter een fundamenteel praktisch probleem. Wie kan opvoeder zijn, wat moet hij kunnen, wat mag hij doen tegenover de opvoedeling die als mens doel-op-zich is?[17]

Iemand als Kant heeft geen oplossingen te bieden, maar het is wel veelzeggend dat Kant zelf aangeeft dat de ouders niet de aangewezen personen zijn om op te voeden en dat het gezin – Kant gebruikt veel betekenend consequent de economische term *Haushalt*;[18] – niet het geschikte opvoedingsmilieu is. '*Eltern sorgen für das Haus (...). Sie haben nicht das Weltbeste und die Vollkommenheit, dazu die Menschheit bestimmt ist, und wozu sie auch die Anlage hat, zum Endzweck.*'[19] '*Eltern (suchen) vornehmlich ihre Kinder recht vielerlei lernen zu lassen, und sorgen für die Geschicktlichkeit im Gebrauch der Mittel zu allerlei beliebigen Zwecken (...) und diese Sorgfalt ist so groß, daß sie darüber gemeinlich verabsäumen, ihnen das Urteil der Wert der Dinge, die sie sich etwa zu Zwecken machen möchten zu bilden.*'[20] Ouders dragen zorg voor het huishouden. Het doel dat hen voor ogen staat is niet het universeel goede, waartoe de mens voorbestemd is en waartoe hij ook de mogelijkheden bezit (de opvoedbaarheid). De ouders leren hun kind die bekwaamheden aan die nodig zijn om te overleven en leren het derhalve juist niet te oordelen (d.w.z. de rede te gebruiken). In termen van de *Kritik der Praktischen Vernunft* zouden we het zo kunnen formuleren: de vader als verwekker van het kind ziet in het kind niet de mens die doel-op-zich is, maar zijn zoon (of dochter) als middel om te overleven. De rechtsverhouding tussen het gezinshoofd – de man-vader – en de andere huisgenoten (kinderen, vrouw en personeel) is bij Kant niet toevallig niet een recht tussen personen, maar '*ein auf dingliche Art persönliches Recht*' – *das Recht des Besitzes eines äusseren Gegenstand als einer Sache und des Gebrauchs einer Person*'.[21]

Het is ook om die reden dat reeds voordien Rousseaus *Émile* een gouverneur heeft en eigenlijk geen ouders mag hebben. Genuanceerder uitgedrukt: het kind mag ouders hebben – '*Il n'importe qu'il ait son père et sa mère*' – maar deze mogen geen gezag over hem hebben – '*Il doit honorer ses parents, mais il ne doit obéir qu'à moi*'.[22] De '*gouverneur*' is een ideale, en dus ook irrealistische figuur. De vader zou de opvoeder moeten zijn, maar kan het niet zijn. '*Cet homme riche, ce père de famille si affairé*' heeft geen tijd voor zijn kinderen. De opvoeder die hij daarom engageert is echter ook niet vrij: '*c'est un valet, il en formera un second*'.[23] De onwerkelijkheid van de ideale opvoeder van de *Émile* wordt in '*Julie ou la Nouvelle Héloïse*' als het ware ontmaskerd door de schildering van de onoplosbare problemen tussen de betrokkenen: vader, dochter, huisleraar, echtgenoot en kinderen.[24] De ideale opvoeding is irreëel bij gebrek aan de ideale opvoeder, waarbij op de eerste plaats de vader de feitelijke realiteit vertegenwoordigt die staat tegenover het ideaal.

In de *Ideeengeschichte* zijn, vertrekkend van Rousseau en Kant, drie sporen voor oplossing van dit probleem gezocht, die allen pogen de vader uit te sluiten.

De meest radicale is deze van Fichte die de Rede belichaamd ziet in de Staat of beter de *Deutsche Nation* waaraan de opvoeding toevertrouwd wordt. In discussie met Pestalozzi stelt hij zonder meer: '*was unsern höhern Begriff einer Nationalerziehung anbelangt, so sind wir fast überzeugt, daß diese (…) im Hause der Eltern, und überhaupt ohne gänzliche Absonderung der Kinder von ihnen, durchaus weder anfangen, noch fortgesetzt, oder vollendet kann.*'[25] En de redenen hiervoor zijn dezelfde als bij Kant: de ouders zijn meer bezorgd om het levensonderhoud dan voor de ontwikkeling van de kinderen. '*Der Druck, die Angst um das tägliche Auskommen, die kleinliche Genauigkeit, und Gewinnsucht, die sich hierzufügt, würde die Kinder notwendig anstecken, herabsiehen und sie verhindern, einen freien Aufflug in die Welt des Gedankens zu nehmen.*'[26] Eerst nadat een generatie doorheen deze nieuwe opvoeding gegaan is, kan overwogen worden welk deel van de opvoeding aan de moeder kan toegekend worden.

Een ander minder radicaal spoor is dat van Herbart die in reactie op Fichtes voorstellen, overweegt de opvoeding in de handen te geven van een kunstenaar/huisleraar. '*Die Kunst des Erziehens (fordert) einen Künstler, nicht einen Staatsmann, nicht einen Gelehrten, nicht einmal das Gefühl eines Vaters*'.[27] De rede wordt hier niet in de staat gesitueerd, maar wel in de politieke gemeenschap: de pedagogische macht wordt de vaders – '*die da meinen Erzieher zu sein, weil sie Väter sind*' – ontnomen, maar hun macht als burgers wordt versterkt doordat het de '*Kommune*' – de gemeenschap van de vaders als burgers – is, die de huisleraars engageert, betaalt en controleert.[28]

Een derde – en conceptueel meest origineel en typisch modern – spoor is dat van de romantiek. Van bij de aanvang wordt het moderne project vergezeld door een romantische ervaring die in wezen een tragische ervaring is.[29] De ontplooiing van de Rede sluit immers niet uit dat het bestaan als blijvend onvolkomen ervaren wordt. Het betreft hier niet alleen de ervaring dat tussen ideaal en werkelijkheid altijd wel een kloof gaapt (Schillers tragiek). Hoe meer de mens zich tracht te ontvoogden, hoe meer hij juist geconfronteerd wordt met de existentiële ervaring van de onvolkomenheid, de verscheurdheid en de gespletenheid van het bestaan (Novalis' tragiek). Specifiek voor de romantische ervaring is daarbij dat men het even onvermijdelijke als onmogelijk te vervullen verlangen naar een nieuwe volmaaktheid, een harmonisch en gelukkig bestaan – een 'gouden tijd', 'een derde rijk' – wil realiseren door middel van een cultivering van die aspecten die door de rede veronachtzaamd en zelfs onderdrukt worden: het gevoelsmatige, het subjectieve, het kinderlijke, het verleden. Hierbij weet men wel degelijk dat een verabsolutering van deze tegenpolen van de rede zelf nog geen oplossing biedt, maar dat het nieuwe zich hoogstens laat verhopen doorheen de dialectiek van de rede en haar antipoden.[30]

Deze romantische ervaring is zelf iets wat niet louter verstandelijk en conceptueel te verwoorden is. Daarom hanteert de romanticus een apelerend taalgebruik: verhalen en symbolen die de ervaring in haar negativiteit – de reële vervreemding – en haar positiviteit – het mogelijke ideaal – laten voelen. Zowel
op grond van bepaalde culturele tradities, als persoonlijke ervaringen met de
eigen opvoeding, en omwille van sociaal-economische veranderingen waarop ik
hier niet kan ingaan, maakt men gebruik van een heteroseksuele en -erotische
symboliek.[31] Zoals de mensheid verdeeld is over mannen en vrouwen, wordt het
menselijk bestaan begrepen als de strijd en huwelijk van het mannelijke en het
vrouwelijke. Het mannelijke omvat al het redelijke, zowel positief (het zakelijke,
logische, verstandelijke, presterende, het universele) als negatief (afstandelijke,
saaie, emotieloze, onderdrukkende, het totalitaire), terwijl het vrouwelijke staat
voor het andere: het gevoelsmatige, het spontane, het natuurlijke, het zorgende,
het particuliere.

Wil de mensheid zich werkelijk ontplooien dan moet ze deze tegenstellingen cultiveren en wel door ze samen te brengen en wel juist als geheel verschillend.
In het verschil ligt immers ook de aantrekkingskracht. Zoals uit het samenkomen
van man en vrouw het kind voortkomt, zal uit de strijd van het mannelijke en het
vrouwelijke principe de nieuwe toekomst geboren worden. Het symbool van deze
dialectiek is dan ook het huwelijksgezin.

Een symbool is echter voor de romantici niet zomaar een beeld of een metafoor, maar samengebalde werkelijkheid. Dit betekent concreet dat het feitelijke
huwelijksgezin beschouwd wordt als een feitelijke mogelijkheid om het ideaal
te verwerkelijken. Hoe meer de man het mannelijke cultiveert en de vrouw het
vrouwelijke, hoe meer ze tot elkaar aangetrokken zullen worden en elkaar zullen aanvullen en het bestaan meer volkomen zullen maken, waarbij het kind als
vrucht van hun liefde (huwelijk als strijd leidt niet tot verzoening maar tot een
nieuwe antithese) de toekomst daadwerkelijk representeert.

Dit is de culturele achtergrond – in de filosofie bekend als het magisch
idealisme van de *Frükromantik* waarin de dialectiek van Hegel geworteld is[32] –
tegenover dewelke de zogenaamd romantische pedagogen het huwelijksgezin
als ideaal opvoedingsmilieu zijn gaan beschouwen. Het huwelijksgezin realiseert immers de mogelijkheid van het volkomen bestaan. Man en vrouw zijn
reeds als echtgenoten gericht op het kind en de ontplooiing van zijn individualiteit. Tegelijk is echter de man uitgesloten van de zorg voor die zelfontplooiing.
Als man staat hij immers voor al wat de pedagogische zorg in de weg staat. De
pedagogische zorg wordt belichaamd door de vrouw. Als vrouw is zij onmiddellijk ook de moeder van het kind. Zij realiseert zichzelf doorheen de zorg voor
de ontplooiing van het kind.

De ideale opvoeder die een onmogelijkheid leek te zijn, blijkt nu gevonden
te worden in de persoon van de vrouw-moeder, maar wel – en dit wordt vaak over
het hoofd gezien bij analysen van het moederschap[33] – staande in relatie (een van
oppositie) tot de man. Dit laatste wil zeggen dat de vrouw alleen dan een goede
moeder is, wanneer haar zorg gericht wordt op de zelfvorming van het kind door

haar liefde tot de man. Voor de vraag op welke wijze men deze laatste 'erotische dialectiek' concreet moet voorstellen, zijn verschillende antwoordmodellen te vinden in de romantisch pedagogische traditie.

Bij de nog eerder preromantische Pestalozzi wordt de sluitende garantie voor de juiste gerichtheid van de moeder nog gezocht in haar relatie tot God (vader en moeder tegelijk).[34] Ten aanzien van dit type antwoord gaat Lenzens stelling op dat God de Vader in de weg staat van de lichamelijke vader. Bij de Duitse pedagogen die in nauw contact stonden met de literaire romantiek – Schleiermacher en Fröbel – ligt de waarborg voor de juiste pedagogische gerichtheid evenwel volledig in de echtelijke relatie die de pedagogische atmosfeer van het gezin draagt en waarbij de enige opvoeder de moeder is.

Voor de vader is in deze traditie geheel geen conceptuele ruimte voorzien. Bij Pestalozzi ontleent de vader zijn gezag aan de moeder. In *Lienhard und Gertrud*[35] is dit erg duidelijk. In wezen gehoorzaamt Gertrud aan God. Lienhard is zo'n mislukkeling dat hij gewoon geen gezag kan laten gelden, tenzij door het feit dat Gertrud de kinderen opdraagt respect te hebben voor hun vader (zij leert hen een gebed om vader te eren). Het is zij die de man opvoedt, zoals zij ook het voorbeeld is voor Glüpfi de onderwijzer. Pestalozzi zelf stelt trouwens in de verantwoording van zijn *Zahl- und Formlehre* dat hij zich richt tot de moeders omdat zij de mannen zullen moeten opvoeden.[36]

Bij de romantische Fröbel is totaal geen sprake van vaders. Het vertrekpunt van zijn opvoedingsdenken is weliswaar het kind als '*Inbegriff der Vater- und Mutterliebe*'.[37] Huwelijk en familie zijn identieke begrippen: zo definieert hij '*Ehe*' als '*Einklang von Vater, Mutter und Kind*').[38] Maar eenmaal het kind geboren is uit de echtelijke liefde, is er alleen nog sprake van de moeder als opvoeder. Over de vaders als opvoeders wordt eenvoudigweg niet gesproken. En het zijn de vrouwen als moeders die opvoedingsverenigingen oprichten ter ondersteuning van de gezinsopvoeding (en dus niet de vaders als burgers zoals bij Herbart).[39]

Bij Schleiermacher is dit alles nog veel explicieter.[40] In zijn ethiek gaat hij als geen ander in op het verschil van man en vrouw en de constitutieve betekenis van de heteroseksuele liefde voor de menselijke volkomenheid. Zo heet de familie '*eine Totalität alles dessen was sonst nur zerspalten vorhanden ist*'[41] te zijn. In de pedagogiek wordt dit uitdrukkelijk verondersteld, maar heet het even uitdrukkelijk dat in het gezin de moeder de opvoeder is.[42] In het gezin is er geen vader als opvoeder – het onderscheid van mannelijkheid en vrouwelijkheid verdwijnt: '*Der Maßstaab der Vollkommenheit einer Ehe ist das Extinguieren der Einseitigkeit des Geschlechtscharakters und die Entwicklung des Sinnes für den entgegengesetzten.*'[43] Voorts brengt de man natuurlijk wel allerlei ervaringen van buiten het gezin binnen, ervaringen die leerzaam zijn. Maar ook bij dit laatste staat de moeder tussen de man als figuur van de wereld en het kind in het gezin. Zij – '*der Frau (in wie) das ganze Leben des Mannes abspiegele*' – geeft door wat de vader binnenbrengt.[44]

Bij Jean Paul (Richter) vinden we al deze opvattingen terug in een aantal pregnante – en vaak zeer ironische – uitspraken in zijn *Levana oder Erziehlehre (1807).*[45] *'Die Natur hat das Weib unmittelbar zur Mutter bestimmt; zur Gattin bloß mittelbar; so ist der Mann umgekehrt mehr zum Gatten als zum Vater gemacht. (...) Hierher gehört die Bemerkung aus dem Tierreich, daß die Männchen den höchsten Mut und Kraftdrang in der Liebeszeit, die Weibchen hingegen nach der Geburtszeit beweisen'.*[46] Of duidelijker: de man helpt zijn vrouw bij de opvoeding door van haar te houden. *'Was kann nunn der Mann tun (...)? Zu allererst seine Frau mehr lieben und belohnen, damit sie die schwerste Erziehung, die erste, durch doppelte Unterstützung leichter durchführe, durch Kindes- und Gattenliebe'.*[47] De echte opvoeding kan niet van de man komen, als man is hij allerlei, maar geen echte mens. *'Der Mann, in welchem der Staat oder sein Genie das Gleichgewicht der Kräfte zum Vorteil einer einizgen aufhebt, wird immer diese überwiegende in die Erziehung mitbringen; der Soldat wird kriegerisch, der Dichter dichterisch, der Gottesgelehrte fromm erziehen, und nur die Mutter wird menschlich bilden.'.*[48] Jean Paul gebruikt tenslotte een mooi beeld om aan te geven dat de man als echtgenote en niet als vader opvoedend werkt: *'Der Mann macht nur Punkte im Kindesleben, die Frau Kommata und Duopunkta und alles Öftere'.*[49].

Voor de vader is er geen plaats in deze theoretische traditie. De ideale opvoeder is de moeder. De man als man kan geen vader zijn die de moeder zou moeten aanvullen. Het mannelijke is voor de opvoeding relevant voor zover de echtelijke liefde constitutief is voor de pedagogische atmosfeer. Ook keert het mannelijke dan terug op het moment dat het mannelijke kind voor zijn zelfontplooiing het gezin moet verlaten om in de wereld zijn positie te vinden. Conceptueel spreken de vermelde romantici dan niet meer over opvoeding, maar over onderwijs (*Unterricht*), dat niet in het gezin, maar in de school zijn plaats heeft. (Ik kan hier niet ingaan op het fundamentele probleem dat met dit laatste ontstaat en wel inzake het concept 'opvoedend onderwijs' dat in deze traditie ondenkbaar lijkt te worden.)

Besluit

Ellen Key vormt tegenover deze theoretisch pedagogische traditie geen echte breuk. Op het centrale thema maakt zij haar variatie, waarin zij een aantal elementen radicaliseert. Haar evolutionair biologische en eugenetische perspectief op de natuur is uiteindelijk een herformulering van de natuur- en identiteitsfilosofische inspiratie van pedagogen als Schleiermacher en Fröbel, waarin de geschiedenis een '*Durchdringung*' van natuur en geest is, waarin beide zich '*gleichursprünglich*' ontplooien.

Een radicalisering bij Key is wel dat ze het individualisme van de romantici consequent doortrekt en wel in haar stelling dat elke mens vrij zijn leven moet kunnen kiezen en realiseren. Vrouw en man moeten op dit punt gelijk behandeld worden. In de traditie verloor de vrouw uiteindelijk deze keuzevrijheid door het huwelijk, de man niet: de vrouw werd moeder, de man kon rustig man blijven. De vrouw moet ook kunnen kiezen voor het moederschap. Dat moederschap is dan wel even levensomvattend als in de traditie. Maar daarom is het juist belangrijk dat de vrouw voor het kind en de opvoeding kiest.

En de vrouw zal kiezen voor het moederschap. Daarvan is Key overtuigd. Haar geloof in de macht van de natuur is absoluut. Het geloof in het fundamenteel natuurlijk verschil tussen man en vrouw lijkt bij Key zelfs groter te zijn dan in de traditie het geval was. Laat de mensen maar vrij en de vrouwen zullen kiezen voor het opvoederschap en de mannen voor het presteren in de wereld. Veelzeggend in deze context is dat Key nergens pleidooien houdt voor een verschillende opvoeding van jongens en meisjes. De natuurlijke verschillen zullen zich wel tonen en ontplooiingskansen krijgen door de goede zorgen van de moeder.

Kan de man omgekeerd kiezen voor het vaderschap? Ellen Key kan zich dat blijkbaar niet goed voorstellen. De mannen zijn als man nu eenmaal afgesloten van de oerverbondenheid met de natuur. De vrouw kan afstand nemen van de oorspronkelijke verbondenheid en kiezen voor een mannelijk leven, zonder moederschap. De man kan echter niet kiezen voor een vrouwelijk leven. De man kan nooit een volkomen bestaan bereiken, voor de vrouw vergt dit zelfs geen inspanning. Andresen & Baader zien hierin een antropologische ommekeer: de vrouw en niet de man als model van mens-zijn. Hierbij lijken ze evenwel te vergeten dat de gelijkwaardige keuzevrijheid in moderne tijden juist ontzegd kon worden aan de vrouw op grond van haar 'goddelijkheid'. Of zoals de historicus Romein het formuleerde: als madonna – of eerder afgodsbeeld – was de vrouw bestemd om onder een stolp geplaatst te worden.[50] Key gelooft ook in deze goddelijkheid, maar is reeds teveel doordrongen van het individualisme om niet te zien dat de vrouw er zelf moet voor kunnen kiezen. In haar leven kiest zij trouwens zelf uitdrukkelijk niet voor het moederschap, daar ze kiest voor een openbaar leven.

Door de man als het ware uit te sluiten van het opvoedend vaderschap plaatst Key zich duidelijk in de romantische pedagogische traditie waarin het verschil tussen man en vrouw zo groot is, dat ze beide een totaal verschillende rol bij de opvoeding moeten spelen. Het verschil maakt de aantrekkingskracht mogelijk die de heteroseksuele liefde fundeert. Deze liefde is vruchtbaar in de geboorte van het kind. Het geslachtelijk verschil waardoor de vrouw tot het moederschap bestemd wordt is tevens het verschil dat de man uitsluit van het vaderschap. Hij kan hoogstens een goede echtgenoot en burger zijn.

Dit is trouwens in de 'mannelijke' pedagogische traditie als een tekort ervaren. Bij iemand als Schleiermacher is dit zeer duidelijk, wanneer hij schrijft: '*Mir geht es überall so, wohin ich sehe, daß mir der Natur der Frauen edler erscheint und ihr leben glücklicher, und wenn ich je mit einem unglücklichen Wunsch spiele, so ist es mit dem, eine Frau zu sein.*'[51]

Hiermee is ook gezegd dat voor de romantici de vrouw eerder dan de man als model van mens-zijn gedacht werd. Spreken over een antropologische ommekeer bij Key is dan ook overtrokken: deze ommekeer kende ze reeds vanuit haar lectuur van de romantische denkers.

Dat ze meer dan deze de keuzevrijheid van de vrouw beklemtoont, is begrijpbaar vanuit haar positie als vrouw. Maar ook hier bevindt ze zich in een welbepaalde traditie: deze van de vrouwen die steeds weer de mannelijke denkers bekritiseerd hebben om hun eenzijdige mannelijke kijk op het leven. We denken hier bijvoorbeeld aan figuren als Madame de Staël en haar kritiek aan het adres van Rousseau,[52] als ook aan Rahel Varnhagen en haar kritiek aan het adres van Schleiermacher en de andere romantici.[53]

Ellen Key heeft echter nog niet het probleembewustzijn van de twintigste eeuw. Rainer Maria Rilke en zijn vrouw Clara Westhoff moesten wel ontgoocheld zijn in Key. Zij konden niet vatten dat iemand die zo de zorg voor de individualiteit van het kind erkend had, niet zag dat die zorg individuen voor een levensgroot probleem plaatst, met name hoe de zorg voor de eigen individualiteit verzoenen met de zorg voor de individualiteit van de ander, in casu het kind. Met moeder te worden hield Clara niet op beeldhouwster te zijn. En zoals Clara zich in de tragische situatie bevond niet te kunnen kiezen tussen moederschap en kunstenaar-zijn zonder de eigen individualiteit onrecht aan te doen, ervoer Rilke ook dat het probleem voor hem – dichter en vader zijn – niet opgelost was met Keys wetenschap dat de man geen vader kan zijn. De ervaring van de mens – man of vrouw – is dat zowel voor de man als de vrouw geldt dat *'sie sind preisgegeben von den Vätern, und ausgeschlossen aus der Mütter Schooß'* om het met woorden uit het gedicht *'Der Ölbaum-Garten'* (1907) van Rilke te zeggen.[54]

De vraag is dan wel: hoe kunnen kinderen dan nog kinderen zijn?

Noten

1. Rilke, R.M. & Key, E. (1993). *Briefwechsel. Mit Briefen von und an Clara Rilke-Westhoff. (Ed. T. Fiedler).* Frankfurt: Insel; p. 281.

2. Vgl. Böhm, W. (1979). Rainer Maria Rilke – Das Jahrhundert des Kindes. *Rassegna di Pedagogia. 37,* 5-14; Herrmann, U. (1992). Die 'Majestät des Kindes' – Ellen Keys polemische Provokationen. Ein Nachwort. In E. Key, *Das Jahrhundert des Kindes. Studien* (pp. 253-264). Weinheim-Basel: Beltz

3. Rilke & Key (1993); p. 277; vgl. Winkler, M. (1997). Der Briefwechsel zwischen Rainer Maria Rilke un Ellen Key. Oder: Die Geburt der modernen Pädagogik im Prozeß der Individualisierung. *Neue Sammlung, 37,* 491-505.

4. T'Hart, W.A. (1948). *Ellen Key.* 's Gravenhage: Stols; p. 144.

5. Paulsen, F. (1907/1912). Väter und Söhne. In F. Paulsen, *Gesammelte Pädagogische Abhandlungen (Ed. E. Spranger)* (pp. 497-516). Berlin: Cotta; p. 507.

6. Foerster, F. (1908/1924). *School en karakter. Moraalpedagogische problemen uit het schoolleven.* Brussel: Willems-Van den Borre (oorspr. *Schule und Charakter*); p. 201.

7. Cit.in Foerster (1908/1924); p. 208.

8. Andresen, S. & Baader, M.S. (1998). *Wege aus dem Jahrhundert des Kindes. Tradition und Utopie bei Ellen Key.* Neuwied: Luchterhand.

9. Lenzen, D. (1991). *Vaterschaft. Vom Patriarchat zur Alimentation.* Reinbek: Rowohlt.

10. Nohl, H. (1935/1957). *Die pädagogische Bewegung in Deutschland und ihre Theorie.* Frankfurt: Schulte-Bulmke; p. 129.

11. Key, E. (1903). *De eeuw van het kind. Studiën.* Zutphen: Thieme; p. 102.

12. Key, E. (s.d./1897). *De weinigen en de velen.* Zutphen: Thieme; Key, E. (1898). *De misbruikte krachten der vrouw.* Amsterdam: van Dishoeck; Key, E. (1903). *De eeuw van het kind. Studiën.* Zutphen: Thieme; Key, E. (1904). *De ethiek van liefde en huwelijk. / Liefde en ethiek.* Amsterdam: Querido; Key, E. (s.d./1905). *De nieuwe maatschappij. Beschouwingen, ideeën en idealen.* Leiden: Sijthoff; Key, E. (1906). *Levenslijnen.* Amsterdam: Querido; Key, E. (1911). *De moedige vrouw.* Leiden: Seithoff; Key, E. (1912). *Rahel. Eine biographische Skizze.* Berlin: Fischer.

13. Vgl. Andresen & Baader (1998); p. 65 e.v.

14. Register, C. (1982). Motherhood at center: Ellen Key's social vision. *Women's Studies International Forum, 5*(6), 599-610.

15. Vgl. Dräbing, R. (1989). *Der Traum des 'Jahrhundert des Kindes'. Geistige Grundlagen, soziale Implikationen und reformpädagogische Relevanz der Erziehungslehre Ellen Keys.* Frankfurt-Bern-New York: Peter Lang.

16. Voor een gedetailleerde analyse van de volgende denkers, zie Van Crombrugge, H. (2003/1999). *Verwantschap en verschil. Over de plaats van het gezin en de betekenis van het ouderschap in de moderne pedagogiek.* Antwerpen-Apeldoorn: Garant

17. Zirfas, J. (1996). Solidarität und Gerechtigkeit zwischen den Generationen. Ein Beitrag zur pädagogischen und intergenerationellen Ethik. In E. Liebau & C. Wulf (Eds), *Generation. Versuche über eine pädagogisch-anthropologische Grundbedingung* (pp. 261-279). Weinheim: DSV; p. 270 e.v.

18. Vgl. Schwab, D. (1979). Familie. In O. Bruner, W. Conze & R. Koseleck (Eds.), *Geschichtliche Grundbegriffe. Historisches Lexikon zur politisch-sozialen Sprache in Deutschland. Band 2* (pp. 253-301). Stuttgart: Klett-Cotta; p. 272 e.v.

19. Kant, I (1964/1803). Über Pädagogik (1803). In I. Kant, *Werke in zwölf Bänden. Band 12: Schriften zur Anthropologie, Geschichtsphilosophie und Pädagogik (2)* (pp. 691-761). Frankfurt: Suhrkamp; p. 704.

20. Kant, I. (1956). Grundlegung zur Metaphysik der Sitten (1785). In I. Kant, *Werke in zwölf Bänden. Band 7: Schriften zur Ethik und Religion (1)* (pp. 9-102). Frankfurt: Suhrkamp; p. 44.

21. Kant, I. (1956a). Die Metaphysik der Sitten (1797). In I. Kant, *Werke in zwölf Bänden. Band 8: Schriften zur Ethik und Religion (2)* (pp. 303-634). Frankfurt: Suhrkamp; p. 388 e.v.

22. Rousseau, J.J. (1951/1762). *Emile ou de l'éducation (1762).* Paris: Garnier; p. 27 e.v.

23. Rousseau (1951/1762); p. 23.

24. Vgl. Van Crombrugge, H. (1995). Rousseau on family and education. *Paedagogica Historica, 31,* 445-480.

25. Fichte, J.G. (1978/1808). *Reden an die Deutsche Nation (1808).* Hamburg: Meiner; p. 153.

26. Fichte (1978/188); p. 153 e.v.

27. Herbart, J.F. (1922/1810). Über Erziehung unter öffentlicher Mitwirkung (1810). In J.F. Herbart, *Joh. Friedr. Herbarts Pädagogische Schriften. Zweiter Band* (pp. 241-252). Langensalza: Beyer & Mann; p. 247.

28. Zie het hoofdstuk over de voorstellen van Herbart en Fröbel inzake opvoedingsondersteuning.

29. Vgl. Schmidt, J (1989). Aufklärung, Gegenaufklärung, Dialiektik der Aufklärung. In J. Schmidt (Ed.), *Aufklärung und Gegenaufklärung in der europäischen Literatur, Philosophie und Politik von der Antike bis zur Gegenwart* (pp. 1-31). Darmstadt: Wissenschaftliche Buchgesellschaft.

30. Vgl. Viëtta, S. (1983). Frühromantik und Aufklärung. In S. Viëtta, *Die literarische Frühromantik* (pp. 7-84). Göttingen: Vandenhoeck & Rupprecht.

31. Vgl. Friedrichsmeyer, S. (1983). *The androgyne in early german romanticism. Friedrich Schlegel, Novalis and the metaphysics of love.* Bern: Lang.

32. Vgl. Frank, M. (1969). Die Philosophie des sogenannten 'magischen Idealismus'. *Euphorion, 63,* 88-116.

33. Bijv. Baader, M.S. (1996). *Die romantische Idee des Kindes und der Kindheit. Auf der Suche nach der verlorenen Unschuld.* Neuwied: Luchterhand.

34. Van Crombrugge, H. (1996). 'Opvoeder zijn is iets anders dan vader-zijn'. De vader en de echtelijke liefde bij Pestalozzi. In N. Bakker & P. Schreuder (Eds.), *Kind en cultuur in opvoeding en onderwijs* (pp. 202-209). Groningen: GION.

35. Pestalozzi, J.H. (1902). Lienhard und Gertrud. Ein Buch fürs Volk. (Aenderungen und Erweiterungen der Cotta'schen Ausgabe von 1819-1826. Fragment). In J.H. Pestalozzi, *Pestalozzi's Sämtliche Werke. Band 11* (pp. 261-640). Liegnitz: Seyffarth.

36. Pestalozzi, J.H. (1902a). Vorrede zur 'Zahl- und Formlehre. In J.H. Pestalozzi, *Pestalozzi's Sämtliche Werke. Band 11* (pp. 237-253). Liegnitz: Seyffarth; p. 247.

37. Fröbel, F. (1966). Über Pestalozzi. In F. Fröbel, *Gesammelte pädagogische Schriften. Abteilung 1. Band 1* (pp. 154-213). Osnabruck: Biblio; p. 156.

38. Fröbel, F. (1966a). Aus einem Brief an Karl Christopf Friedrich Krause. In F. Fröbel, *Gesammelte pädagogische Schriften. Abteilung 1. Band 1* (pp. 119-149). Osnabruck: Biblio; p. 141.

39. Vgl. Fröbel, F. (1966b). Aufruf zur Gründung von Erziehungsvereinen nebst Statuten eines solchen Vereins (1848). In F. Fröbel, *Gesammelte pädagogische Schriften. Abteilung 2: Die Pädagogik des Kindergartens* (pp. 484-500). Osnabruck: Biblio.

40. Vgl. Van Crombrugge. H. (1996a). Schleiermacher über Familie und Erziehung. *Vierteljahresschrift für Wissenschaftliche Pädagogik, 72,* 495-509.

41. Schleiermacher, F.D.E. (1913). *Auswahl in vier Bänden. Band 2.* Leipzig: Meiner; p. 314.

42. Schleiermacher, F.D.E. (1966/1826). *Pädagogische Schriften; Band 1: Die Vorlesungen aus dem Jahre 1826.* Düsseldorf: Küpper; p. 94 e.v.

43. Schleiermacer, F.D.E. (1981). *Ethik (1812/13) mit späteren Fassungen der Einleitung, Gutterlehre und Pflichtenlehre.* Hamburg: Meiner; p. 84.

44. Schleiermacher (1966/1826); p. 144.

45. Jean Paul (1963/1827). *Levana oder Erziehlehre.(Ed. K.G. Fischer).* Paderborn: Schöningh.

46. Jean Paul (1963/1807); p. 142.

47. Jean Paul (1963/1807). p. 134.

48. Jean Paul (1963/1807); p. 135.

49. Ibidem.

50. Romein, J. (1976). *Op het breukvlak van twee eeuwen. De westerse wereld rond 1900.* Amsterdam: Querido; p. 783 e.v.

51. Stenzel, G. (1986). *Die Deutsche Romantiker. Band 1.* Salzburg: Bergland; p. 687.

52. Staël, A.L.G.de (1788). *Lettres sur les écrits et le caractère de J.J. Rousseau.* Paris: s.e.; Felden, H. von (1999). Jean-Jacques Rousseau: 'Weiberhasser' und 'Liebling des weiblichen Geschlechts'? Zur Rousseau-Rezeption zeitgenössischer Frauen in Deutschland. *Neue Pestalozzi Blätter. Zeitschrift für pädagogische Historiographie, 5,* 9-20.

53. Key (1912); vgl. Schmid, P. (1985). Vom Versuch, Geselligkeit zu leben: Rahel Varnhagen (1771-1833). In P. Schmid, *Zeit des Lesens – Zeit des Fühlens: Anfänge des deutschen Bildungsbürgertums* (pp. 189-232). Berlin: Quadriga.

54. Rilke, R.M. (1962). *Gesammelte Gedichte.* Frankfurt: Insel; p. 250.

DE HOVRE 1884-1956

Frans De Hovre werd geboren in Oudegem 3 april 1884 en overleed in Gentbrugge op 11 november 1956. Hij promoveerde in 1906 te Leuven in de Thomistische Wijsbegeerte bij Mercier met een studie over de didactiek van Willmann, de invloedrijkste katholieke (neo-herbartiaanse) pedagogisch denker van dat ogenblik. Willmanns werken werden door De Hovre vertaald en bewerkt. Het meest belangrijk is hier de *Didaktik als Bildungslehre*. Intussen was hij priester gewijd en benoemd aan het college te Sint-Niklaas als leraar moderne talen. Tijdens de Eerste Wereldoorlog verbleef De Hovre in Engeland, waar hij zijn *German and English Education. A comparative study* publiceerde. Deze studie lijkt behalve door Willmann, vooral beïnvloed te zijn door Euckens en Diltheys cultuurfilosofische opvattingen. Na de oorlog werd De Hovre benoemd tot onderpastoor in Gentbrugge.

De Hovre publiceerde aanvankelijk vooral in de Franstalige *Annales de l'Institut Supérieur de Philosophie de l'Université Catholique de Louvain*. Maar hij wilde zich vooral inzetten voor de Vlaamse lerarenstand. In dat kader werden het *Vlaamsch Opvoedkundig Tijdschrift* en de *Hogere Instituten voor Opvoedkunde* opgericht. Zijn grondige kennis van zowel de Duitse, Engelstalige, als Franstalige pedagogische ontwikkelingen

resulteerde in twee hoofdwerken: *Paedagogische Wijsbegeerte. Een studie in de moderne levensbeschouwingen en opvoedingstheorieën* (1924) en *'T Katholicisme. Zijn paedagogen, zijn paedagogiek* (1929). Deze werken werden vertaald naar het Frans, Spaans, Engels en Pools en fungeerden in de katholieke wereld lange tijd als standaardwerken. In wat volgt staan deze twee werken centraal. Hij gaf les aan het Hoger Instituut, maar ook Godsdienst aan de Gentse Rijksnormaalschool. De Hovre is nooit academisch actief geweest en heeft zich ook nooit met onderwijsbeleid bezig gehouden. Zijn interesse ging uit naar de *Ideengeschichte* van de pedagogiek. Door vriend en vijand werd hij gerekend tot één van de belangrijkste pedagogische denkers van het interbellum. Reeds in 1939 stelt de Gentse universiteitsprofessor Verheyen De Hovre op één lijn met Ovide Decroly. 'Decroly, vertegenwoordiger der natuurWet. en De Hovre, woordvoerder der geestesWet. Richting zijn o.i. de meest representatieve grondleggers van de hedendaagse Belgische Paed., die, door hun werk, internat. bekendheid verworven heeft en onder hun leiding, in diepte en in omvang, is uitgegroeid tot een bloeiende beweging.'

Decoene 1881-1958

Alberic Decoene werd geboren te Wevelgem op 22 juni 1881 en overleed te Brugge op 9 november 1958. Hij volgde de humaniora aan het Klein Seminarie te Roeselare. In 1906 werd hij priester gewijd. Ondertussen was hij reeds doctor in de Thomistische wijsbegeerte en in 1910 promoveerde hij tot doctor in de godgeleerdheid. Hij werd leraar aan de normaalschool te Torhout en nadien ook directeur. In 1930 werd hij diocesaan hoofdinspecteur en 2 jaar later werd hij lector aan de Katholieke Universiteit te Leuven. In de jaren veertig gaf hij ook zomercursussen aan de universiteit van Laval in Canada.

In tegenstelling tot De Hovre was hij dus wel academisch actief en zeer betrokken bij het onderwijsbeleid. Zelf schreef hij veel minder in het V.O.T. Zijn bijdragen zijn ook veeleer didactisch van aard of betroffen de psychologie van de persoonlijkheidsvorming (bijv. *Paedagogische zielkunde*). Zijn naam is ook veel meer verbonden met het Hoger Instituut te Brugge en ook met het *Sint-Canisiusblad* en andere tijdschriften en initiatieven (zoals de leergangen te Leuven) die zich uitdrukkelijker met catechese en christelijke opvoeding bezighielden. Zijn publicaties waren niet zozeer wijsgerig, maar veeleer theologisch, of zo men wil catechetische en zelfs apologetisch van aard.

Om maar enkele titels te noemen: *Kerkelijke opvoeding* (1922), *De godsgedachte in leer en leven* (1929), *Christelijke paideia in denken en doen* (1938), *In het licht der encycliek over de christelijke opvoeding* (1945), *Pedagogische waarde der dogma's* (1947), *Grondproblemen van de christelijke pedagogiek* (1953), *Jezus als pedagoog* (1956). De meeste van deze werken zijn ook in Franse vertaling in Canada verschenen.

Als de grootste verwezenlijkingen van De Hovre en Decoene gelden de Hogere Instituten voor Opvoedkunde en het Vlaamsch Opvoedkundig Tijdschrift.

In 1925 werd te Gent het eerste Katholieke Hoger Instituut voor Opvoedkunde opgericht. Stichter van het instituut was (de latere kanunnik) Dr. Frans de Hovre. Het instituut moest de tweede pijler worden van een katholiek pedagogisch project waarvan de eerste pijler gevromd werd door het zes jaar tevoren opgerichte 'Vlaamsch Opvoedkundig Tijdschrift' dat volgens de Hovre zelf het geesteskind was van Kanunnik Dr. Alberic Decoene De door hun tijdgenoten al schertsend genoemde 'Jan Breydel en Pieter de Coninck van de Vlaamse christelijke pedagogiek' omschreven hun project bij de aanvang als volgt: 'Tegemoet komen aan de pedagogische beweging die onder ons volk is ontstaan, die beweging versterken en verbreiden, ze verruimen en verdiepen, ze verankeren in de christelijke levensbeschouwing, ze africhten op het katholiek opvoedingsideaal, ze belichamen door de organisatie van de leraarstand, ze voorlichten en bezielen, ze vertolken in al haar denken en doen.'

Het project dat De Hovre en Decoene voor ogen stond, was omvattend. Het Hoger Instituut voor Opvoedkunde moest een centrum worden waar de leerkrachten gevormd zouden worden door de wetenschappelijke studie van de opvoedkunde in het kader van en verbonden met de katholieke levensbeschouwing. Het kwam er niet alleen op aan de christelijke opvoedingsleer wetenschappelijk te funderen. De inzet was het optimaliseren van de dagelijkse onderwijspraktijk door de leerkrachten te vormen door middel van een doorgedreven studie van opvoedings- en onderwijsproblemen. De cursisten zouden de daadwerkelijke belichaming worden van de overbrugging van de kloof tussen theorie en praktijk. Concreet streefde men niet alleen naar beroepsvervolmaking, maar ook naar voorbereiding op latere taken als schoolhoofd en inspecteur. Op deze wijze zou ook de leraarstand cultureel en sociaal verheven worden. Later heeft men wel eens smalend gezegd dat het Hoger Instituut de leerkrachten bijschoolde opdat ze het *Vlaamsch Opvoedkundig Tijdschrift* konden lezen. Daarin ligt een grond van waarheid, maar men kan en moet dan ook zeggen dat het instituut ook schrijvers voor het *Vlaamsch Opvoedkundig Tijdschrift* leverde. De bijdragen waren immers niet alleen van de hand van hooggeleerde heren geschreven. Er werd ook en vooral veel verslag van ervaringen gedaan en op de praktijk gereflecteerd door de onderwijsmensen zelf. In zekere zin zijn het instituut en het tijdschrift het levend voorbeeld geweest dat pedagogische theorie en praktijk niet noodzakelijk gedoemd zijn om twee werelden te vormen, 'gesplitst of gespleten' (Depaepe) te zijn, maar dat ze in elkaars verlengde kunnen en moeten liggen en elkaar wederzijds kunnen bevruchten.

Over de Hogere Instituten voor Opvoedkunde en over de strekking van het *Vlaamsch Opvoedkundig Tijdschrift* is reeds heel wat geschreven. Analyses die De Hovre en Decoene ernstig nemen als katholieke pedagogische denkers zijn haast onbestaand. Nochtans zijn de verschillen opmerkelijk. Bij De Hovre is een filosofische analyse van de levensbeschouwingen in de pedagogiek de constante. Bij Decoe-

ne keert steeds het belang van de persoonlijkheid van de opvoeder terug en de
betekenis van het geloof hierbij. In menig
opzicht zijn De Hovre en Decoene elkaars
tegenpolen.

Hoe het ook zij: vanaf hun studen-
tentijd te Leuven hebben De Hovre en
Decoene samengewerkt. Blijkbaar vul-
den ze elkaar goed aan. '*Les extrèmes se
touchent*' zouden ze wellicht in verwijzing
naar Mercier als verklaring gegeven hebben,
indien erom gevraagd.

Frans De Hovre en Alberic Decoene

7 Katholieke pedagogiek tussen filosofie en theologie

Inleiding

In deze bijdrage sta ik stil bij vragen betreffende de identiteit van de katholieke pedagogiek. In zijn omvattendheid kunnen we deze thematiek niet aanpakken: daartoe ontbreekt de tijd, ruimte en ook wel de deskundigheid. Wat ik wel wil doen is verkennen op welke wijze De Hovre – '*Jan Breydel*' – een katholieke pedagogiek construeerde en waarin deze verschilt met de opvattingen van Decoene – de '*Pieter De Coninck*'. Mijn inziens zijn er immers wel degelijk accentverschillen, die – en dat is belangrijkst – heel relevant kunnen zijn voor het nadenken over de vraag wat een katholieke pedagogiek zou kunnen zijn. Deze verschillen hebben te maken (1) met de differentiële betekenis van filosofie en theologie voor een katholieke pedagogiek, (2) met de vraag of het eigene van een katholieke pedagogiek verband houdt met haar wetenschappelijkheid of eerder met haar houding tegenover opvoeding, en (3) met het christocentrisme van de katholieke pedagogiek.

Tot deze verkennende beschouwingen ben ik niet alleen gekomen door de vaststelling dat in de historische pedagogiek heel ongedifferentieerd gesproken wordt over dé katholieke pedagogiek zonder veel gevoel voor nuance[2]; maar ook en vooral ben ik geïnspireerd door het voorwoord dat Jacques Maritain schreef voor de Franse uitgave van De Hovres *Pedagogische Wijsbegeerte*.[3] Nadat hij met veel waardering gesproken heeft over De Hovres werk waarvan hij een mooie

> '*Die Worte sind gut, sie sind aber nicht das Beste. Das Beste wird nicht deutlich durch Worte. Der Geist, aus dem wir handeln, ist das Höchste. Die Handlung wird nur vom Geiste begriffen und wieder dargestellt. (…) Wer bloß mit Zeichen wirkt, ist ein Pedant, ein Heuchler oder ein Pfuscher. (…) Des echten Künstlers Lehre schließt den Sinn auf; denn wo die Worte fehlen, spricht die Tat. Der echte Schüler lernt aus dem Bekannten das Unbekannte entwickeln, und nähert sich dem Meister.*'
>
> J.W. GOETHE[1]

samenvatting geeft, volgen immers enkele – meerzinnige – bedenkingen. Eerst drukt Maritain de wens uit dat De Hovre ook eens een opvoedingstheorie aansluitend bij Thomas van Aquino zou uitwerken. Heeft De Hovre dan geen katholieke opvoedingstheorie gebracht? Of sluit hij in zijn denken over opvoeding onvoldoende aan bij Thomas?[4] Vervolgens citeert Maritain uit een gesprek met iemand die in De Hovres werk geanalyseerd wordt maar die door Maritain niet met naam vermeld wordt:[5] *'Il faut défendre le catéchisme contre la pédagogie'*. Deze uitspraak kan niet anders dan als een waarschuwing en misschien wel een *'broederlijke vermaning'* gelezen worden, als we de contemporaine discussie binnen de katholieke pedagogische wereld kennen betreffende 'katholiciteit' van de cultuurpedagogiek die zich inspireert aan Willmann en waarvan De Hovre een overtuigd vertegenwoordiger was.[6] Maritain eindigt tenslotte met enkele ideeën over het leraarschap bij Thomas en Augustinus, wat in wezen een discussie is over de betekenis van het bijbelse *'gij hebt maar één leraar, de Christus'* (Matth, 23, 8) voor een katholieke pedagogiek en als zodanig een discussie over de plaats en betekenis van Jezus Christus in een katholieke reflexie op opvoeding (het zogenaamde *christocentrisme*).[7]

De Hovres Pedagogiek: katholiek en wetenschappelijk

Pedagogiek als wetenschap

De Hovre wil dat de pedagogiek én katholiek én wetenschap is. Pedagogiek is niet zomaar een leer die zegt hoe de mens behoort op te voeden. Als wetenschappelijke theorie moet de pedagogiek inzicht verwerven in het wezen van opvoeding. Dit wezen van opvoeding is datgene waar het in opvoeding in waarheid om te doen is. Een beschrijvende taal schiet hier te kort. Het inzicht in het wezen van wat opvoeding impliceert onmiddellijk wat opvoeding behoort te zijn. In wezensuitspraken worden descriptie en normativiteit met elkaar verbonden. Hiermee volgt De Hovre de aristotelische opvatting dat in een definitie van een zijnde niet alleen het wezen van het zijnde gegeven is, maar ook de waarde: een definitie is de bepaling van een zijnde onder zijn volmaakte bestaansvorm.

De wetenschappelijkheid van kennis wordt door De Hovre duidelijk niet verbonden met bepaalde formele procedures volgens dewelke de kennis tot stand is gekomen. Het criterium voor wetenschap is bij De Hovre orde. Deze 'orde' zelf wordt gekenmerkt door: synthese, harmonie, concentriciteit en hiërarchie. Deze orde is met andere woorden een organische orde. In de wetenschap moeten alle gedeeltelijke inzichten en waarheden tot synthese gebracht worden, elk moet zijn plaats krijgen in een hiërarchische orde van wezenlijk naar minder wezenlijk, essentieel naar bijkomstig. En in deze geordende reeks van inzichten moet een centrum zijn waarrond alles draait en waarnaar alles verwijst. De term 'harmonie' wordt allicht gebruikt om deze organische synthese af te zetten tegen een dialectische.

De methode om de kennis te ordenen tot een wetenschappelijke kennis is een genetische methode. Deze methode bestaat er niet zozeer in op zoek te gaan naar de oorsprong van iets. In deze methode moet én de gehele structuur van het gegevene beschouwd worden én de verschillende onderdelen van die structuur in hun gegroeide samenhang gezien worden. De methode veronderstelt met andere woorden dat de werkelijkheid een historisch gegroeide werkelijkheid is. De beide termen – historisch en gegroeid – zijn belangrijk. Je kan iets maar begrijpen als je de geschiedenis ervan kent en deze geschiedenis moet opgevat worden als een evolutie, een ontwikkeling met een vertrekpunt en een eindpunt.

Uitdrukkelijk keert De Hovre zich tegen het dreigend monopolie van de natuurwetenschappen *'more geometrico'* en/of *'more arithmetico'*. Even uitdrukkelijk sluit hij zich aan bij de beweging van de 'geesteswetenschappen' met als promotoren Dilthey, Windelband, Rickert, Eucken, Scheler, Spranger, Litt e.a.[8] Tegelijk wil hij zich niet zonder meer identificeren met deze geesteswetenschappelijke beweging. Hij verwijt deze immers dat ze in het zich afkeren tegen de natuurwetenschappen de redelijkheid dreigt overboord te gooien. En met dit laatste doelt hij op de 'orde' en de 'zin' in de geschiedenis. Dilthey en zijn navolgers zien in de geschiedenis alleen wisselende vormen en vervallen in een historisch relativisme, waarbij iets maar geldigheid bezit op een bepaald moment en daarna afgewisseld wordt door iets anders. Hiermee dreigen de geesteswetenschappen te vervallen in irrationalisme. Daartegenover stelt De Hovre de redelijkheid van de organische en genetische orde.[9]

In de wijze waarop De Hovre zijn wetenschapsconcept plaatst boven dat van het 'naturalisme/positivisme/scientisme' en van het histori(ci)sme van de geesteswetenschappen en wel met name door zijn beklemtonen van zowel de ene waarheid van alle wetenschappen – de redelijke orde – als van de verschillende methoden van natuur- en geesteswetenschappen – *'de more geometrico'* en de genetische methode – zien we de zin voor synthese – die voor hem kenmerk is van alle wetenschap – reeds duidelijk aan het werk.

Uit het wetenschapsconcept van De Hovre volgt immers dat theorieën onderscheiden kunnen worden niet zozeer in wetenschappelijk en onwetenschappelijk, maar wel gradueel van minder naar meer wetenschappelijk. Hoe meer gegevens een theorie kan ordenen en een plaats geven in haar structuur, hoe meer ze het ideaal van wetenschappelijkheid benadert. Er bestaan heel wat theorieën die slechts gedeeltelijk waar zijn: ze kunnen slechts een beperkt aantal fenomenen genetisch organisch verklaren en begrijpen. Vooruitgang in de wetenschap bestaat erin deze verschillende theorieën te integreren en te synthetiseren. De Hovre gebruikt in deze context de term wijsheid in onderscheid met waarheid. Elke theorie heeft wellicht een grond van waarheid. Wijsheid bestaat erin deze verschillende waarheidsmomenten te onderkennen, te zoeken naar een harmonische synthese, er vanuit gaande dat de absolute synthese wellicht door geen enkele theorie gevat kan worden.

Hieruit volgt dat de (voor)geschiedenis in de wetenschappelijke theorievorming onmisbaar is voor de wetenschappelijke theorievorming. In de geschiedenis zijn de mensen tot inzichten gekomen die de historische particulariteit over-schrijden en die de volgende generaties moeten meenemen en integreren. Voor opvoeding ligt dit niet anders: de pedagogiek moet alle denken over opvoeding ernstig nemen. Dit wil zeggen: niet voor de waarheid nemen, maar wel de grond van waarheid ervan kunnen erkennen.

Op dit punt ontstaat dan wel een probleem voor de pedagogische weten-schap die katholiek wil zijn. De oorsprong van het denken over opvoeding – die De Hovre situeert in de Griekse oudheid – is niet katholiek, zelfs niet christelijk. En in de loop van de geschiedenis zijn er heel wat niet katholieke, niet-christelijke en zelfs antikatholieke pedagogen geweest. De oplossing die De Hovre biedt lijkt minstens uit drie strategieën te bestaan.

Een eerste argument betreft de niet-christelijke oorsprong van het pedago-gisch denken. Volgens De Hovre zijn de eerste pedagogische inzichten weliswaar niet katholiek, maar wel zuiverder dan menig later in de geschiedenis verwoorde pedagogische theorie. Hoe dichter de mens bij de oorsprong staat, hoe minder de oorspronkelijke wijsheid verduisterd is door de tijden waarin begrippen steeds meer een eigen leven gaan leiden en zo de oorspronkelijke waarheid verduisteren. Zo zijn de Griekse filosofen vaak veel helderder en getuigen hun theorieën van meer gezond verstand dan wat later geconstrueerd is geworden, eenvoudigweg omdat ze dichter bij de oorsprong stonden. Het beginstadium is in zekere zin onvolmaakter dan wat later met meer ervaring kan worden uitgebouwd, maar het is tevens *'frisser en onmiddellijker'*. We stellen vast dat traditie hier bij De Hovre een dubbelzinnige appreciatie kent: enerzijds is het staan in een traditie – het opnemen van de historische inzichten – de voorwaarde voor een wetenschap-pelijke theorievorming, anderzijds versluiert deze geschiedenis de oorsprong; te-gelijk wordt gesteld dat de bijkomende historische ervaringen de oorspronkelijke ervaring verrijken, de oorsprong is dan weer onmiddellijker.

Een tweede en derde strategie betreffen de concurrentie tussen theorieën en het bestaan van niet-katholieke pedagogische theorieën. Om beide te begrij-pen, moet nader ingegaan worden op de wijze waarop De Hovre de verhouding tussen wetenschappelijke theorievorming en levensbeschouwelijke overtuigingen begrijpt en welke plaats hierbij toekomt aan het katholicisme.

De pedagogische grondwet

Steeds weer – o.m. in 1928 bij de opening van het Antwerpse Hoger Instituut voor Opvoedkunde – formuleert De Hovre wat hij noemt *'De grondwet der op-voedkunde'*. Deze luidt als volgt:

> *'Alle paedagogiek berust op levensbeschouwing;*
> *Echte paedagogiek op de algehele levensbeschouwing;*
> *Ware paedagogiek op de ware levensbeschouwing.'*

Uit het vorige is reeds duidelijk dat voor De Hovre neutraliteit geen kwaliteit van wetenschap is. Wetenschap die zich zelf neutraal noemt, is onwetenschappelijk bezig in de mate dat ze zich van de eigen levensbeschouwelijke veronderstellingen niet bewust is. Wetenschap is levensbeschouwing wanneer ze zoekt naar de normerende wezenlijke waarheid betreffende de mens en de werkelijkheid. Wetenschap is de levensbeschouwing die omvattend wil zijn.

Pedagogische theorieën kunnen onderscheiden worden aan de hand van de funderende en/of geïmpliceerde levensbeschouwingen. In feite zijn alle studies van De Hovre vergelijkende studies die zoeken naar verschillen en gelijkenissen in de levensbeschouwingen van pedagogische denkers en systemen. We vermelden hier bijvoorbeeld zijn eerste Leuvense studie o.l.v. Mercier betreffende Herbart en Pestalozzi[10], of nog vroeger de vergelijkende studie over de Engelse en Duitse opvoeding tijdens zijn gedwongen verblijf in Engeland tijdens de Eerste Wereldoorlog.[11] Ook In zijn *Pedagogische Wijsbegeerte* groepeert hij theorieën in naturalisme, socialisme en nationalisme/politisme. Elders heeft hij het over individualisme, intellectualisme, voluntarisme, monisme.[12] Zelfs zijn monografie over de katholieke pedagogiek is een vergelijkende studie: de behandelde pedagogen zijn weliswaar allemaal katholiek, maar ze verschillen naargelang de nationale cultuur en traditie, waarin specifieke levensbeschouwelijke accenten gelegd worden.[13]

De meeste pedagogische theorieën zijn eenzijdig in de zin dat ze een eenzijdige levensbeschouwing cultiveren: of ze reduceren opvoeding tot een natuurlijk gebeuren (bijv. Spencer), of tot een louter sociaal gegeven (bijv. Natorp), of tot een politieke kwestie (bijv. Fichte), of ze benadrukken eenzijdig de verstandelijke vermogens (bijv. Herbart), of de wilskracht (bijv. James), of ze zien niet het onderscheid tussen mens, God en de wereld niet (bijv. het monisme van Hall).

De eenzijdigheid mag geen reden zijn om de theorieën geheel te verwerpen: ze hebben elk hun grond van waarheid. Deze moet gerelativeerd worden: dit wil zeggen dat ze op hun plaats gezet moeten worden. De inzichten kunnen dan in een omvattende levensbeschouwing werkelijk tot hun recht komen. Deze omvattende levensbeschouwing die de wetenschap nastreeft, is te vinden in het katholicisme. Het katholicisme is de 'algehele' en 'ware' levensbeschouwing. Met Newman wordt het katholicisme gedefinieerd als de '*levensbeschouwing die alles samenbindt, wat in andere scholen uiteenvalt*' en waarvan Willmann de moderne pedagogische architect is. In de inleiding op de vertaling van Willmann wordt dit zeer kernachtig geformuleerd.

> '*Alle waarheidsfragmenten van waar of van wien ze ook mogen komen (...) worden hier opbewaard en hooggehouden; de verschillende wegen die eenigszins naar het wezen van opvoeding en onderwijs leiden, worden bewandeld en benuttigd; de blik vaart steeds over het gansche gebied, over den geheelen mensch, over het geheele leven*'.[14]

Op deze wijze staat de katholieke pedagogiek in principe open voor alle pedagogische denkers en is het al dan niet katholiek zijn geen voorwaarde om opgenomen te worden in de canon van klassieke pedagogen uit de traditie. Hiermee is echter ook duidelijk geworden dat deze pedagogen nooit op zichzelf mogen staan, maar dat ze steeds vanuit de omvattende waarheid benaderd moeten worden. Dit betekent niet dat ze 'gecensureerd' moeten worden en dat alleen dat wat waardevol is, overgenomen moet worden. De Hovre opteert duidelijk voor de strategie van de oppositie of beter – om met de katholieke scholastieke traditie te spreken – het dispuut. Elke klassieke pedagoog wordt vakkundig gedeconstrueerd: eerst worden de inzichten weergegeven, om vervolgens gereduceerd te worden tot de onderliggende levensbeschouwing, waarop een kritiek volgt vanuit een andere pedagogische theorie. Opvallend hierbij is dat De Hovre de kritiek niet onmiddellijk vanuit een andere eenzijdige levensbeschouwing of vanuit de omvattende levensbeschouwing laat vertrekken, maar wel eerst zoekt naar kritieken binnen de eenzijdige levensbeschouwing zelf. Binnen elke groep van eenzijdig levensbeschouwelijke pedagogische theorieën kan immers een onderscheid gemaakt worden tussen 'radicalen' en 'gematigden'. De gematigden fungeren als het ware als brug tussen de radicale eenzijdigheid en de omvattendheid van de katholieke pedagogiek. De gematigden vormen immers een kritiek op het radicalisme vanuit een gedeeld standpunt, dat juist met de argumenten van de gematigden als eenzijdig – en dus vragend om een meer omvattend perspectief – bekritiseerd kan worden. Hier toont zich duidelijk het verschil met de genetisch organische methode die een omvattende waarheid 'kent' waarin de spanningen tussen de delen geplaatst kan worden en de dialectische methode die alleen het conflict van de delen kent.

De Hovre voegt hieraan nog een andere strategie toe die toelaat om nog meer de 'eenzijdige' pedagogen in de traditie op te nemen als zijnde waardevol ondanks al hun beperkingen. Bij menig pedagogisch denker meent hij immers een kloof vast te stellen tussen hun uitspraken over opvoeding en hun expliciete levensbeschouwelijke inzichten. Terwijl uit de wijsgerige en levensbeschouwelijke werken vaak geen pedagogische uitspraken af te leiden zijn, omdat het levensbeschouwelijke kader juist in zijn eenzijdigheid opvoeding ondenkbaar maakt, brengen dezelfde denkers vaak in pedagogische traktaten allerlei waardevolle pedagogische inzichten ter sprake die niet gedragen worden door de eigen wijsgerige denkbeelden.

Deze waardevolle pedagogische inzichten komen uit de 'schat' aan pedagogische wijsheid die doorheen de eeuwen opgebouwd is. Ze behoren als het ware tot de pedagogische '*sensus communis*'. Met deze opvatting, benadrukt De Hovre enerzijds opnieuw de waarde van de traditie en de traditionele pedagogische wijsheid; anderzijds worden daarmee bepaalde klassieke pedagogische denkers wel heel scherp bekritiseerd, om niet te zeggen heel netjes afgemaakt. Wat iemand als Kant of Rousseau als pedagogisch waardevol te bieden heeft, volgt niet uit het eigen systeem – dat te individualistisch is om opvoeding te kunnen denken en er een plaats in te geven – staat er zelfs mee in tegenspraak, en is als behorend tot de traditie allicht ergens anders zuiverder en beter geformuleerd, en kan in de katholieke pedagogiek het best tot zijn recht gebracht worden.[15]

Dit maakt ook begrijpelijk dat de pedagogische traditie voor De Hovre vooral een voor-moderne traditie is. Plato en Aristoteles, de bijbel, de kerkvaders en kerkleraars zijn de onbetwistbare harde kern. Andere denkers – humanisten, Comenius – worden reeds met veel meer reserve behandeld. De 'moderne' pedagogen worden vooral bekritiseerd, op de eerste plaats Rousseau en Herbart. En deze kritieken gelden dan niet wat ze zeggen over opvoeding: de discussie betreft volledig de levensbeschouwing van de denkers. Dit roept de vraag op naar de verhouding van de katholieke pedagogiek tot de moderne verlichte pedagogiek.

Katholieke versus moderne pedagogiek: traditie als verschil

We vermeldden reeds hoe De Hovre de katholieke pedagogiek positioneert tegenover de hermeneutische pedagogiek. Gewaardeerd wordt het inzicht van de geesteswetenschappen dat zonder historisch inzicht geen wetenschappelijk inzicht betreffende de mens en de wereld mogelijk is; verweten wordt het historisch relativisme van de hermeneutische beweging. In reactie tegen het monopolie van de natuurwetenschappen met haar universele wetten, stellen de geesteswetenschappen de 'wet van de eenmaligheid'. Daartegenover stelt de katholieke pedagogiek dat er wel degelijk een eeuwige waarheid betreffende de mens en de wereld moet zijn, die objectief en universeel geldt.

Het is dan wel de vraag op welke wijze deze waarheid toegankelijk is voor de in tijd en ruimte gesitueerde mens. Hier situeert zich het verschil met de moderne verlichte filosofieën. De Verlichting gelooft de waarheid door middel van de rede te kunnen doorgronden en wel op grond van een analyse van de eigen ervaring en het eigen denken. De Hovre spreekt met Willmann over het '*apriorisme*', dat tot inzicht wil komen zonder gebruik te maken van de doorheen de geschiedenis verworven inzichten. Hier valt de naam van Descartes als de denker die de menselijke rede 'in het harnas gejaagd heeft' tegen de geschiedenis. In de filosofie van Kant kent dit '*apriorisme*' haar hoogtepunt: alle historische verworven metafysische inzichten worden verwezen naar het rijk van speculatie en zijn hoogstens denkbaar als vooronderstellingen van ervaring en denken.

Dit moderne '*apriorisme*' vertaalt zich naar de pedagogiek toe in een overschatten van de menselijke vermogens – de mens zou zichzelf in alle autonomie moeten kunnen bepalen – maar ook – en dit is voor ons thema belangrijk – in een onderschatten van de betekenis van de traditie en de inzichten uit de traditie. De moderne pedagogiek wil zich voordoen als de enige echte wetenschappelijke pedagogiek waarbij de andere pedagogische theorieën afgedaan worden als levensbeschouwelijke onwetenschappelijke pedagogieken die zich nog niet bevrijd hebben van de historische vooroordelen. De katholieke pedagogiek is evenwel niet zomaar een levensbeschouwelijke pedagogiek: de katholieke pedagogiek is de enige echte wetenschappelijke pedagogiek die de algehele wijsheid inzake opvoeding poogt te omvatten, waarbij de wijsheid uit het verleden mee geïntegreerd worden.

De Hovre plaatst met andere woorden de katholieke pedagogiek op de plaats die de moderne verlichte pedagogiek opeist en hierbij gebruikt deze katholieke pedagogiek als argument het feit dat zij de traditie wel kan en wil meenemen. Met Willmann ontleent De Hovre nog een bijkomend argument tegen de moderne verlichte pedagogiek aan deze pedagogiek zelf: de historische bezinning bevrijdt de mens van het hier en nu, en biedt een houvast tegen de stromingen van het ogenblik. En met instemming verwijst De Hovre in deze context naar de uitspraak van Chesterton dat de kerk de enige instelling is die de mens verlost uit de onterende slavernij van een kind van zijn tijd te zijn. Omwille van de vrijheid moet de pedagogiek haar traditie kennen en 'piëteitsvol' integreren.

Heel uitdrukkelijk wordt wel gesteld dat dergelijke eerbied voor de traditie niet verkeerd begrepen mag worden. Het kan de katholieke pedagogiek er niet om te doen zijn om de verlichte pedagogiek zonder meer te verwerpen om terug te keren tot de voormoderne tijden. Dat deze tijden eenduidiger christelijk waren, kan wel zijn, maar dergelijk radicaal verzet tegen de verlichte pedagogiek, dreigt te ontaarden in een verzet tegen de rede. En dat kan en mag niet. Het waarheidsmoment van de verlichte moderne pedagogiek is het wijzen op het belang van de individuele rede. De mens moet zelf tot inzicht redelijk inzicht komen. De fout is dat ze de noodzaak van de traditionele wijsheid daartoe niet ziet. Wat in de traditie gegeven is, moet wel degelijk 'innerlijk' opgenomen worden. Een terugkeer naar de middeleeuwen waarbij de mens moet aanvaarden wat toen terecht gold, is niet mogelijk en niet wenselijk. De traditie moet in alle redelijkheid opgenomen worden, zonder geringschatting van die rede, van de ervaring en van de eisen van de tegenwoordige tijd.

Zo doende wijst de katholieke pedagogiek elk traditionalisme – zoals dat van de Maistre en de Bonald[16] – waarin kennis opgelost wordt in de christelijke religieuze traditie af. Ook hier geldt dus het principe van de synthese, het overstijgen van eenzijdige tegenstellingen.

In de strijd tegen de moderne pedagogiek gaat De Hovre nog een stap verder. Niet alleen is de katholieke levensbeschouwing de meest omvattende, in tegenstelling tot alle andere is het pedagogisch motief met haar wezen verweven. De kern van de zaak is immers volgens De Hovre dat het vertrekpunt van de katholieke levensbeschouwing geen cerebrale theorie over het leven is, maar het verhaal van het leven van de God-mens, die van zichzelf getuigt: Ik ben de Weg, de Waarheid en het Leven. Het beginpunt is een levende persoonlijkheid, geen speculatief systeem; een historisch feit, geen theorie. Het pedagogische en het historische zijn het wezen zelf. Pedagogiek en traditie zijn geen afzonderlijke gebieden, maar het *'orgaan van het katholiek organisme'*: de grote katholieke denkers zijn leraars, elke heilige is een voorbeeld voor de persoonlijke vorming en bovendien is de katholieke pedagogiek geen boekenpedagogiek maar op de eerste plaats de dagelijkse praktijk van de organisatie van de kerk. Het geloof in de mens en in de mogelijkheid van zijn verheffing, is de voorwaarde van elke praktijk en theorie van opvoeding. Dit geloof nu vormt de kern van het katholieke geloof: de mens zal niet terugglijden in het onnatuurlijke of onredelijke, en wel omdat hij niet alleen kan rekenen op de natuur en zijn rede, maar kan vertrouwen op het bovennatuurlijke en bovenredelijke dat hem zal verlossen. God leidt de mens weg van het eigen zelfbehoud naar het goddelijke (*theocentrisme*), in Christus vindt de mens de weg, de waarheid en het leven dat hij kan navolgen (*christocentrisme*) en de Kerk biedt hem het midden en de middelen hiertoe, zij is de brug tussen de mens en god (*ecclesiocentrisme*).

Opvoeding ondenkbaar en ondoenbaar zonder traditie

Dergelijke beschouwingen roepen de vraag op naar het katholiek opvoedingsbegrip en naar de betekenis van de traditie hierin. Opvallend is dat De Hovre zelf weinig over opvoeding zegt. Hij is in zijn metatheoretische studies vooral bezig met de kritiek van de levensbeschouwingen van pedagogische denkers en het voorstellen van de principes van een wetenschappelijke pedagogiek, en komt niet toe aan het formuleren van een eigen objecttheoretische visie.

De Hovre sluit zich hoofdzakelijk aan bij Willmann en Foerster. Met deze twee keert hij zich tegen de reductie van opvoeding tot een relationeel gebeuren tussen een opvoeder en opvoedeling. De relatie is immers ingebed, wordt voorgestructureerd, wordt gedragen en overstegen door een sociaal ethos, een geestesklimaat. Mede onder de indruk van het werk van de sociaal-darwinist Benjamin Kidd, spreken de katholieke pedagogen over '*sociale overerving*' en de '*assimilatie van generaties*'.[17] Opvoeding is een sociale functie.

Hiermee is niet gezegd dat opvoeding opgaat in het sociale. De Hovre stelt expliciet dat opvoeding én individueel én sociaal is. De kern is wel degelijk ook karaktervorming, maar deze is ondenkbaar zonder erkenning van het sociale ethos. Het karakter vormt zich aan de gemeenschap, en wel aan de 'goederen' die het geestesklimaat dragen. Op verschillende plaatsen citeert hij met instemming de definitie van Willmann.

> '*Opvoeding is de voorzorgende, vormende en leidende inwerking van volwassen menschen op de ontwikkeling van onvolwassenen, om hen deelgenooten te maken in de goederen waarin de levensgemeenschappen geworteld zijn*'.

De zes fundamentele begrippen zijn: voorzorg, vorming, leiding, ontwikkeling, geestesgoederen en gemeenschap. Ontwikkeling is een noodzakelijk begrip omdat het (1) een duidelijk beginpunt (kiem, reële mogelijkheid, potentie) aangeeft en het (2) een even duidelijk eindpunt (een 'wezensuitgroei') veronderstelt. Deze ontwikkeling is evenwel niet louter biologisch op te vatten. Hiervoor zijn het goederenbegrip en het gemeenschapsbegrip cruciaal. Naast de materiële goederen die de economie kent, zijn er ook ideale goederen. Deze bestaan uit persoonlijke (kennis, kunstvaardigheid, ervaring, handigheid) en bovenpersoonlijke goederen (kunst, taal, wetenschap, poëzie, literatuur, recht, godsdienst). Deze goederen hebben een eigen objectiviteit: individuen scheppen ze niet, maar kunnen er deelgenoot van worden. Deze goederen hebben ook een eigen substantialiteit: ze bestaan niet alleen als bewustzijnstoestand. Door opvoeding en vorming ontwikkelt de mens zich door zich naar deze goederen te 'schikken'.

We zien hier het ordebegrip dat aan de methode ten grondslag ligt, terugkeren. Er is een gegeven (geschapen) normatieve orde in de werkelijkheid, waarvoor de mens maatontvangend is (om het thomistisch te formuleren). Opvoeding is de mens daaraan deelgenoot maken. De beelden van 'deelgenoot maken' en 'schikken' zijn niet toevallig gekozen. Ze dienen om aan te geven dat het hier niet gaat om aanpassen of louter verinnerlijken. De mens moet zich zelf – in alle vrijheid – schikken naar deze goederen die de gemeenschap dragen en die door de gemeenschap aanwezig gesteld worden. En dit schikken is niet een slaafs gehoorzamen, maar wel een deelgenoot worden, door de rede er deel aanhebben.

Deze goederen worden van generatie op generatie doorgegeven. Zij maken de continuïteit van generaties mogelijk. Opvoeding is hiervan de 'functie'. Traditie is dan onlosmakelijk verbonden met opvoeding. Plato's uitspraak dat opvoeding het doorgeven – de '*traditio lampadis*' – is van de fakkel van het leven, wordt dan ook graag geciteerd: opvoeding is traditie.

In feite lijkt De Hovre (met Willmann) hier de lijn van de klassieke vormingstheorie te volgen. Het grote verschil is wel dat de katholieke pedagogiek uitgaat van het bestaan van de '*societas perfecta*', de volmaakte gemeenschap welke de kerk is. Deze gemeenschap 'beheert' alle goederen in de juiste orde. Opvoeding is ondenkbaar en ondoenbaar zonder deze voedingsbodem van de perfecte gemeenschap, die de traditie bewaart, doorgeeft en doorleeft in en door de opvoeding.

Cultuurpedagogiek vs Deugdenpedagogiek[18]

De Hovre positioneert zich heel uitdrukkelijk niet alleen als katholiek pedagoog, maar ook – en dat wordt in de historische pedagogiek tot nu toe onderbelicht – binnen de katholieke pedagogiek als een aanhanger van de cultuurpedagogiek. De uitspraak van Frater Rombouts – '*De Hovre is volbloed Willmanniaan*' is geen louter neutrale beschrijving, maar wel degelijk een duidelijke plaatsbepaling in de discussies binnen de katholieke wereld over de verdiensten van Willmanns cultuurpedagogiek als katholieke pedagogiek. Maritain rekent het tot de verdienste van de cultuurpedagogische wijsbegeerte van De Hovre dat zij de levensbeschouwelijke grondslagen van de vele pedagogische stelsels duidelijk in het licht stelt, maar op zich is dat blijkbaar onvoldoende. Hij kijkt uit naar de 'kroon op het werk': een theorie van opvoeding op katholieke grondslag.

De Hovre – dat zagen we reeds – is heel beknopt zowel als het gaat om opvoeding en een katholieke theorie van opvoeding.[19] Opvoeding is op de eerste plaats en onvermijdelijk cultuuroverdracht, de functie van het historisch sociaal cultureel leven. Dit geldt blijkbaar ook voor de katholieke opvoeding. Niet toevallig legt hij bij de bespreking van de katholieke pedagogen de nadruk op hun verscheidenheid die het gevolg is van de verschillende culturele tradities waarin over opvoeding nagedacht wordt en waaraan ook katholieke auteurs niet alleen niet ontsnappen, maar ook schatplichtig zijn. Is er dan niet een ware katholieke pedagogische theorie? Naar alle waarschijnlijkheid zou De Hovre op die vraag antwoorden dat er wel degelijk één katholieke waarheid inzake opvoeding is, maar dat elke pedagogiek en elke opvoeding gebonden is aan de sociaal-culturele traditie waarbinnen elkeen zich beweegt en die men continueert.

Naast deze cultuurpedagogische stroming binnen de katholieke pedagogiek zijn er evenwel ook andere geluiden die op zijn minst een aanvulling nodig achten op deze pedagogische wijsbegeerte. Als wijsbegerige pedagogiek kan dergelijke theorievorming volgens hen immers niet tot een echte katholieke pedagogiek leiden. Daartoe heeft dergelijke wijsgerige pedagogiek op zijn minst de theologie nodig. Nog radicaler zullen sommigen stellen dat begin- en eindpunt van de katholieke pedagogiek de openbaring (het geloof, de dogmatiek, de theologie) is en dat de filosofie hoogstens een hulpmiddel is. De gevaren van een louter filosofische pedagogiek komen dan tot uiting in de cultuurpedagogiek die het wezen van opvoeding mist door opvoeding te vatten als een culturele functie en niet als middel in de verlossing van de mens. Naar deze kritiek verwijst wellicht Maritains uitspraak dat men de catechismus voor de pedagogie moet plaatsen.

Deze discussie is in katholieke kringen vooral bekend geworden naar aanleiding van de kritiek op Willmann door Bernberg[20], een leraar aan een katholieke normaalschool die eerst in tijdschriftartikels en later in boeken – met instemming van de bisschoppen – de stelling verdedigde dat de '*katholische Erziehungslehre als eine im Grundriß verfehlte und in der Praxis versagende Wissenschaft*' gekenmerkt moest worden. De oorzaak voor dat failliet lag in de pogingen om de pedagogiek te funderen in een culturele filosofie in plaats van in de openbaring, de dogmatiek en het geloof. De redding werd dan ook verwacht van een theologie van de opvoeding. Hierin verschijnt opvoeding dan niet als een culturele functie, maar wel als een opvoeding van de 'deugden' die de mens als mens goed maken, een opvoeding die in hem de habitus om als goed mens in zijn geheel goed te zijn en te handelen tot ontplooiing brengt (om Thomistische formuleringen te gebruiken).

In het Nederlandse taalgebied is deze kwestie destijds uitvoerig en met sympathie voor de kritiek op de cultuurpedagogiek voorgesteld door frater Rombouts in de veel gelezen '*opvoedkundige brochurenreeks*[21] Naar mijn weten heeft De Hovre niet aan deze discussie geparticipeerd.[22] Iemand die blijkbaar wel zich aangesproken voelde – ook al verwijst hij niet naar deze concrete Duits katholieke twist – was Alberic Decoene. In elk geval heeft hij steeds weer het proces gemaakt van een pedagogische theorievorming op louter wijsgerige basis en zelf gepoogd elementen aan te reiken voor een theologische pedagogiek.

Decoenes pedagogiek: christocentristische opvoedingstheorie

Geen opvoeding zonder dogma

Decoene laat nooit en nergens[23] na te wijzen dat de katholieke pedagogiek niet zozeer steunt op de rede, maar wel vertrekt van de goddelijke openbaring, en dat ze staat of valt met dogma's. Graag citeert hij Chestertons uitspraak '*geen opvoeding zonder dogma'*, geen opvoeding zonder geloofswaarheid. De twee pijlers van de katholieke opvoedingstheorie zijn meer bepaald twee dogma's: de erfzonde en het christologisch geloofspunt van verlossing en genade.

Met Schleiermacher zouden we kunnen zeggen dat elke pedagogiek steunt op een visie wie de mens is en waartoe hij bestemd is. De katholieke pedagogiek nu heeft het antwoord op beide vragen ontvangen in en door Jezus Christus. Door hem kennen we *'cet inconnu'*, hebben we inzicht in de dualiteiten in de mens – ziel en lichaam, geest en stof, tijdsleven en eeuwigheidsdrang, natuur en bovennatuur – van zijn fundamentele gespletenheid. In en door Hem hebben we ook weet van de oplossing: de verlossing door de genade en ingestort goddelijk leven.

Opvoeding is niet culturele vorming, maar wel deugdenopvoeding en gewetensvorming. Met de openbaring is het hoogste motief voor schuldbekentenis en berouw kenbaar gemaakt: wroeging omwille van het beledigen van God in zijn heiligheid en goedheid. De deugden zijn christelijke deugden: geloof, hoop, liefde, berouw. Zij leveren ons de waardenschaal.

Katholieke pedagogiek is inderdaad concentrisch en in het middelpunt staat God (zoals Willmann en De Hovre niet nalaten te benadrukken). Maar God is niet deze van de filosofen. Onze God is veel meer dan de eerste oorzaak van alle zijn. Hij is schepper en vader, waarbij wij geroepen zijn mee te werken aan de schepping van God tot wie wij als kinderen ons kunnen richten voor raad en bijstand. En Decoene stelt heel scherp (met de woorden van Karl Adam):

> *'Een zuiver wijsgerig onderzoek van de levende God is profaan en onheilzaam, en is daarom reeds een dwaling. Als er werkelijk een levende God is, dan kan ik tot Hem komen enkel en alleen door een gebedsvolle gedachte, of beter nog door een bedacht gebed. Er is geen andere weg tot Hem.' (eigen vert.)*

Wijsbegeerte is noodzakelijk beperkt tot het brengen van een leer, het geloof (wel te verstaan het dogmatisch geloof) daarentegen brengt leven en is daardoor pedagogisch.

Het leven, de weg en de waarheid is Jezus Christus. Een katholieke pedagogiek is dan ook noodzakelijk en in wezen christocentristisch, zoals opvoeding in wezen de navolging van Christus is. Verliezen veel pedagogieken zich in idolen en valse idealen, in de katholieke pedagogiek staan *'ideaten'* centraal. Met dit neologisme[24] doelt Decoene op mensen die wandelen in het licht van Jezus, de navolgbare *'paradigma's'*. Heel de geschiedenis van de katholieke pedagogiek is in feite een eregallerij van personen die in leven en werk Christus navolgen en door hun leven ons praktische voorbeelden geven van wat een deugdzaam leven is. Opvoeden is het navolgen van deze voorbeelden, de mimesis van de paradimata.

Ook hier kunnen we een kritiek op de pedagogische wijsbegeerte van De Hovre zien: historische pedagogiek is niet de opeenvolging van levensbeschouwelijke stelsels, maar wel van grote figuren die als het ware in elkaars verlengde staan als navolgers van Christus. En belangrijk hierbij zijn voor Decoene niet de verschillen, maar wel de gemeenschappelijke kern van allen: *instaurare omnia in Christo*.

Waneer men vertrekt van filosofische stelsels is opvoeding het in praktijk brengen van beginselen die als hefboom van de wil fungeren. Vertrekkend van de openbaring en de dogmatiek gaat het in opvoeding voor alles om het leven van Christus in heel zijn wezen te aanvaarden en te ontvangen.

Volgend citaat van Decoene laat er geen twijfel over bestaan dat voor hem de pedagogische wijsbegeerte – zeg maar De Hovre – niet ver genoeg gaat en niet volstaat om een katholieke pedagogiek te funderen.

> '*De katholieke wijsbegeerte heeft ongetwijfeld schitterende diensten bewezen bij het revival van onze bloedeigen christelijke opvoedkunde. Aan de aanvang staat hier Thomas van Aquino als ons aller meester. Wij stonden onder het leiderschap van Thomas als wijsgeer, wij moeten nu in de huidige spanning nog meer terug naar de Aquiner als theoloog.*'

Christocentrisme in de pedagogiek

Het christocentrisme in de pedagogiek heeft verschillende aspecten. Er is de reeds vermelde nieuwe lering dat God een Vader is, waardoor de verhouding van God tot mens een opvoedende relatie wordt. Er is ook de verlossing van de erfzondige mens door het offer van Jezus, waardoor het doel van opvoeding – de mens bevrijden en brengen tot zijn bestemming – bereikbaar wordt. Opvoeding komt daardoor in een eschatologisch perspectief te staan: het doel van opvoeding ligt uiteindelijk niet in deze wereld, maar richt de mens op het laatste oordeel waarin alles in orde zal komen. Met deze hoop wordt opvoeding tegelijk een immens grote en tegelijk een meer zinvolle aangelegenheid *sub specie aeternitatis*. Een ander aspect van het christocentrisme is gelegen in de pedagogische organisatie die Jezus gesticht heeft: het heilsinstituut van de Kerk. Op het gebied van de opvoedingsmiddelen beschikt de Kerk over onuitputtelijke hulpmiddelen: de genade en de sacramenten. Bovendien is ze universeel en betreft haar pedagogische missie de gehele mensheid.

Deze aspecten die neerkomen op de stelling dat het christendom in wezen pedagogisch is, zijn we ook tegengekomen bij De Hovre. Bij hem vormen ze evenwel slechts een bijkomend argument voor de superioriteit en eigenheid van de katholieke pedagogiek en zijn ze niet constitutief voor zijn theorievorming waarin katholiciteit eerst en vooral met wetenschappelijkheid verbonden wordt. Voor Decoene vormen ze daarentegen het alfa en omega van het katholiek denken over opvoeding. Hij heeft deze redenering voor het eerst grondig uitgewerkt in zijn '*Paedagogische waarde der dogma's*'[25] dat hijzelf opvatte als het resultaat van een lang nadenken tijdens de oorlog en terugblikken op de pedagogische inzet van de voorbije decennia.

De daaropvolgende jaren is hij dieper ingegaan op de figuur van Jezus als pedagoog. In zijn '*Christelijke pedagogie*' wordt reeds uitvoeriger stilgestaan bij de persoonlijkheid van de opvoeder Jezus en wordt de 'didactiek van de bergrede' nader onderzocht. Deze studie mondde uit in zijn laatste grote publicatie *'Jezus als pedagoog'*[26] waarin de dogmatische aspecten naar de achtergrond zijn verdwenen voor de zogenaamde *'pedeutologische'* aspecten van Jezus.[27] Je zou kunnen zeggen dat Christus meer naar de achtergrond verschoof en dit ten voordele van de mens Jezus.

We kunnen hier niet alle elementen van deze pedagogische psychologie van Jezus reconstrueren. Het is wel interessant om even stil te staan bij zijn analyse van de didactiek van de bergrede. Eigen aan deze didactiek – aldus Decoene – is niet alleen en zozeer het spreken in gelijkenissen (en parabels), maar wel zijn gebruik van paradoxen. De nieuwe leer die Jezus bracht, ging het gewone begrip te boven. In gewone woorden kon hij zijn boodschap niet brengen. Daarom bediende hij zich van paradoxen: 'wie zijn leven wil redden, zal het verliezen', 'zoals de graankorrel in de grond, moet ge eerst sterven om te kunnen leven', 'de blinden zullen zien, en de ziende zullen blind worden', 'wie bezit zal nog meer krijgen, en van wie niets bezit zal afgenomen worden', 'wie zich verheft, zal vernederd worden en wie zich vernedert, zal verheven worden', enz.

De christelijke paradoxen zijn het nieuwe humanisme. In de acht zaligheden worden op deze wijze alle wetten van de oude levenshouding veroordeeld. Op deze wijze wordt ook elk compromis uitgesloten: het leven wordt met grote absoluutheid gericht op de laatste doeleinden.

Op deze wijze verzoent Jezus alle oude tegenstellingen. Hij spreekt op deze wijze voor altijd en voor iedereen, en tegelijk voor de concrete enkeling hier en nu. Hij brengt een leer die overal en bij iedereen kan aansluiten. Hij overbrugt in woord en daad alle antinomieën. Aldus verschijnt Hij als de enige *pontifex*: letterlijk de bruggenbouwer. Hij verzoent natuur en bovennatuur, het eigentijdse en de mysteries van de eeuwigheid, enkeling en gemeenschap, eigenbelang en algemeen belang, de aarde en de hemel.

Kortom: de tegenstellingen tussen alle mogelijke eenzijdige levensbeschouwingen die De Hovre in een katholieke wetenschap die de Waarheid bezit, met andere woorden theoretisch wil verzoenen; worden door Decoene verzoend door Jezus in woord en daad. Niet door wijsgerig inzicht komt men tot de christelijke waarheid, wel door de praktische navolging van de dogmatische Christus die de weg, de waarheid en het leven is. Hiermee raken we een fundamentele tegenstelling.

Besluitende opmerkingen

Van de katholieke pedagogiek wordt gemakkelijk gezegd dat ze eigenlijk een toegepaste theologie en psychologie is, waarbij de theologie de doelen aanreikt, de psychologie inzicht geeft in hoe de mens leert en ontwikkelt, waarbij het dan aan de pedagogiek is zich de vraag te stellen hoe de doelen op de meest effectieve en efficiënte wijze bereikt kunnen worden, zo doende theologie en psychologie met elkaar verbindend.[28]

Deze voorstelling van zaken blijkt niet correct te zijn in het geval van De Hovre. Katholiciteit wordt niet op de eerste plaats verbonden met een bepaald dogmatische geloof en een kerkelijke organisatie. Voor De Hovres katholieke pedagogische wetenschap staat katholiciteit op de eerste plaats voor omvattendheid, universaliteit en algemeenheid. Dat deze in de visie van de katholieke pedagoog die De Hovre is, alleen gevonden kan worden in de Katholieke Kerk is niet verwonderlijk, maar wil nog niet zeggen dat hij zijn pedagogisch denken afleidt uit de theologie. Zijn vertrekpunt is het geloof in een omvattende waarheid, wat als een metafysische eis ervaren wordt: de waarheid moet één zijn. Vanuit deze intuïtie voldoen de bestaande pedagogische theorieën niet. Bij het zoeken naar een omvattende theorie komt hij als het ware uit bij de katholieke levensbeschouwing, waarbinnen dan wel een pedagogiek geformuleerd kan worden.

Het is natuurlijk wel zo dat alle reflecties zich binnen de Katholieke Kerk en haar leer voltrekken en dat hij deze katholieke levensbeschouwing niet in vraag stelt vanuit pedagogische inzichten. Hoewel zelfs dat laatste moet genuanceerd worden: De Hovre stelt duidelijk dat alle theorieën hun waarheidsmoment hebben en dat dit moet geïntegreerd worden in de katholieke pedagogiek. Er is een voortdurende bijstelling van de bestaande inzichten. Ook traditionele inzichten moeten geïntegreerd worden met nieuwe ervaringen. Daarvan kan wel gezegd worden dat dit gebeurt binnen de vooronderstelling, het geloof dat dit mogelijk is, waarbij de traditie het richtsnoer is. De traditie is met andere woorden nooit fout, ze kan en moet wel uitgezuiverd worden.

Storend is hierbij wel de triomfalistische zekerheid en bijhorende pretentie van de katholieke pedagogiek van De Hovre. Haar geloofsintuïtie – er is een ware orde, de waarheid is één, en deze waarheid is te vinden in de Katholieke Kerk – wordt niet als een geloofsintuïtie voorgesteld, maar wel als een onbetwistbare zekerheid. Alles moet te ordenen zijn, alles is te ordenen en het ordeningsprincipe is gegeven in de katholieke leer. Er is geen ruimte voor twijfel, of minstens voor de erkenning dat de waarheid misschien wel één moet zijn, maar dat de mens (nog) niet tot dat inzicht kan komen. Alle theorieën worden wel degelijk in een keurslijf gedwongen: wat niet in de orde kan, wordt genegeerd of verworpen. Zo wordt de traditie wel erg scherp uitgezuiverd. Zo is er voor een Rousseau wel een plaatsje mogelijk, maar is er geen begrip of poging tot begrip. En Froebel bestaat gewoon niet, om maar een voorbeeld te noemen.

Voor een Decoene is er ook de zekerheid of beter het geloof dat de Katholieke Kerk de waarheid letterlijk 'in pacht' heeft. Er is hier ook een triomfalisme in de zin dat hij meent dat er buiten de Kerk geen heil is. Maar deze waarheid is niet deze van De Hovre. Het is niet de waarheid van de filosoof die kennis nastreeft. Het is de waarheid van het leven van Jezus, de waarheid van die mens die zegt '*ik ben de weg, de waarheid en het leven*'. Dit is de waarheid van een praktijk, een gelovige praktijk, een praktijk van naastenliefde, van een ethisch handelen, van een recht doen in woord en daad aan de mens, God en de wereld.

Bij Decoene is de katholieke pedagogiek wel degelijk een toegepaste theologie of beter dogmatiek. In deze opvatting is in tegenstelling met De Hovre haast geen plaats voor niet-christelijke pedagogische theorieën. Decoene kent alleen christelijke opvoedingstheorieën. Hoewel dat laatste is niet geheel juist. Decoene kent alleen christelijk geïnspireerde opvoeders en pedagogen die allen Christus proberen na te volgen en die als zodanig voor ons inspirerende voorbeelden kunnen zijn. Om in zijn woorden te spreken: ideaten die in een mimetische verhouding staan tot het paradigma dat Jezus is.

Decoene ligt niet wakker van de verschillen in hun pedagogische stelsels. Wat hem interesseert zijn hun persoonlijkheden. Ook weer in zijn woorden: het belangrijkste is de pedeutologische betekenis van die mensen: de vormende waarde van hun persoonlijkheid(skenmerken). Niet voor niets heeft Decoene geen levensbeschouwingen vergeleken, maar wel het verhaal verteld van mensen als van Don Bosco, Poppe, Benedictus e.a. En dus ook van Jezus, het na te volgen, maar in wezen onnavolgbare voorbeeld.

Deze interesse voor de persoonlijkheid van opvoeders en hun stichtende voorbeeldfunctie is van meet af aan terug te vinden bij Decoene. Reeds in de jaren '20 schreef hij verschillende bijdragen over de persoonlijkheid van de opvoeder.[29] Streefde De Hovre vooral een culturele verheffing van de onderwijzer door middel van wijsgerig-historische studie (bijv. in de Katholieke Hogere Instituten voor Opvoedkunde), Decoene was meer bezorgd voor de persoonlijkheidsvorming van de leerkracht door middel van het gelovige woord dat wekt, en voorbeelden die strekken.

Moeten we kiezen tussen De Hovre en Decoene? Wat hun Godsbeeld betreft, wellicht wel. Wat hun pedagogiek betreft, meen ik van niet. Een gedegen wijsgerige reflectie op opvoeding vanuit een historisch inzicht kan het bewustzijn van de opvoeder – als *'reflective practitioner'* – stevig ondersteunen. Weet hebben van alle – ook andersdenkende – visies op opvoeding vergroot de kans op verantwoord positie kiezen bij het opvoeden. Deze vorming kan evenwel (nog) moeilijk verbonden worden met het eigen christelijke en eigen katholieke perspectief op opvoeding en onderwijs, zoals De Hovre meent. De eigenheid van het katholiek opvoedingsproject heeft meer te maken met de motiverende zingeving bij het verantwoord opvoeden, welke teruggaat op de figuur van Jezus. En dat zingeving als motiverende kracht een onschatbaar belangrijk element is in de persoonlijkheid van de opvoeder heeft Decoene terecht gezien. De volharding bij het lesgeven en opvoeden heeft alles van doen met letterlijk de geest-drift, het enthousiasme, de begeestering van de opvoeder. Het is de Geest die hoop, geloof en liefde opwekt en levendig houdt. Of zoals Augustinus zou zeggen: *'het is Christus, Zijn inspiratie leert'*.[30] Het is ook deze begeestering die de leerling oproept en begeestert. Of in de woorden waarmee Kriekemans zijn rede op de viering van 50 jaar HIVO te Antwerpen kernachtig besloot:

> *'Kortom hij is een christelijke opvoeder, die zelf zijn bindingen, vooral aan Christus, erkent , en hieruit consequent leeft. Van hem gaat een appél uit aan de anderen, om zich zelf echt helemaal (=heil) te worden en een menswaardig d.i. zakelijk-verantwoord leven uit te bouwen'.[31]*

Dat wat opvoeding doet 'werken' is die geestdrift die aanspreekt. Zoals ook Thomas van Aquino aangeeft, wanneer hij de leerkracht vergelijkt met een geneesheer. Ook een geneesheer kan alleen maar voorschrijven, raad geven, aansporen om zijn raad te volgen, maar zelfs als hij de zieke verplicht, het is het lichaam zelf dat gezond moet worden. Zo is ook de belangrijkste 'oorzaak' van leren, niet de instructie, maar wel de geest van de leerling zelf die moet ontdekken en leren.[32] De leerkracht is niet onbelangrijk, maar is (slechts) een bemiddelende oorzaak. Belangrijk is evenwel te blijven zoeken op welke manieren de opvoeder de leerling kan inspireren.[33] Dat zijn persoonlijkheid het cruciale punt is, zal ook De Hovre niet betwisten. Het vormen van die persoonlijkheid is evenwel niet louter en niet op de eerste plaats een redelijke aangelegenheid. Het volstaat niet dat de leerkracht overtuigd is van de universaliteit en wetenschappelijkheid van zijn pedagogiek. De leerkracht moet zelf begeesterd worden door begeesterende voorbeelden die de waarheid beleven.[34]

Noten

1. Goethe, J.W. (1962/1795). *Wilhelm Meisters Lehrjahre. Zweiter Teil*. München: DTV ; p. 200 (Lehrbrief in 7. Buch, 9. Kap.).

2. Vgl. M. Depaepe (1998). *De pedagogisering achterna. Aanzet tot een genealogie van de pedagogische mentaliteit in de voorbije 250 jaar*. Leuven: Acco; p. 203 e.v.

3. Het betreft hier de vertaling van F. De Hovre (1924). *Paedagogische wijsbegeerte. Een studie in moderne levensbeschouwingen en opvoedingstheorieën*. Antwerpen-'s Hertogenbosch: Malmberg. Deze vertaling was van de hand van G. Siméons: F. De Hovre (1927). *Essais de philosophie pédagogique*. Brussel: Dewit. Het voorwoord is opgenomen in de verzamelde werken van Maritain: *Préface au livre de Franz De Hovre, Essai de philosophie pédagogique (1927)*. In Maritain, J. & R. (1984). *Oeuvres Complètes. Vol. 3 (1924-1929)*. Paris-Fribourg: Saint-Paul-Ed. Universitaires. pp. 1406-1412.

4. Maritain heeft later zelf een dergelijk thomistische wijsbegeerte van opvoeding uitgewerkt in J. Maritain (1959). *Pour une philosophie de l'éducation*. Paris: Fayard.

5. Mijn vermoeden is dat de gesprekspartner Chesterton is: een specialist in dergelijke one-liners die ook veel voorkomen in het werk van De Hovre.

6. De Hovre promoveerde met een proefschrift over Willmann en vertaalde diens monumentale 'Didaktik als Bildungslehre' – vgl. F. De Hovre (1909). La didactique d'Otto Willmann. *Revue Néo-scolastique de Philosophie, 15 (Extraits)*; Willmann, O. (1912). *Didaktiek of Theorie der geestesvorming in haar verband met de sociologie en de geschiedenis der vorming.(Vier delen)*. Brussel: Standaard Boekhandel – en werd als een 'volbloed Willmanniaan' bestempeld [Fr. S. Rombouts (1927). *Historiese Pedagogiek. Deel 2: Negentiende en twintigste eeuw*. Amsterdam-Antwerpen: R.K. Boekencentrale-Veritas. p. 373.

7. Voor een weliswaar oppervlakkig beeld van de traditie waarbinnen deze discussie geplaatst moet worden: vgl. F. Pierini ssp . *The master in the fathers and in ecclesial tradition (especially in 'De magistro' by St. Augustine and St. Thomas Aquinas)*. <http://www.stpauls.it/studi/maestro/inglese/pierini/ingpie05.htm>

8. F. De Hovre (z.j.). *De Grondwet der Opvoedkunde. (Openingsrede gehouden te Antwerpen, den 8 November 1928 bij het oprichten van het Hooger Instituut voor Opvoedkunde)*. p. 9.

9. Op deze wijze positioneert De Hovre zich ook niet alleen tegenover de 'naturalistische' pedologie die de pedagogiek op de natuurwetenschappelijke methode wilden enten. Hij keert zich zo ook tegen de 'intuïtieve' pedagogiek van Edward Peeters die als enig criterium 'het gezond verstand' stelde. Vgl. R. De Graeve (1939). *Edward Peeters: pionier van de Opvoedkundige Beweging in Vlaanderen*. Antwerpen: Sikkel.

10. F. De Hovre (1919). Pestalozzi et Herbart. *Annales de l'Institut Supérieur de Philosophie, 8* (Extraits).

11. F. De Hovre (1917). *German and Englisch education. A comparative study*. London: Constable.

12. F. De Hovre (1924/1934²). *Paedagogische Wijsbegeerte. Een studie in de moderne levensbeschouwingen en opvoedingstheorieën*. 's-Hertogenbosch-Antwerpen: Malmberg.

13. F. De Hovre, (1929). *'T Katholicisme. Zijn paedagogen, zijn paedagogiek*. 's-Hertogenbosch-Antwerpen: Malmberg.

14. De Hovre in Willmann, O. (1912/1929²). *Didaktiek of Theorie der geestesvorming in haar verband met de sociologie en de geschiedenis der vorming. Deel 1: Grondslagen der opvoedingswetenschap*. Brussel: Standaard Boekhandel. p. 16.

15. In zijn 'bloemlezing' van pedagogen van de negentiende en twintigste eeuw, geeft De Hovre alleen de resultaten van deze strategieën weer: een aantal tekstfragmenten (soms niet meer dan een citaat) voorafgegaan door een beknopte levensbeschouwelijke plaatsbepaling. Van deze laatste worden de katholieke pedagogen ontslaan [hier volstaat een aanduiding in de inhoudstafel (*)]. Vgl. F. De Hovre (1935). *Paedagogische denkers van onzen tijd. Bloemlezing*. Antwerpen: Standaard Boekhandel.

16. Louis Gabriel Ambroise vicomte de Bonald (1754-1840) en Joseph-Marie comte de Maistre (1753-1821) zijn de meest invloedrijke ideologen van de contrarevolutie in Frankrijk geweest. Ze verdedigden niet alleen de absolute monarchie als een goddelijke instelling, maar ook het absoluut pauselijk gezag inzake geestelijke aangelegenheden. In de negentiende eeuw en ook nog de periode dat De Hovre schrijft, genieten beide denkers een groot gezag in antidemocratische kringen en zijn hun denkbeelden voorwerp van sociologische en sociaal-filosofische discussies. Vgl. R. Spaemann (1959/1998). *Der Ursprung der Soziologie aus dem Ursprung aus dem Geist der Restauration*. Stuttgart: Klett-Cotta.

17. De Hovre was een groot bewonderaar van Benjamin Kidd (1858-1916). Hij bezat en las grondig (getuige de vele nota's) al de publicaties van deze nu haast totaal vergeten sociaal-darwinist die in zijn tijd populairder was dan Herbert Spencer [D.P. Crook (1984). *Benjamin Kidd. Portrait of a social Darwinist*. Cambridge: UP.] Vooral voor christelijke intellectuelen die de evolutietheorie poogden te integreren in hun religieus denken vormde Kidd een interessant alternatief, daar hij religie niet als een voorbijgaande fase in de geschiedenis opvatte, maar juist als een motor van de geschiedenis. Vgl. F. De Hovre (1910). La philosophie sociale de Benjamin Kidd. *Revue Néo-scolastique de Philosophie, 17*, 376-394.

18. Het ligt in onze bedoeling in volgende publicatie deze discussie verder uit te werken en te situeren in een ruimere historische context betreffende de spanningen in de katholieke pedagogiek en haar *christiana humana*.

19. In 1939 bij de viering van 10 jaar *V.O.T.* stelt men ook de vraag naar de wenselijkheid van de grote aandacht die tot nu gegaan is naar de mening van andersdenkenden, en lijkt de verdienste van De Hovre gesitueerd te moeten worden in het informeren over wat de anderen denken, en meent men dan de katholieke opvoedingstheorie onbeschreven blijft. Vgl. E. Sneyers (1939). Dr. Frans De Hovre en zijn Pedagogisch werk. *Pedagogische Trakten, 8*(60), 1-12.

20. J. Bernberg (1921). *Zuruck zur Erziehungslehre Christi!* Regensburg: Manz; J. Bernberg (1923). *Umriß der katholischen Pädagogik.* Regensburg: Manz.

21. Fr. S. Rombouts (1927). *Deugdenpedagogiek en kultuurpedagogiek.* (Opvoedkundige Brochurenreeks, nr. 28). Antwerpen: Veritas

22. Nergens vermeldt hij Bernberg of de discussie. Hij had wel het boek van Bernberg in zijn bezit en heeft het ook duidelijk gelezen getuige de vele aantekeningen in zijn exemplaar.

23. In deze weergave van Decoenes opvattingen volgen we in hoofdzaak zijn *Grondproblemen der christelijke paedagogie.* (Antwerpen: Standaard). Dit werk uit 1953 geeft een doorwrochte samenvatting van zijn vroegere opvattingen die verspreid liggen over vele publicaties, waar hij overigens regelmatig naar verwijst.

24. Van Dale kent wel het woord '*ideatie*' als het schouwen van het wezen van iets.

25. A. Decoene (1947). *Paedagogische waarde der dogma's.* Leuven: Ausum.

26. A. Decoene (1956). *Jezus als pedagoog.* Tielt: Lannoo.

27. De term 'pedeutologie' verwijst naar 'de studie van de psychologie en de vorming van de opvoeder zelf' en stamt van Claparède.

28. Zie bijvoorbeeld: M. Hellemans (1992). Senso o non-senso di una pedagogia cristiana. *Pedagogia e vita, 50*(1), 7-17; of ook: S. Miedema. & G. Snik (2001). Opvoeding en levensbeschouwing. *Pedagogisch Tijdschrift, 26*(3/4), 263-277.

29. A. Decoene (1913). Godsdienstige vorming op de lagere school. De persoon van dn onderwijzer. *Canisiusblad, 12,* 169-178; 189-196; A. Decoene (1919/1920). De persoonlijkheid van de onderwijzer-opvoeder. *V.O.T., 1,* 14-15; 61-79; A. Decoene (1922/1923). De persoonlijkheid van den onderwijzer. Pedeutologie. *V.O.T., 4,* 416.

30. Vgl. D. A. Gallagher (1961). St. Augustine and Christian Humanism. In: Idem (Ed.). *Some philosophers on education. Papers concerning the doctrines of Augustine, Aristotle, Aquinas & Dewey.* (pp. 46-66). Milwaukee: Marquette U.P.

31. A. Kriekemans (1978). *Beschouwingen over een vergeten opvatting van de fundamentele pedagogiek: de christelijke appelatieve pedagogiek.* Leuven: Acco

32. Dit is het voorwerp van de bekende 'Questio 11: de magistro' uit *De Veritate.*

33. Zelfs iemand als Augustinus die de rol van de leerkracht wel erg beperkt, heeft aandacht voor wat we nu 'burnout' zouden noemen en geeft in zijn catechetisch handboek tal van remedies om de 'verveling' bij de leerkracht aan te pakken. Vgl. *Saint Augustin d'Hippone Traité du Catéchisme Méthode pour enseigner aux catéchumènes les éléments du christianisme.* <www.jesus. marie.com/augustin_catechisme_traité.html>

34. Vgl. voor een uitwerking: Van Crombrugge, H. (in druk). Voorbij gezag en authenticiteit. Over geloofwaardigheid. In L. Braeckman (Ed.). *De leerkracht als levensbeschouwelijk pedagoog.* (in druk).